SUR BABYLAS

La publication de cet ouvrage a été préparée avec le concours
de l'Institut des « Sources Chrétiennes »
(U.R.A. 993 du Centre National de la Recherche Scientifique)

SOURCES CHRÉTIENNES

N° 362

JEAN CHRYSOSTOME

DISCOURS SUR BABYLAS

INTRODUCTION, TEXTE CRITIQUE, TRADUCTION ET NOTES

PAR

Margaret A. SCHATKIN, Ph.D., Th.D.
Boston College, Massachusetts
avec la collaboration de
Cécile BLANC et **Bernard GRILLET**

suivi de

HOMÉLIE SUR BABYLAS

INTRODUCTION, TEXTE CRITIQUE, TRADUCTION ET NOTES

PAR

Bernard GRILLET et **Jean-Noël GUINOT**

Ouvrage publié avec le concours du Centre National des Lettres

LES ÉDITIONS DU CERF, 29, Bd DE LATOUR-MAUBOURG, PARIS
1990

TO THE REVEREND FATHER
HERBERT A. MUSURILLO, s.j.
(1917-1974)

PROFESSOR OF CLASSICS
FORDHAM UNIVERSITY

AVANT-PROPOS

La présente édition du *Discours sur Babylas* de Jean Chrysostome est le résultat d'un travail de recherche entrepris depuis de nombreuses années par Miss Margaret A. Schatkin, à l'initiative du professeur H. Musurillo. Il est aussi le fruit d'une étroite collaboration, exigeante mais toujours cordiale, entre l'auteur et divers membres de l'Institut des «Sources Chrétiennes», depuis près de vingt ans.

Le travail reste fondamentalement celui de Miss Schatkin : c'est elle qui a étudié l'ensemble de la tradition manuscrite du *Discours,* dont elle a également proposé, en langue anglaise, une introduction, une traduction et des notes. Avec notre accord, cette dernière partie du travail a fait l'objet d'une publication dans la collection *The Fathers of the Church,* sous le titre *St John Chrysostom Apologist. Discourse on Blessed Babylas and Against the Greeks* (Washington 1985), tandis que se préparait pour «Sources Chrétiennes» l'édition critique et la version française de l'ouvrage.

Pour aboutir à ce résultat, de nombreuses et patientes collaborations ont été nécessaires. Il a tout d'abord fallu traduire l'ensemble du manuscrit fourni par Miss Schatkin : ce fut l'œuvre de Cécile Blanc. Ce fut aussi, entre la traductrice et un auteur toujours prêt à répondre aux questions comme à accepter d'utiles suggestions, l'occasion d'échanges de vue multiples et féconds. Mais il ne pouvait être question de présenter une réplique exacte de l'édition américaine. De ce fait, l'Introduction qu'on lira ici, aussi bien que l'annotation, ont subi par rapport à l'original un certain nombre d'aménagements et de retouches, pour répondre aux exigences propres de la Collection. Il fallait surtout offrir au lecteur une traduction française directement faite sur le texte grec, tout en respectant les options fondamentales de Miss

Schatkin : Bernard Grillet, familier de l'œuvre de Jean Chrysostome, a bien voulu en assurer la réalisation.

Enfin, désireux d'offrir un «dossier» complet, nous avons jugé utile de publier en appendice, avec l'accord de Miss Schatkin, l'*Homélie sur Babylas*. L'établissement du texte a été assuré par Jean-Noël Guinot ; l'Introduction, la traduction et les notes, par Bernard Grillet.

Ainsi, grâce à la collaboration internationale et à un travail d'équipe patiemment conduit, le lecteur disposera désormais de l'édition critique de deux textes importants, touchant le culte des martyrs à Antioche et les rapports de l'Église avec l'hellénisme, à l'époque de l'empereur Julien.

J.-N. G.

ABRÉVIATIONS ET SIGLES

AB	Analecta Bollandiana, Bruxelles
ACW	Ancient Christian Writers, Westminster (Maryland)
ASS	Acta Sanctorum, Bruxelles
BA	Bibliothèque Augustinienne, Paris
BHG	Bibliotheca Hagiographica Graeca, Bruxelles
BHL	Bibliotheca Hagiographica Latina, Bruxelles
CCL	Corpus Christianorum, Series Latina, Turnhout
CIG	Corpus Inscriptionum Graecarum, Berlin
CUF	Collection des Universités de France, Paris
DOWNEY, *History*	G. DOWNEY, *A history of Antioch in Syria,* Princeton 1961
GCS	Die Griechischen Christlichen Schriftsteller der ersten (drei) Jahrhunderte, Berlin-Leipzig
JRS	Journal of Roman Studies, London
JTS	Journal of Theological Studies, Oxford
LAMPE	G. W. H. LAMPE, *A patristic greek Lexicon,* Oxford 1961
MGH	Monumenta Germaniae Historica, Berlin
PG	Patrologia graeca (J.-P. MIGNE), Paris
PL	Patrologia latina (J.-P. MIGNE), Paris
PW	PAULY-WISSOWA-KROLL, Realencyclopädie der classischen Altertumswissenschaft, Stuttgart
RLAC	Reallexicon für Antike und Christentum, Stuttgart
SC	Sources Chrétiennes, Paris
TU	Texte und Untersuchungen zur Geschichte der altchristlichen Literatur, Leipzig

BIBLIOGRAPHIE

Ne sont relevés dans cette Bibliographie que les livres et articles d'auteurs modernes mentionnés à plusieurs reprises dans cet ouvrage.

J.F. D'ALTON, *Selections from St. John Chrysostom*, London 1940.

G. DOWNEY, *A History of Antioch in Syria from Seleucus to the Arab Conquest*, Princeton 1961.

A. EHRHARD, *Überlieferung und Bestand der hagiographischen und homiletischen Literatur der griechischen Kirche*, t. 2 (*TU* 51), Leipzig 1937.

A. J. FESTUGIÈRE, *Antioche païenne et chrétienne : Libanius, Chrysostome et les moines de Syrie*, Paris 1959.

T. HOPFNER, art. «Nekromantie», *PW* I, 32, 1935, c. 2218-2233.

W. JAEGER, *Paideia*, t. 1-3, Berlin 1954-1955.

H. KUSCH, art. «Diogenes von Sinope», *RLAC* 3, 1957, c. 1063-1075.

G. W. H. LAMPE, *A patristic greek Lexicon*, Oxford 1961.

L. S. LENAIN DE TILLEMONT, *Mémoires pour servir à l'histoire ecclésiastique des premiers siècles*, t. 1-16, Paris 1693-1712.

E. LUCIUS, *Die Anfänge des Heiligenskults in der christlichen Kirche*, Tübingen 1904.

A. M. MALINGREY, Introduction à JEAN CHRYSOSTOME, *Lettre d'exil* (*SC* 103), Paris 1964.

H. PARKE et D. WORMEL, *The Delphic Oracle*, t. 1-2, Oxford 1956.

P. PEETERS, «La passion de S. Basile d'Épiphanie», *AB* 48, 1930, p. 479-509.

P. PETIT, *Libanius et la vie municipale à Antioche au IVe siècle après J.-C.*, Paris 1955.

A. PIGANIOL, *L'empire chrétien (325-395)*, 2e édition mise à jour par A. Chastagnol, Paris 1972.

J. QUASTEN, *Initiation aux Pères de l'Église,* t. 1-4, Paris 1955-1986.

A. SEITZ, *Die Apologie des Christentums bei den Griechen des IV. und V. Jahrhunderts in historish-systematischer Darstellung,* Würzburg 1895.

J. STRAUB, «Die Himmelfahrt des Julianus Apostata», *Gymnasium* 69, 1962, p. 310-326.

INTRODUCTION

CHAPITRE PREMIER

L'AUTEUR ET L'ŒUVRE

Parmi les œuvres de Jean Chrysostome figurent un *Discours sur Babylas*[1] et une *Homélie* prononcée à l'occasion de la fête de saint Babylas, qui fut évêque d'Antioche et subit le martyre dans cette ville vers 250. Ce sont ces deux ouvrages que nous éditons ici, la courte *Homélie,* qui appartient à une tradition manuscrite différente, faisant l'objet de l'Appendice.

Babylas   Que savons-nous de Babylas ? Eusèbe de Césarée est le seul écrivain antérieur à Jean Chrysostome dont nous possédions un témoignage sur la vie et sur la mort du saint. Trois passages très courts font mention de Babylas :

– « Gordien ayant reçu après Maximin le principat des Romains... alors aussi, l'évêque d'Antioche Zébennus ayant quitté la vie, Babylas reçoit l'autorité » (*H. E.,* VI, 29, 4, trad. Bardy).

– « Philippe, ayant donc régné sept ans, a Dèce pour

---

1. L'authenticité du discours a été contestée. Sur cette question, voir M. SCHATKIN, « The authenticity of St John Chrysostom's *De sancto Babyla, contra Julianum et gentiles* », dans *Kyriakon* (*Festschrift Johannes Quasten*), Münster 1970, t. 1, p. 476-489.

successeur. Celui-ci, par haine pour Philippe, réveille une persécution contre les Églises... D'une manière semblable à Alexandre, Babylas meurt en prison à Antioche après sa confession, et Fabius est préposé à l'Église de cette ville» (*Ibid.*, VI, 39, 4).
– «Alexandre de Jérusalem étant mort martyr à Césarée de Palestine et Babylas à Antioche, Mazabanius et Fabius sont établis évêques» (*Chronique*, Dèce 1 = *GCS* 47, p. 218)[1].

Ces textes fournissent ainsi quelques éclaircissements sur l'élévation de Babylas à l'épiscopat, sur la date et les circonstances de son martyre :
– 1) Eusèbe a utilisé pour les premiers évêques d'Antioche la *Chronique* de Jules l'Africain; elle s'arrêtait à Philet, le dixième[2]. Pour les neuf évêques suivants (Zébennus, Babylas, Fabius...), l'historien ne disposait plus d'une liste antérieure : il a dû calculer lui-même les dates approximatives de leurs épiscopats. Dans l'*Histoire ecclésiastique* (VI, 29, 4), il fixe au début du règne de Gordien (238) l'intronisation de Babylas à Antioche, de même que celles d'Antère et de Fabien à Rome. Comme Lenain de Tillemont l'a relevé, «nous ne croyons pas... pouvoir mettre l'élection d'Antère et celle de Fabien en d'autres années qu'en 235 et 236. Ainsi l'on ne peut rien tirer de cet endroit qui soit bien fixe pour l'élection de Babylas[3].» D'autre

---

1. Cf. A. HARNACK, *Geschichte der altchristlichen Literatur bis Eusebius*, II, 1, Leipzig 1897[2], p. 70-81.
2. D'après HARNACK, *op. cit.*, p. 208-209, les dates des sept premiers évêques d'Antioche empruntés par Eusèbe à Jules l'Africain pour la seule *Chronique*, puis abandonnées dans l'*Histoire ecclésiastique*, sont sans valeur, ayant été arbitrairement alignées sur celles des évêques de Rome.
3. LENAIN DE TILLEMONT, *Mémoires*, t. 3, p. 727 s. Les événements racontés par Eusèbe en *H.E.*, VI, 29, pourraient appartenir au règne de Maximin le Thrace, d'après H.J. LAWLOR et J.E.L. OULTON, *Eusebius, Bishop of Caesarea. The Ecclesiastical History and the Martyrs of Palestine*, t. 2, Londres 1928, p. 221.

part, les chroniqueurs qui ont succédé à Eusèbe ne s'accordent pas sur la longueur de l'épiscopat de Babylas. D'après le *Chronographeion syntomon* de 853, le Syncelle et Nicéphore, il dura treize ans, ce qui concorderait avec les données d'Eusèbe : de l'accession de Gordien à l'Empire (238) jusqu'au règne de Dèce (251); d'après les chroniqueurs orientaux, Eutychius et Barhebraeus, huit ans seulement[1].

– 2) Dans l'*Histoire ecclésiastique,* comme dans la *Chronique,* Eusèbe fixe le martyre de Babylas sous Dèce[2]. Nous avons vu plus haut qu'il ne semble pas avoir disposé de documents précis et qu'il peut avoir déterminé les dates des derniers évêques d'Antioche par simple conjecture. Or trois chroniqueurs plus tardifs qu'Eusèbe fixent la date du martyre de Babylas avant le règne de Dèce : le *Chronographeion syntomon,* et probablement le Syncelle, sous Gordien (238-244); Eutychius, sous Maximin le Thrace (235-238)[3].

– 3) D'après la *Chronique* d'Eusèbe, Babylas fut exécuté *ob testimonium,* «à cause de son témoignage». Le passage correspondant de l'*Histoire ecclésiastique* (VI, 39, 4), τοῦ Βαβύλα μετὰ ὁμολογίαν ἐν δεσμωτηρίῳ μεταλλάξαντος, peut se comprendre soit comme l'ont compris saint Jérôme[4] et

1. A. HARNACK, *op. cit.,* II, 1, p. 95.

2. Plusieurs l'ont suivi, entre autres JÉRÔME, *De uiris,* 54; 62; GRÉGOIRE DE TOURS, *Histoire des Francs,* I, 30; la *Chronique pascale* (ci-dessous p. 53).

3. Alors que Maximin le Thrace fit mettre à mort plusieurs chefs d'Églises, aucune persécution n'est signalée sous le règne de Gordien, et, d'après Eusèbe, Babylas n'aurait accédé à l'épiscopat que sous son règne. Cf. A. HARNACK, *Die Zeit des Ignatius und die Chronologie der antiochenischen Bischöfe bis Tyrannus,* Leipzig 1898, p. 59.

4. *De uiris,* 54 : «Les évêques de Jérusalem et d'Antioche, Alexandre et Babylas, moururent en prison à cause de leur confession.» L'interprétation de Jérôme a pu être influencée par le récit de la mort en prison d'Alexandre, récit qui, chez EUSÈBE (*H. E.,* VI, 39, 3), précède immédiatement celui de la mort de Babylas.

G. Bardy : «Babylas meurt en prison après sa confession»
(ce qui contredit à la fois Jean Chrysostome[1] et les
Passions, qui affirment qu'il mourut par l'épée), soit :
«Babylas meurt – sans dire comment – après avoir confessé
sa foi en prison.» Au paragraphe suivant, Eusèbe montre
comment Origène confessa sa foi en endurant des supplices
en prison, sans cependant mourir au moment même de ces
supplices. On pourrait penser que Babylas passa quelque
temps en prison, où il témoigna de sa foi[2], puis mourut
sans qu'Eusèbe ait pu nous dire comment.

Qu'advint-il du corps de Babylas après sa mort? Il fut
d'abord déposé au cimetière d'Antioche[3]; puis le César
Gallus, pour remédier à la licence qui s'installait à Daphné,
faubourg brillant et mondain d'Antioche, y fit porter

---

1. Cf. *Discours*, 91, 3 (ἀνεῖλεν); *Homélie*, 2, 5 (σφαγή).

2. Jean Chrysostome mentionne l'incarcération de Babylas dans son
Discours (54-57). Il le fait aussi dans un autre texte : «Le bienheureux
martyr Babylas fut enchaîné (ἐδέθη)... pour avoir convaincu de crime un
empereur» (*Hom. sur Éphés.*, IX, 4). Par ailleurs, la *Passion de S. Basile
d'Épiphanie* contient le texte d'une exhortation au martyre que Babylas
aurait rédigée en prison (voir ci-dessous, p. 57 et n. 1).

3. Ni le *Discours* ni l'*Homélie* ne le disent explicitement. Mais on peut,
avant même de recourir aux auteurs postérieurs, le déduire des passages
suivants de Jean Chrysostome : *Discours*, 90-91; 93; 96; *Hom.*, 7, 10, où
le terme de «ville» pour désigner Antioche, avec son cimetière, est
surtout employé par opposition à celui de «faubourg» réservé à
Daphné. – Le cimetière chrétien d'Antioche, αἱ ἱεραὶ περιβολαί (*Discours*,
93, 6), était situé au sud de la ville, à l'extérieur de l'enceinte, près de la
porte d'où partait la route pour Daphné, comme l'indique DOWNEY,
History, Plate 11 (Restored plan of Antioch based on the literary texts
and the excavations). Les restes de l'évêque S. Ignace, martyrisé à Rome
quelque deux siècles auparavant, devaient déjà s'y trouver : dans le *De
uiris*, 16, JÉRÔME achève sa notice en disant que «ses reliques reposent
dans le cimetière d'Antioche, au-delà de la porte de Daphné», mais il ne
donne pas de renseignement chronologique; quand Jean Chrysostome
félicite les Antiochiens d'avoir rendu Babylas «au chœur de ceux qui
partagent avec lui une même ferveur» (*Hom.*, 10), il songe peut-être,
entre autres, à Ignace.

les reliques du saint (67; 69; cf. *Hom.*, 2). Or il y
avait à Daphné un temple d'Apollon édifié vers 300
par Séleucus Ier, le fondateur d'Antioche : le dieu y rendait
des oracles[1]. Dès que les reliques eurent été déposées dans
le martyrion construit à cet effet, l'oracle d'Apollon devint
muet (73; cf. *Hom.*, 5). La proximité du corps du saint fut
incriminée. Julien, qui s'établit à Antioche en 362, fit alors
enlever le cercueil contenant la dépouille de Babylas et le fit
reporter au cimetière d'Antioche (87; 90-91; 93; 126;
cf. *Hom.*, 7; 8; 10)[2]. Un incendie détruisit alors une partie
du temple d'Apollon; les chrétiens y virent le signe de la
colère céleste (93-94; cf. *Hom.*, 8-9). C'est Mélétios, évêque
d'Antioche, qui fit élever en 379-380 un nouveau martyrion, face à Antioche sur la rive opposée de l'Oronte
(*Hom.*, 10)[3].

1. Le temple renfermait une gigantesque statue du dieu, attribuée au
sulpteur athénien Bryaxis. La tête, les bras et les jambes de la statue
étaient en pierre, le reste en bois doré. La source de Castalie s'épanchait
des deux côtés du sanctuaire (cf. DOWNEY, *History*, p. 82 s.). On
obtenait des oracles en observant le mouvement des vagues et, plus
particulièrement, celui des feuilles de laurier flottant à la surface. Julien
aurait fait déboucher la source de Castalie, obstruée sur l'ordre
d'Hadrien (A. BOUCHÉ-LECLERCQ, *Histoire de la divination dans l'Antiquité*, t. 3, Paris 1880, p. 266-270; V. SCHULTZE, *Altchristliche Städte und
Landschaften*, III *[Antiocheia]*, Gutersloch 1930, p. 215; DOWNEY,
History, p. 222, n. 103).
2. D'après les historiens ecclésiastiques (v.g. THÉODORET, *H. E.*,
III, 10, 3), le cercueil fut transporté au champ des psaumes, tandis que la
foule reprenait le verset : «Qu'ils soient confondus, tous ceux qui se
prosternent devant des images gravées» (*Ps.* 96,7).
3. Date établie par G. DOWNEY, «The shrines of St. Babylas at
Antioch and Daphne», dans *Antioch-on-the-Orontes*, t. 2, *The excavations*,
Princeton 1938, p. 48. Ce martyrion a été identifié avec une église
cruciforme dont les restes ont été découverts en 1935 en face
d'Antioche : J. LASSUS, «L'église cruciforme d'Antioche-Kaoussié
12-F», *ibid.*, p. 5-44.

I. LE *DISCOURS SUR BABYLAS*
DE JEAN CHRYSOSTOME

**La date
du *Discours*** Le *Discours sur Babylas* ne peut
avoir été écrit qu'entre 363 et 379.
D'une part, en effet, le règne et la
mort de l'empereur Julien y occupent une place importante, et la paix conclue en 363 avec la Perse par son
successeur Jovien y est également mentionnée (123).
D'autre part, le texte ne fait aucune allusion au nouveau
martyrion de Babylas, celui de 379-380, élevé par Mélétios.
Il ne parle même pas d'un projet de l'évêque Mélétios à cet
égard : au moment de la rédaction du *Discours* les reliques
du saint se trouvaient dans leur première demeure, le
cimetière chrétien d'Antioche, où Julien les avait fait
reporter.

Il est vraisemblable que le *Discours* a été composé en 378
ou 379.

– 1) Au § 30, Jean Chrysostome parle de Babylas qui «se
trouvait alors chargé du troupeau de *nos* fidèles... et s'était
vu confier l'Église du Christ d'*ici* (ἐνθάδε)». C'est donc
qu'il est à Antioche. Il avait quitté la ville sans doute en
372 et avait vécu six ans, selon Palladios[1], dans la solitude
aux environs d'Antioche. Son retour à Antioche, dans un
état physique très médiocre, se situerait en 378[2]. D'autre
part Mélétios, après son exil de six ans sous l'empereur
arien Valens, est rentré à Antioche après l'édit de tolérance
de Gratien (août 378); il a aussitôt entrepris de restaurer

---

1. PALLADIOS, *Dialogue sur la vie de Jean Chrysostome*, 5.

2. Voir A.-M. MALINGREY, Introd. à JEAN CHRYSOSTOME, *Sur le sacerdoce* (*SC* 272), Paris 1980, p. 11.

l'orthodoxie dans la cité et convoqué un synode pour
septembre 379[1].

– 2) De l'absence de toute allusion dans le *Discours* à un
projet de Mélétios de construire un martyrion en l'honneur de Babylas on peut déduire l'hypothèse suivante :
a) revenu à Antioche à la fin de l'été 378, Mélétios
n'oublie pas son «fils spirituel»[2], Jean Chrysostome, qu'il
considère comme un auxiliaire possible pour sa tâche de
rénovation spirituelle de son diocèse; il le sait malade, se
met en rapport avec lui et lui suggère de rentrer à
Antioche où il pourra d'abord se soigner et écrire, avant
de se consacrer à une vie plus active – il sera diacre en 381
et rédigera d'ici-là la plupart de ses traités ascétiques[3]. Il
l'encourage à composer un discours sur Babylas, le glorieux évêque martyr d'Antioche[4], qui sera à la fois une
œuvre d'apologie de la religion chrétienne, et de polémique contre Julien et les païens – l'œuvre sera suivie en
381 d'un *Contra Iudaeos et Gentiles*. C'est ce que fait Jean
Chrysostome.   b) Quelques mois plus tard, son autorité
bien établie à la suite du synode de septembre 379,
Mélétios conçoit un programme de construction d'édifices
en l'honneur des martyrs (*Hom.*, 10), entre autres d'un
martyrion pour y recevoir le corps de Babylas. Les
travaux, qu'il dirige lui-même au milieu de l'été 380[5], sont
activement poussés. Le monument est achevé début 381,
les cendres du martyr y sont déposées et, après la mort de

---

1. Cf. G.BARDY et J.-R. PALANQUE, *La crise arienne : la victoire de
l'orthodoxie*, dans A. FLICHE et V. MARTIN, *Histoire de l'Église*, t. 3, Paris
1950, p. 281 et 283.

2. PALLADIOS, *ibid.*

3. En 380 : *A une jeune veuve*; en 381 : *A Stagyre*; *A Théodore*; en
381-382 : *Les cohabitations suspectes*; en 392 : *Sur la virginité*.

4. La vénération des martyrs est un des traits les plus saillants de la
piété chrétienne d'Antioche au IVe siècle. Voir P. RENTINCK, *La cura
pastorale in Antiochia nel IV. secolo*, Rome 1970, p. 127-143.

5. *Hom.*, 10; Cf. G. DOWNEY, *op. cit. (p. 19, n. 3)*, p. 47.

Mélétios (été 381), le corps de Mélétios vient rejoindre celui de Babylas[1].

Tous ces éléments nous invitent donc à fixer la rédaction du *Discours* entre la fin 378 et les premiers mois de 379 – entre le retour de Mélétios et Jean à Antioche, et le projet du martyrion après septembre 379.

Jean Chrysostome, il est vrai, affirme, au § 117, que vingt ans se sont écoulés depuis l'incendie du temple de Daphné. Or, d'après Ammien Marcellin (XXII, 13, 1), cet événement eut lieu le 22 octobre 362 ; ce qui, pris à la lettre, repousserait la date du traité jusqu'en 382. Mais Jean Chrysostome a l'habitude d'arrondir les nombres, de les majorer ou de les réduire selon les besoins de la rhétorique[2]. Ici, le contexte semble prouver que le nombre a été majoré.

Le sujet Le *Discours* relate les circonstances du martyre de Babylas et les événements qui ont suivi, à Daphné, l'expulsion de ses reliques sur l'ordre de l'empereur Julien. Il évoque d'abord l'arrestation de Babylas et son emprisonnement : à la suite d'un crime odieux perpétré par un empereur, dont le nom n'est pas cité, sur l'enfant d'un roi barbare qui lui avait été confié, l'évêque Babylas a refusé au meurtrier l'entrée de l'église. Jeté en prison, Babylas meurt en demandant que ses fers soient ensevelis avec son corps. Ses reliques, déposées au cimetière d'Antioche, sont transférées en grande pompe à Daphné, non loin du temple d'Apollon,

---

1. G. DOWNEY, *op. cit. (p. 19, n. 3)*, p. 48 ; J. LASSUS, *op. cit. (p. 19, n. 3)*, p. 38 ; cf. DOWNEY, *History*, p. 415-416.
2. C. BAUR, «Wann ist der heilige Chysostomus geboren?», *Zeitschrift für katholische Theologie* 52, 1928, p. 404, n. 5. Aux exemples qu'il cite on peut ajouter : *Discours*, 85 ; *A une jeune veuve*, II, 96-102 : *Contre les Juifs*, VI, 2 ; *Hom. sur I Cor.*, IX, 2.

où elles sont l'objet de la ferveur populaire. La proximité du cercueil rendant muet l'oracle d'Apollon, Julien décide de ramener les reliques à Antioche. Cet acte sacrilège est suivi de l'incendie du temple, dans lequel les chrétiens voient la juste colère de Dieu, puis de la mort sans gloire de l'empereur.

La structure du *Discours* — Malgré l'emploi des verbes «dire[1]» et «entendre[2]» et malgré certaines interpellations de l'auditoire[3], ce n'est pas une homélie mais un texte écrit[4]. Selon la tradition, le style apologétique des Pères était oratoire et gardait certaines caractéristiques du discours parlé[5]. Les quelques éléments mentionnés ne seraient pas déplacés dans un discours lu dans un cercle d'amis[6]. Jean Chrysostome mentionne, d'autre part (78, 7), qu'il écrit; son texte est beaucoup plus long que celui de ses homélies

1. Ἐρεῖν : 2, 1; 22, 6; 27, 6; 96, 2; 125, 2. Εἰπεῖν : 3, 1; 22, 5; 30, 7; 47, 5; 50, 1; 73, 6; 78, 15; 96, 1. Φῆναι : 16, 10; 55, 1; 97, 1. Λέγειν : 23, 3; 47, 3; 67, 1; 98, 1.

2. 22, 11; 25, 17; 31, 9.

3. «Ne protestez pas»: 22, 6; 75, 5.

4. C'est la conclusion du plus grand nombre des historiens: cf. LENAIN DE TILLEMONT, *Mémoires*, t. 11, p. 558; J. STLTINGUS, «De S. Joanne Chrysostomo ep. et doct.», *ASS*, sept. IV, p. 438; J. QUASTEN, *Initiation aux Pères de l'Église*, trad. J. Laporte, Paris 1963, t. 3, p. 655.

5. H. JORDAN, *Geschichte der altchristlichen Literatur*, Leipzig 1911, p. 211; cf. *Discours*, 81, 3.7-10 : apostrophes d'Apollon et de Julien; 99, 1.6.16 : apostrophes de Libanius. Les chrétiens sont désignés par «nous» (85, 1; 121, 6.10.14), les païens par «vous» (20, 1; 75, 12). De plus, l'auteur répond victorieusement aux provocations d'un contradicteur païen imaginaire (43; 46; 47; 78, 14-17). L'introduction d'un tel adversaire provient de la diatribe cynique, dont il n'est pas rare de trouver des éléments dans un traité : cf. W. CAPELLE et H.I. MARROU, art. «Diatribe», *RLAC* 3, 1957, c. 992; 998; 1002.

6. LENAIN DE TILLEMONT, *Mémoires*, t. 11, p. 558.

et il fut évidemment rédigé avant son accession à la prêtrise (386) et, par conséquent, à la prédication[1].

Ce discours est construit selon les règles de la rhétorique classique :

1-21	introduction générale (προοίμιον)		
		22	introduction à l'histoire d'autrefois (παλαιὸς λόγος)
	développements comprenant	23-63	histoire d'autrefois
22-126	récits (διηγήσεις) et preuves (πίστεις)	64-66	introduction à l'histoire récente (νέος λόγος)
		67-126	histoire récente : principale preuve
127	conclusion (ἐπίλογος)		

Le prologue affirme l'authenticité des miracles des apôtres, déjà prédits par le Christ (*Jn* 14, 12). Le développement, qui est une démonstration de la thèse affirmée dans le prologue, renferme plusieurs preuves, démonstrations (75, 5-11) ou témoignages subsidiaires[2]. Il comporte deux récits sur Babylas. Le premier est consacré aux actions héroïques qui conduisirent l'évêque au martyre, le second aux miracles opérés par ses reliques. L'un manifeste la puissance du bienheureux pendant sa vie, l'autre après sa mort (127, 1-2).

Ce double récit des hauts faits de Babylas rappelle les doubles éloges et les doubles récompenses des héros de

---

1. Cf. C. BAUR, *John Chrysostom and his time*, Londres 1959, t. 1, p. 153-154, et note 11, p. 175.

2. Cf. 78 (témoins vivants); 95; 98; 100; 102.

l'ancienne littérature grecque[1]. Dans le *Discours sur Babylas,* l'histoire ancienne et l'histoire récente sont précédées, l'une et l'autre, d'un prologue qui fait du récit une preuve de la thèse proposée dans l'introduction générale[2]. Le prologue de l'histoire récente renferme, en outre, une apologie de la vénération des reliques, un des principaux thèmes du traité.

Le dernier paragraphe est une récapitulation des principaux arguments. L'usage de l'asyndète en fait une véritable péroraison[3].

II. LE *DISCOURS* : POLÉMIQUE ET APOLOGIE

Contrairement à Eusèbe, Jean Chrysostome n'est pas un historien et, comme l'indique le titre de ce discours *(Discours en l'honneur du bienheureux Babylas et contre les Grecs),* s'il écrit l'histoire de Babylas, c'est à la louange du martyre – partant, de la foi chrétienne –, c'est aussi pour combattre les païens.

1. On en trouve bien des exemples chez PLATON : vénération du héros, rétribution de la vertu du juste, honneurs rendus au juge (plus précisément au «redresseur» : ἐύθυνος), divinisation de l'homme de bien, sont également affirmés en cette vie et après la mort (*Rep.,* V, 488b-469b; X, 613a; *Lois,* XII, 946e-947b; *Crat.,* 398c). Le même schéma revient dans l'éloge d'Élisée par le *Siracide* (48, 14) et dans l'*Éloge de Théodore* par Chrysippe de Jérusalem († vers 479) où la première partie est consacrée au martyre, la seconde à douze miracles opérés après la mort (*ASS,* nov. IV, p. 55; cf. W. JAEGER, *Paideia,* livre III, 2e partie : *Das Zeitalter der grossen Bildner und Bildungssysteme,* Berlin 1955[2], t. 3, chap. «Paideia und Eschatologie», p. 99-102).

2. Dans l'art oratoire classique, les différentes preuves peuvent être précédées chacune d'une introduction : cf. R. VOLKMANN, *Rhetoric der Griechen und Römer,* Leipzig 1901, p. 27.

3. ARISTOTE, *Rhétorique,* III, 1420 b 2-4; cf. R. VOLKMANN, *op. cit.,* p. 32.

A. FACE AU PAGANISME

Le règne de Julien tout proche avait montré à Jean Chrysostome la vitalité du paganisme et le retentissement que pouvaient avoir encore les écrits des philosophes anti-chrétiens. Comme beaucoup de ses contemporains, Jean Chrysostome se lance dans un pamphlet vigoureux contre l'Apostat. Le polémiste chrétien se devait surtout de répondre aux critiques puisées dans les écrits de Porphyre, Hiéroclès, Julien et Libanius.

Porphyre Le philosophe néo-platonicien Porphyre (233-305) avait entrepris de revivifier le paganisme, tout en combattant la foi chrétienne. Les apologistes chrétiens des IVe et Ve siècles[1] s'appliquèrent à réfuter celui qu'Augustin appelle *doctissimus philosophorum, quamuis christianorum acerrimus inimicus* (*Cité de Dieu,* XIX, 22), «le plus savant des philosophes, quoique l'ennemi le plus acharné des chrétiens». Il ne paraît pas pensable que Jean Chrysostome ait pu rester étranger à ces débats.

Dans la *Philosophie tirée des oracles,* Porphyre, encore jeune, semble avoir voulu établir le paganisme sur un fondement élevé (les oracles), à l'imitation des Juifs et des chrétiens qui s'appuyaient sur les Écritures[2]. Le *Discours sur Babylas* lui répond : le Christ est supérieur aux oracles païens, sa prédiction de *Jean* 14, 12, rapportée comme un

---

1. Par exemple, Arnobe, Eusèbe, Augustin, Théodoret. Voir J. J. O'MEARA, *Porphyry's Philosophy from Oracles in Augustine,* Paris 1959, p. 2 et *passim.*

2. A. SEITZ, *Die Apologie des Christentums bei den Griechen des IV. und V. Jahrhunderts,* Würtzburg 1895, p. 4. Sur le degré d'authenticité des fragments : A. BENOIT, «Le *Contra Christianos* de Porphyre», dans *Mélanges M. Simon,* Paris 1975, p. 261-275.

oracle (χρησμός)[1], s'est accomplie. Apollon, au contraire, le dieu des oracles, est impuissant et ignorant, lui qui n'a même pas été capable de défendre son temple et sa statue contre le feu. Il fut, en effet, réduit au silence et maîtrisé par les reliques de Babylas (127, 13). Jean Chrysostome a probablement utilisé les livres IV et V de la *Préparation évangélique* d'Eusèbe[2]; il interprète, en effet, la divination païenne de la même manière : ceux que les Grecs révéraient comme des dieux, dans les sanctuaires où étaient délivrés les oracles, étaient en réalité de mauvais démons qui cachaient leur ignorance et leur impuissance en trompant l'humanité[3].

Les quinze livres de Porphyre *Contre les chrétiens* constituent «l'ouvrage le plus étendu et le plus savant composé dans l'Antiquité contre le christianisme[4]». Deux recueils d'extraits de cet ouvrage virent le jour vers l'an 300 pour faciliter aux païens la lutte contre l'Église. Hiéroclès semble s'en être inspiré dans son *Philalèthès*. Un inconnu, probablement cité par Macarius Magnès, en fit un résumé en deux livres. Il est probable que le traité de l'empereur Julien *Contre les Galiléens* en dépend, partiellement du moins. Libanius semble avoir lu l'ouvrage[5]. Porphyre y

---

1. D'après J.J. O'MEARA (*op. cit.* [*p. 26, n. 1*], p. 63), c'est sous l'influence de Porphyre que les six derniers livres de la *Cité de Dieu* désignent l'Écriture comme des *oracula*.

2. Dans ces livres, Eusèbe cite longuement l'ouvrage de Porphyre, *La Philosophie tirée des oracles*. Quant aux parallèles entre la *Préparation évangélique* et notre *Discours*, on les trouvera au § 88 (cf. notes *ad loc.*).

3. C'était l'opinion traditionnelle : voir TERTULLIEN, *De anima*, 1, 5; 39, 3; 46, 12 et commentaire de J.W. Waszink (Amsterdam-Paris 1947), p. 75; 92-93; 192; 445; 498-499; G. Clarke, édition de l'*Octavius* de MINUCIUS FELIX (*ACW* 39), New York 1974, p. 311, note 422.

4. A. HARNACK, «Porphyrius gegen die Christen 15 Bücher : Zeugnisse, Fragmente und Referate», *Abhand. der kön. preussischen Akademie der Wissenschaften,* 1916, Phil.-hist. Klasse I, p. 11.

5. *Ibid.,* p. 3; 29; 27; 32; 7, n. 2.

attaquait les Écritures et soulignait leurs contradictions[1]. Il
récusait la crédibilité des apôtres et des évangélistes et
attribuait les succès du christianisme à une supercherie
habile[2]; il traitait le Christ et les apôtres de menteurs, leurs
miracles de fictions[3], leurs écrits de mensonges et de
tromperies. Si le texte de Porphyre est perdu, Eusèbe
paraît en avoir conservé l'argumentation au livre III de la
Démonstration évangélique (4-5). On y trouve (4, 38) les
apôtres accusés d'avoir glorifié leur maître par des discours
fictifs et de lui avoir attribué faussement toutes sortes de
prodiges et de miracles : leur but aurait été de passer
pour admirables et bienheureux puisque disciples d'un
tel maître. A travers les chapitres 4 et 5 du livre III de la
Démonstration évangélique les termes de mensonge, fiction,
erreur (ψεύδεσθαι, πλάττεσθαι, πλανᾶσθαι) reviennent sans
cesse. Porphyre attribue aux apôtres la devise : «La vérité
est peut-être un mal et le mensonge le contraire du mal»
(*Dém. év.*, III, 4, 58).

Le *Discours* de Jean Chrysostome réfute l'attribution des
succès du christianisme aux mensonges des apôtres : il
affirme, en effet, que cette victoire n'est pas due aux
apôtres, mais à la puissance du Christ (16)[4], puis il illustre
cette affirmation par l'histoire de Babylas qui, vivant,
montra un grand courage en défendant son Église contre
un mauvais empereur (30-33) et dont les restes gardèrent,

1. *Ibid.*, p. 11.
2. A. SEITZ, *Die Apologie des Christentums bei den Griechen des IV. und
V. Jahrhunderts*, Würzburg 1895, p. 251-259.
3. L'accusation faisant des miracles du Christ de pures fictions
(πλάσματα) paraît remonter à Celse : cf. ORIGÈNE, *C. Celse*, II, 13-14, et,
surtout, 48; R.M. GRANT, *The earliest Lives of Jesus*, Londres 1961,
p. 70 s.; 123. PORPHYRE a également employé le mot πλάσμα dans sa
critique d'Homère (*L'antre des nymphes*, 4).
4. La puissance du Christ, manifestée dans l'Église, est le sujet de
l'autre traité apologétique de Jean Chrysostome : *Sur la divinité du
Christ* (9).

après sa mort, une puissance divine – elle fut capable de rétablir l'ordre et la sobriété à Daphné et d'y faire taire l'oracle d'Apollon (69; 73). Il veut prouver par l'histoire contemporaine que les récits du Nouveau Testament sont dignes de foi (πιστά : 22, 2). L'héroïsme de Babylas vivant doit prouver la liberté de parole et la franchise des apôtres[1], que nul adversaire ne peut convaincre de fausseté[2]. Les miracles contemporains, opérés par les reliques de Babylas, servent à démontrer l'authenticité des miracles attribués aux apôtres[3] et c'est ce thème qui détermine la structure du *Discours*.

Cependant, à la suite d'Eusèbe pour qui les preuves tirées des événements constituent l'argument le plus puissant en faveur du christianisme (*Prép. év.*, I, 3, 7-11), Jean fait appel dans son prologue à plusieurs preuves traditionnelles pour démontrer que la prédication apostolique n'a rien d'une fiction (2, 1-3; 3, 1-5; 10, 4-5.10-16; 11, 5-15; 16, 3-8). A-t-il voulu répondre aux accusations du livre I du *Contre les chrétiens*? Malgré sa destruction prescrite par Constantin avant le concile de Nicée, des copies de l'ouvrage continuaient de circuler, et c'est pourquoi Théo-

---

1. L'argument revient dans les *Homélies sur les statues* (XVII, 2) : les hauts faits des moines permettent de prouver la vertu des apôtres.

2. *Discours*, 50. Dans son traité *Sur la divinité du Christ* (11), Jean Chrysostome montre de même que les prophéties de l'Ancien Testament ne sont pas des fictions.

3. *Discours*, 22; 73; 75. Dans son *Panégyrique de S. Romain* (I, 4), Jean Chrysostome explique ainsi les rapports entre miracles bibliques et miracles contemporains : «Les seconds sont plus admirables que les premiers. Ceux-là se produisent afin que nous ne doutions pas de ceux-ci et que nous ne soyons pas troublés par eux, notre pensée y étant préparée par les prodiges actuels. Ces derniers ont lieu afin qu'à la vue de miracles manifestes et récents, on croie aux miracles anciens et non manifestes.» Il dit, de même, dans son *Homélie sur la nécessité de ne pas divulguer les péchés des frères* (PG 51, 361) : «Plus que les événements passés, les plus nouveaux et les plus récents, survenus au cours de notre génération, nous incitent habituellement à croire aux miracles.»

dose II et Valentinien III renouvelèrent, en 448, l'ordre de destruction[1]. Il n'est donc pas impossible que Jean Chrysostome l'ait eu entre les mains ; il affirme, en effet, dans une *Homélie sur Jean* avoir réfuté les allégations qui font des miracles du Christ de pures inventions : «Pour vous réveiller et vous tirer de votre grande nonchalance, je voudrais vous apporter, si vous en aviez le temps, un livre écrit contre nous par un misérable philosophe grec, et aussi un autre livre, dont l'auteur est plus ancien[2].» Le plus ancien des ouvrages est peut-être celui de Celse, le plus récent, celui de Porphyre. Des années plus tard, Jean réfutera encore, au cours d'une prédication, des objections à l'authenticité du Nouveau Testament et désignera ses adversaires : «les partisans de Celse et de Porphyre[3]». Ce sont, en effet, les opinions de ces deux philosophes qui, adoptées par un grand nombre – peut-être dans les écoles –, constituaient l'essentiel de la propagande antichrétienne.

Hiéroclès   C'est probablement avant le déclenchement de la persécution de Dioclétien, en 303, que Hiéroclès écrivit son pamphlet, le *Philalèthès (L'ami de la vérité contre les chrétiens),* peut-être largement influencé par Porphyre. Eusèbe l'avait partiellement réfuté[4]. Hiéroclès était, d'après lui, le premier auteur

1. A. HARNACK, «Porphyrius...» » = *op. cit. (p. 27, n. 4),* p. 5 et 31.
2. Il affirme ensuite le devoir de répondre à de tels écrits : «Alors qu'ils ont passé tant de veilles à écrire contre nous, quel pardon pourrions-nous mériter, si nous n'étions même pas capables de repousser leurs attaques?» (*Hom. sur Jn,* XVII, 4).
3. Οἱ περὶ τὸν Κέλσον καὶ τὸν Βατανεώτην, τὸν μετ' ἐκεῖνον : *Hom. sur I Cor.,* VI, 3. Pour Βατανεώτης, épithète de sens incertain appliquée à Porphyre par plusieurs Pères de l'Église, voir J. BIDEZ, *Vie de Porphyre, le philosophe néoplatonicien,* Gand-Leipzig 1913, p. 5-6.
4. *Contre les écrits de Philostrate en l'honneur d'Apollonius à propos du parallèle établi par Hiéroclès entre lui et le Christ.* Cet ouvrage est

à comparer le Christ à Apollonius de Tyane[1]. Son intention était de convaincre les chrétiens de crédulité (κου-φότης) : bien que les miracles d'Apollonius soient plus grands que ceux du Christ, disait-il, les païens ne considèrent pas Apollonius comme un dieu[2]. Eusèbe renvoyait l'accusation de crédulité à Hiéroclès qui, au sujet d'Apollonius, faisait confiance aux récits contradictoires d'un Philostrate. Après Hiéroclès, les païens continuèrent d'opposer Apollonius à Jésus-Christ : dans ses *Panégyriques de S. Paul* (IV, 8), Jean Chrysostome imagine un interlocuteur faisant du «mage de Tyane» l'égal du Christ[3].

Dans le *Discours sur Babylas,* entièrement conçu pour démontrer la vérité du christianisme, Jean Chrysostome affirme la supériorité du Christ sur les maîtres «qui ont eu des disciples et ont fait voir des prodiges» (1, 7-10), souvent avec l'aide des démons (3) ou de la nécro-

habituellement cité sous le titre abrégé de *Contre Hiéroclès.* Sur Hiéroclès, le *Philalèthès* et le *Contre Hiéroclès,* voir M. FORRAT, Introd. à EUSÈBE DE CÉSARÉE, *Contre Hiéroclès (SC* 333), Paris 1986, p. 9-81.

1. D'après W. VON CHRIST (*Geschichte der griechischen Literatur,* Munich 1924[6], t. 2, p. 776), cette comparaison remonterait à Porphyre : au fragment 63, celui-ci démontre, en effet, la supériorité d'Apollonius sur le Christ, après avoir affirmé, au fragment 60, qu'il serait faux d'assimiler un philosophe tel qu'Apollonius à l'un des pseudo-christs prédits par Jésus. Au fragment 4, il avait comparé les miracles opérés par les apôtres à ceux d'Apollonius, d'Apulée et des magiciens d'Égypte. A l'époque où Eusèbe rédigea sa réfutation de Hiéroclès, il ignorait peut-être encore les écrits de Porphyre (voir M. FORRAT, *op. cit.,* p. 46-55).

2. EUSÈBE, *C. Hiéroclès,* 2. Celse avait déjà souligné que les païens ne vénéraient pas comme des dieux des hommes qui avaient accompli des actions tout à fait extraordinaires (ORIGÈNE, *C. Celse,* III, 22.26.31 s.). Celse ne mentionne toutefois pas Apollonius.

3. Vers 410, les païens de Carthage compareront, de même, dans leurs «cercles littéraires» le Christ à Apollonius et à d'autres thaumaturges : «Ils prétendent que le Christ n'a rien fait de plus que les autres; ils mettent en avant leur Apollonius, Apulée et d'autres hommes férus de magie, dont ils affirment les miracles supérieurs aux siens» (AUGUSTIN, *Ep.* 136, 1; cf. 135, 2; 137, 13-16; 138, 18-20).

mancie (1)[1]. Il remarque que nul païen n'a jamais dit à ses disciples ce que le Christ dit en *Jean* 14, 12 : «Celui qui croit en moi fera aussi les œuvres que je fais et il en fera même de plus grandes que celles-là[2]»; mais il ajoute que si les chrétiens adorent le Christ comme un dieu, ce n'est pas seulement à cause de ses miracles, mais aussi à cause de ses commandements[3].

L'empereur Julien   Alors que nous ignorons comment Jean Chrysostome avait accès aux écrits de Celse, de Porphyre ou de Hiéroclès, Julien était son contemporain; il avait résidé à Antioche et sa parole y résonnait encore. Des amis le regrettaient et rêvaient d'un nouvel empereur qui relèverait le flambeau du paganisme. Jean Chrysostome s'en prendra particulièrement à lui, allant jusqu'à ridiculiser sa mort au combat.

Dès l'annonce de la mort de Constance (3 novembre 361), Julien, se sentant libre d'adorer ouvertement les dieux qui lui avaient donné l'Empire, «rendit la légalité aux cultes officiels des cités, aux initiations, aux mystères, mais aussi aux pratiques les plus suspectes de tous les magiciens»; en février 362, il ordonna de restituer aux temples tous les objets qui leur avaient été pris[4]. Nombre de chrétiens se refusèrent à obtempérer et leur réaction entraîna de plus en plus Julien au fanatisme et à l'intolérance.

---

1. Cf. EUSÈBE, *C. Hiéroclès*, 35; 28. Voir encore EUSÈBE, *C. Hiéroclès*, 4 et JEAN CHRYS., *Panég. de S. Paul*, IV, 8 : Apollonius n'est pas divin, puisque ses hauts faits n'ont pas laissé d'empreinte durable sur l'histoire.

2. § 1. Jean a omis la fin du verset : «car je vais au Père», dont la citation paraissait inopportune dans un traité destiné aux païens. Cf. A.-M. MALINGREY, Introd. à JEAN CHRYSOSTOME, *Lettre d'exil* (*SC* 103), Paris 1964, p. 27.

3. Τεράστια : cf. LACTANCE, *Inst. div.*, V, 3, 18; προστάγματα : *Discours*, 6.

4. Voir J. BIDEZ, *Vie de l'empereur Julien*, Paris 1930, p. 230.

1) Le traité « Contre les Galiléens »

Au cours de l'hiver 362-363 Julien écrivit à Antioche ses trois livres *Contre les Galiléens*[1]. L'empereur semble s'être attendu à des répliques puisqu'au début de l'ouvrage il prie ses adversaires éventuels de répondre à ses objections au christianisme avant d'en soulever d'autres contre le paganisme[2]. Il formule plusieurs accusations : la doctrine chrétienne est fiction[3]; le Christ est inférieur aux maîtres païens[4]; les chrétiens ont utilisé la violence contre les païens et contre les hérétiques, ce qui n'est pas compatible avec l'enseignement de Jésus[5]; l'aumône est nuisible à la société[6]. Enfin, deux accusations plus précises sont relatives aux martyrs et aux reliques : Julien accuse les chrétiens d'adorer un cadavre – ce souci de pureté rituelle, qui lui faisait éviter toute contamination avec les morts[7] et qui l'incita à faire éloigner de Daphné les os de Babylas[8], lui venait probablement de Jamblique. D'autre part, Julien

1. LIBANIUS, *Discours*, XVII, 18; cf. XVIII, 178.

2. Éd. C.J. Neumann, Leipzig 1880, p. 163-164. GRÉGOIRE DE NAZIANZE a prévu qu'il y aurait beaucoup d'écrits contre Julien (*Discours*, IV, 79).

3. Neumann, p. 163; 202; 220; 224; 238 (voir aussi *Ep.* 90).

4. Voir, par exemple, les comparaisons entre le Christ et Asclépios (Neumann, p. 197-200).

5. Neumann, p. 199; cf. *Discours*, 13. On sait que Julien était réticent à l'égard de la violence et qu'il hésita à l'utiliser contre les chrétiens : « tentant de les persuader, ne jugeant pas convenable de leur faire violence » (LIBANIUS, *Discours*, XVIII, 121. Cf. GRÉGOIRE DE NAZ., *Discours*, IV, 79; JEAN CHRYS., *Panég. des S. Juventin et Maximin*, 1; *Discours*, 13 et note *ad loc.*

6. Neumann, p. 19-20. Mais cf. ci-dessous, p. 10 et n. 50.

7. Voir J. BIDEZ, Introd. à la *Lettre* 136 de JULIEN EMPEREUR, *CUF*, Paris 1960, p. 129-132; pour éviter la pollution, Julien interdit, de même, la célébration des funérailles pendant la journée; cf. PLATON, *Lois*, XII, 960a.

8. *Discours*, 82; cf. AMIEN MARCELLIN, XXII, 12, 8. PHILOSTORGE mentionne une profanation de reliques sous Julien (*H. E.*, VII, 4 et Suppl., VII, 33).

attribuait l'héroïsme des martyrs à l'influence de mauvais démons[1]; il les traite de «malheureux», une épithète qui exprime l'attitude habituelle des païens envers les martyrs chrétiens[2]. Il associe la vénération des martyrs aux hommages rendus à la divinité du Christ : l'adoration d'un mort, dit-il, a été introduite par l'évangile de Jean[3], car les chrétiens adorent un cadavre[4]. Il ajoute que les honneurs rendus aux martyrs s'opposent à la volonté du Christ, qui a reconnu que les tombeaux sont pleins d'immondices (*Matth.* 23, 27). La véritable raison pour laquelle les chrétiens fréquentent les cimetières, c'est qu'ils veulent pratiquer la sorcellerie et recevoir des songes[5].

Dans son *Discours sur Babylas* Jean Chrysostome cherche à repousser les différentes attaques dont le culte des

---

1. *Ep.* 89b (288). GRÉGOIRE DE NAZIANZE a souligné le contraste entre le mépris de Julien pour les martyrs et son admiration pour les tueries sans raison de la mythologie : *Discours*, IV, 69-70. Il a également raconté (*ibid.*, 24-27) un prodige qui eut lieu dans la jeunesse du futur souverain et qui annonçait d'avance son hostilité à l'égard du culte rendu aux martyrs : l'effondrement d'un martyrion construit par Julien (cf. SOZOMÈNE, *H. E.*, V, 2). JÉRÔME cite Julien avec Vigilance comme des adversaires de ce culte (*Ep.* 109, 1).

2. *C. les Galiléens*, éd. Neumann, p. 198; cf. H. DELEHAYE, *Les origines du culte des martyrs*, Bruxelles 1933, p. 19 s.

3. Neumann, p. 223 et 225.

4. Neumann, p. 196; 199; 225 («Vous avez tout rempli de sépulcres et de tombeaux, bien qu'il ne soit écrit nulle part chez vous qu'il faille hanter les sépulcres et les entourer de soins.») JULIEN parle ailleurs des «petites vieilles qui hantent les tombeaux» (*Misopogon* 10, 344a) et LIBANIUS de «ces gens blafards, ennemis des dieux, qui se réunissent auprès des tombes et dont la grandeur consiste à déchirer Hélios, Zeus et ceux qui règnent avec eux» (*Discours*, LXII, 10). Ailleurs (*Discours*, XVIII, 282), le sophiste fait des tombeaux le symbole du christianisme et des temples celui du paganisme (cf. A.-J. FESTUGIÈRE, *Antioche païenne et chrétienne*, Paris 1959, p. 81, n. 1).

5. Neumann, p. 225-226; cf. *Is.* 65, 4. Comme A. GRABAR le souligne, Julien n'a rien compris au culte des martyrs, qui est une proclamation de la victoire de la vie sur la mort (*Martyrium*, t. 2 : *Iconographie*, Paris 1946, p. 39). Cf. *Discours*, 64, et notes *ad loc.*

martyrs était l'objet[1]. Il combat l'idée selon laquelle les
cadavres seraient source de pollution (82-86) et s'en prend
particulièrement à Julien et au culte du soleil (83, 1-3). En
réponse à Julien il décrit les effets bénéfiques du contact
avec les reliques des martyrs : la vue même de leurs
tombeaux inspire à ceux qui les regardent un zèle pareil au
leur; il s'y trouve, en effet, une force qui imprime dans
l'âme du visiteur l'image du saint (65, 16-17) et c'est
pourquoi le cercueil de Babylas a pu ramener la sobriété au
faubourg de Daphné (70-72). En affirmant d'autre part que
les reliques de Babylas ont réduit l'oracle au silence (73-75),
qu'elles sont douées, par conséquent, d'une puissance
divine qui n'eut aucune difficulté à maîtriser Apollon
(75; 79; 127), il réfute Porphyre et Eunome, selon qui
la poussière des martyrs était incapable de chasser les
démons[2]. Enfin, les chrétiens ne rendent pas hommage à
des cadavres, puisque le Christ et les martyrs ne sont pas
des morts, mais possèdent la vraie vie : car la mort du
Christ est vivifiante (1, 2)[3]. Les restes mêmes du martyr
Babylas ne sont pas un cadavre, ils sont vivants et agissants
(93; 99)[4].

2) Le « Misopogon »

Après l'incendie du temple de Daphné (22 octobre 362),
Julien, raillé par les habitants d'Antioche qui tournaient en

1. Dans son étude pourtant détaillée, *Die Anfänge des Heiligenkults*,
Tübingen 1904, E. LUCIUS semble avoir négligé la part prise par Jean
Chrysostome dans la défense du culte des reliques; voir, en particulier,
p. 329-336.

2. Cf. JÉRÔME, *C. Vigilance*, 10.

3. Ce dernier mot qualifie la mort du Christ dans les liturgies
syriaques : cf. LAMPE, *s.u.*, 4 g; *Liturgies Eastern and Western*, éd.
F.E. Brightman et L.E. Hammond, Oxford 1896, t. 1, p. 20; IGNACE
D' ANTIOCHE, *Éph.*, VII, 2 : c'est dans sa mort qu'est la vraie vie.

4. Dans le *Misopogon*, 33 (361bc), JULIEN avait insisté sur l'idée du
cadavre (νεκρός) de Babylas. Pour LIBANIUS également, Babylas est un
cadavre (*Discours*, 98; cf. 99).

ridicule la barbe qu'il portait, écrivit à leur adresse le
Misopogon (littéralement «l'ennemi de la barbe») y atta-
quant l'influence des chrétiennes sur leur mari païen. Il s'en
prenait à l'«adoration d'un cadavre», ainsi qu'à la pratique
de l'aumône, quoiqu'il se soit efforcé de l'introduire dans
son paganisme réformé[1].

3) *Julien et les oracles*

L'empereur Julien croyait au surnaturel, à la divination
et, plus particulièrement, au témoignage des oracles, où il
reconnaissait une possibilité d'entrer en communication
avec les dieux[2]. Au cours des préparatifs de sa campagne
de Perse, par exemple, il eut recours à toutes sortes d'arts
mantiques[3]. Il prit aussi leur défense par écrit : dans son
Discours contre le cynique Héraclée, il blâma Oenomaüs de
Gadara, un philosophe cynique du IIe siècle, auteur d'un
traité ouvertement hostile aux oracles, qu'Eusèbe avait
utilisé aux livres V et VI de sa *Préparation évangélique*[4].
Dans le *Contre les Galiléens* Julien affirmait, d'autre part,
que l'Esprit divin s'était manifesté autrefois parmi les Juifs
et parmi les païens, et reconnaissait qu'avec le temps les
oracles païens – comme les prophètes juifs – avaient perdu
de leur pouvoir prophétique[5], une déclaration qui peut

1. *Misopogon*, 35 (363ab); cf. *Discours*, 43 s. et les notes; JULIEN,
Ep. 84; 89; GRÉGOIRE DE NAZ., *Discours*, IV, 111
2. Cf. A. SEITZ, *Die Apologie des Christentums bei den Griechen des IV.
und V. Jahrhunderts*, Würzburg 1895, p. 10; JULIEN, *Ep.* 87; JEAN
CHRYS., *Discours*, 77.
3. AMMIEN MARCELLIN, XXII, 12, 7; la défaite et la mort de Julien
permirent aux chrétiens de tourner de tels pronostics en dérision;
cf. ÉPHREM, *Hymne* IV *(contre Julien)*; THÉODORET, *H. E.*, III, 21, 1-3;
28, 1-2.
4. JULIEN, *Discours*, VII, 5; cf. *Discours sur Bab.*, 80 et les notes.
5. Neumann, p. 196-197. La comparaison entre oracles païens et
prophètes juifs a peut-être été évoquée par Porphyre, puisque EUSÈBE la
mentionne dans la *Démonstration évangélique* (V, prol., 3-5), mais elle
remonte à Celse (ORIGÈNE, *C. Celse*, VII, 3). Cf. *Discours sur Bab.*, 85 et
la note.

refléter partiellement l'échec de ses efforts pour rendre vie à l'oracle d'Apollon à Daphné (*Discours sur Bab.*, 80-82).

Dans son *Discours sur Babylas* Jean Chrysostome affirme que cette désaffection est due à la présence des reliques de Babylas[1] et que l'acte sacrilège de Julien de transférer les cendres à Antioche a été suivi de la juste colère de Dieu, qui détruisit par un incendie le temple d'Apollon (81-93). Les restes du temple calciné demeurent comme un monument dressé à la victoire du martyr sur Apollon (127, 18-22) et les oracles païens[2].

Libanius   Julien était mort à l'âge de 32 ans; son ami, le sophiste Libanius, lui survécut d'environ trente ans. Il était donc bien vivant au moment où Jean Chrysostome écrivit son *Discours*. Troublé par l'incendie qui avait détruit le sanctuaire et le culte d'Apollon[3] à Daphné, Libanius avait composé une lamentation en l'honneur d'Apollon[4]; nous ne connaissons de cette lamentation que les passages cités par Jean

---

1. Les théologiens chrétiens avaient coutume d'attribuer le silence des oracles païens à la venue du Christ : EUSÈBE, *Prép. év.*, IV, 2, 7-8; JEAN CHRYS., *Exp. sur le Ps. 44*, 7; ATHANASE, *Sur l'incarnation du Verbe*, 55, 1; cf. A. CAMERON, «Gregory of Nazianzus and Apollo», *JTS*, N. S., XX, 1969, p. 240-241.

2. L'historien contemporain AMMIEN MARCELLIN ne contredit nullement, mais corrobore plutôt, sur certains points, le récit de Jean Chrysostome (XXII, 12, 8-13, 3).

3. D'après le *Misopogon*, 34-36 (361d-363c), le dieu aurait déserté son temple avant l'incendie, à la suite d'un discours de l'empereur au sénat d'Antioche, à qui il reprochait la négligence des Antiochiens envers le culte d'Apollon. LIBANIUS écrit, de son côté, que le feu de Daphné est le signe qu'Apollon a quitté la terre (*Discours*, XVII, 30); cf. *Discours sur Bab.*, 100.

4. Comme il l'écrit à Démétrius : *Ep.* 785, 2. Voir aussi l'*Ep.* 695 à Acace, qui avait écrit un ouvrage en l'honneur d'Asclèpios, dont les chrétiens avaient apparemment détruit le temple.

Chrysostome dans son *Discours sur Babylas*; le reste a disparu[1].

1) *La monodie*

Elle fut rédigée entre le 22 octobre 362, jour de l'incendie d'après Ammien Marcellin (XXII, 13, 1), et mars-avril 363, date à laquelle Julien la mentionne dans une lettre à Libanius (*Ep.* 98). Bien des années s'écoulèrent donc avant que Jean Chrysostome l'incorpore à son traité. D'après l'étendue et le nombre des citations, il devait en avoir un exemplaire sous les yeux[2].

Plusieurs motifs peuvent avoir incité Jean Chrysostome à l'utiliser. D'abord, la valeur particulière attachée aux preuves fournies par l'adversaire : d'après Eusèbe, qui cite Porphyre, de telles preuves sont inattaquables[3]. Le même principe est énoncé dans le *Discours sur Babylas* (10, 7-9), où sont également cités l'oracle et le prêtre d'Apollon (75, 9-12; 95, 10-16; 102, 6-10)[4].

Libanius est donc le témoin par excellence de l'incendie de Daphné[5], et de l'affliction qu'il suscita parmi la commu-

1. R. Foerster a imprimé ces fragments au tome IV des œuvres de Libanius (Leipzig 1908, p. 298-321), sous le titre de *Oratio* LX. Les manuscrits qui les contiennent dépendent tous du *Discours sur Babylas* de Jean Chrysostome.

2. A. NAEGLE, «Chrysostomus und Libanios», dans Χρυσοστομικά, *Studi e ricerche entorno a S. Giovanni Crisostomo,* Rome 1908, p. 117. D'après P. PETIT («Recherches sur la publication et la diffusion des discours de Libanius», *Historia* 5, 1956, p. 491), le style recherché de la monodie en ferait un écrit destiné à une vaste diffusion.

3. Ἀνεπίληπτος (*Prép. év.*, IV, 6, 1 et V, 5, 5-6).

4. Dans son traité *Sur la divinité du Christ*, 2, Jean Chrysostome fait également appel au témoignage des adversaires. Voir aussi la *Lettre à Olympias* (VII, 2d).

5. Le besoin de preuves est illustré par JÉRÔME (*C. Vigilance*, 3 : «Mais il est temps que, citant ses propres paroles, nous cherchions à répondre à chacune d'entre elles. Il peut arriver, en effet, qu'un interprète mal intentionné prétende que j'ai inventé ce que je dis : mais je peux lui répondre avec une pleine assurance...»

nauté païenne d'Antioche[1]. Il donnait au polémiste chrétien une occasion de ridiculiser la religion païenne et son art oratoire. Des sentiments personnels ont toutefois pu intervenir, puisque le sophiste était vraisemblablement l'ancien maître de Jean Chrysostome[2]. Plus que la sympathie envers un vieux maître, le ton moqueur manifeste de l'amertume à l'égard d'un adversaire (98-113), car Jean Chrysostome s'en prend même à la religion personnelle de Libanius. Nulle part il ne mentionne le nom de Libanius, mais l'expression «le sophiste de la cité» (98, 3) devait permettre de l'identifier, car il était bien connu parmi les gens cultivés d'Antioche. Jean Chrysostome l'interpelle : «chantre funèbre» (99, 1), «scélérat» (104, 11), «malheureux et misérable» (105, 35), et, ironiquement «cher ami» (111, 1). Le fossé entre maître et élève n'avait cessé de s'élargir depuis que, à l'âge de dix-huit ans, Jean Chrysostome s'était révolté «contre la verbosité des sophistes»[3]. Bien que sa réfutation revête une forme rhétorique, son objet est plus concret que celui des écoles de rhétorique[4] et cette polémique contre Libanius manifeste violemment l'hostilité de Jean Chrysostome à l'égard de la religion grecque.

2) L'apothéose de Julien

Dans une de ses *Homélies sur la IIe Épître de Paul aux Corinthiens*, Jean Chrysostome affirme que la divinisation païenne n'est due qu'à des actes effectués au cours de cette vie-ci et qu'Alexandre le Grand, par exemple, qui n'a rien

---

1. Cf. *Discours*, 97; 105; 112.
2. A. NAEGLE, *art. cit (p. 38, n. 2)*, p. 87 s., a fait la critique des documents qui font de Jean Chrysostome l'élève de Libanius. Voir surtout A.-M. Malingrey, dans son édition du *Sur le sacerdoce* (*SC* 272), p. 62, note 1.
3. PALLADIOS, *Dialogue*, 5.
4. A. NAEGLE, *art. cit. (p. 38, n. 2)*, p. 113.

fait après sa mort, ne mérite pas d'être honoré comme un dieu. Le Christ, au contraire, a accompli après sa mort de grandes œuvres, qui sont la preuve de sa divinité[1].

J. Straub[2] signale, à ce sujet, quelques lignes de l'*Oraison funèbre de Julien,* composée par Libanius en 365[3] : racontant en détails la vie du souverain, le panégyriste affirme que sa conduite fut plus qu'humaine (par exemple, aux § 65 et 242) et il conclut en interpellant le défunt : « Toi, le nourrisson des *daimones,* le disciple des *daimones,* le compagnon des *daimones* ». Ce n'est peut-être pas un hasard si la dernière phrase du *Discours sur Babylas* lui fait écho : « Telle est la puissance des saints, si invincible et redoutable pour les rois, les démons et le chef même des démons[4]. »

B. FACE A LA COMMUNAUTÉ CHRÉTIENNE

Jean Chrysostome ne se contente pas de répondre directement aux objections de Julien et d'autres, il utilise aussi l'histoie du martyr à l'intention de la communauté chrétienne.

D'après lui, un certain empereur romain[5] à qui un

---

1. *Hom.*, XXVI, 5. Le même argument est utilisé par ATHANASE (*Sur l'incarnation du Verbe*, 30-32); cf. JEAN CHRYS., *Sur la divinité du Christ*, 9 : les œuvres du Christ après sa mort sont l'accomplissement de la prophétie d'*Isaïe* 11, 10 («La gloire sera son séjour»).

2. «Die Himmelfahrt des Julianus Apostata», *Gymnasium* 69, 1962, p. 310-326, où il étudie la critique exercée par Jean Chrysostome sur la coutume païenne de diviniser héros et souverains.

3. *Discours*, XVIII; cf. SOCRATE, *H. E.*, III, 23.

4. A.-M. MALINGREY (Introd. à JEAN CHRYS., *Lettre d'exil, SC* 103, p. 28-29) donne l'exemple d'autres mots qui, comme δαίμων, ont changé de sens en entrant dans le vocabulaire chrétien.

5. Un βασιλεύς. – «Ce n'est pas le tétrarque de quelques villes ou le roi d'un seul peuple, mais celui qui occupait la plus grande partie de tout le monde habité, lui, cet homicide, qui possédait des peuples nombreux, des villes nombreuses et une armée immense, redouté en tous lieux à

souverain avait confié son fils en gage de paix, le tua par traîtrise (25-26). Après quoi, il se rendit en hâte à l'église. Babylas, l'évêque d'Antioche, l'en écarta à cause de son crime (30). L'empereur furieux jeta d'abord l'audacieux en prison (54), puis il le fit exécuter (60). A la demande du martyr, les fers dont il avait été chargé furent déposés dans son cercueil.

Ce récit permet au panégyriste chrétien d'affirmer la supériorité de la religion chrétienne et d'exalter la coutume de l'Église dans sa discipline pénitentielle.

Supériorité de la religion chrétienne — D'après le *Discours sur Babylas*, le martyr révèle par ses actes la noblesse des chrétiens et la bassesse des païens (40)[1], la liberté chrétienne et la servilité des prêtres grecs (40-44), la vérité chrétienne et la vaine gloire des philosophes (45-50)[2].

Babylas est le vrai sage stoïcien. En écartant de l'église l'empereur impie, il manifesta toutes les vertus morales à la fois[3], franc-parler, courage, mesure (34-36). En prison, il montra la vertu biblique de compassion (59). Jean Chrysostome compare le franc-parler de Babylas à l'insolence de Diogène, qui pria Alexandre de s'écarter de son soleil

cause de la grandeur de son empire et de la brutalité de ses mœurs» (30). Les *Actes de Babylas*, imprimés dans les *Acta sanctorum* (*ASS*, janvier III, p. 187-188) insistent sur le fait que le martyre eut lieu sur l'ordre de l'empereur et en sa présence.

1. W. JAEGER, «Tyrtaios über die wahre Arete», dans *Scriptora minora*, Rome 1960, t. 2, p. 86.

2. GRÉGOIRE DE NAZIANZE (*Discours*, IV, 59-60.72) compare, de même, l'amour de la vérité des martyrs à l'amour de la gloire des philosophes, la perfection des moines à celle des philosophes.

3. D'après les stoïciens, seuls les sages peuvent accomplir des «actions droites» : «κατόρθωμα *contingit sapienti soli*» (CICÉRON, *Fin.*, IV, 15). Souvent Jean Chrysostome désigne de ce terme les actions des martyrs : *Panég. de S. Ignace*, 1 ; *des S. Maccabées*, II, 1 ; *de S. Barlaam*, 1.

(45-46). C'est la notion de «bien commun» qui lui sert à déterminer la supériorité de Babylas : «L'homme de bien doit tout faire en vue de l'intérêt commun et réformer la vie des autres; or, en réclamant qu'on ne lui fasse pas d'ombre, quelle cité, quelle maison, quel homme, quelle femme a-t-il sauvés? Dis-moi les fruits de son franc-parler» (47, 2-6). La grandeur de Babylas couvre de confusion les plus illustres des philosophes païens (49).

En prenant le bien commun comme critère, Jean Chrysostome est fidèle à l'éthique grecque traditionnelle : dès le VIIe siècle avant Jésus-Christ, en effet, le poète spartiate Tyrtée évaluait la vertu d'après ses effets sur le bien commun de la cité[1]. Jean Chrysostome utilise ainsi les principes éthiques des Grecs pour montrer que leur idéal n'a été réalisé que parmi les chrétiens[2].

La pénitence   Jean Chrysostome emploie le mot «disciple» pour désigner l'empereur coupable[3], et l'expression «le tendre père» pour Babylas

---

1. TYRTÉE, frg. 9.15.16 (Diehl, p. 16) = frg. 10(8), 15 (éd. Hiller-Crusius, p. 28) : un bien qui concerne la cité et le peuple tout entier. D'après W. JAEGER, *art. cit (p. 41, n. 1)*, p. 112-113, Paul userait du même argument en *I Cor.* 13 : l'amour serait le plus grand des dons, parce qu'il serait, pour la communauté, un «bien commun» plus important que tout autre.

2. Ce thème sera développé par THÉODORET, *Thérap.*, 12, qui désignera du nom de vertu (ἀρετή) cette noblesse (εὐγένεια) chrétienne dont parlait Jean Chrysostome au § 40, 12 (Voir P. CANIVET, *Histoire d'une entreprise apologétique au Ve siècle*, Paris 1957, p. 116 et 118), tandis que certains païens assimileront les chrétiens à des criminels de droit commun (Eunape, par exemple, d'après E. LUCIUS, *Die Anfänge des Heiligenkults*, Tübingen 1904, p. 326 et 331).

3. «Ce que cet homme admirable désirait alors, plus que le salaire de son emprisonnement, c'était le salut de son disciple» (*Discours*, 57; cf. *Const. apost.*, II, 6, 5 : «si le pasteur n'encourt le reproche d'aucun tort, il s'imposera à ses disciples par son comportement, et les incitera (par là-même) à devenir de dignes imitateurs de ses actions» (trad. Metzger).

(60, 7; cf. 57-59). Lenain de Tillemont en déduisait : «Il est impossible de douter que ce Prince ne fust Chrétien; tous les termes de S. Chrysostome le marquent[1].»

Cette manière de s'exprimer serait bien à sa place dans un discours apologétique sur la pénitence. Pour décrire la manière dont l'empereur se vit interdire l'accès de l'église, l'auteur emploie, en effet, les verbes ἐκβάλλειν, ἐξωθεῖν, ἀφορίζειν (30, 17; 34, 14-15), que la littérature patristique associe régulièrement à la discipline pénitentielle (Lampe, s.u.). Les *Constitutions apostoliques,* par exemple, écrites en Syrie dans la seconde moitié du IVᵉ siècle[2], exhortent l'évêque en ces termes : «Quand tu vois quelqu'un qui a péché, fâche-toi et ordonne qu'on le jette dehors; une fois qu'il est sorti, que les diacres le réprimandent et l'interrogent en le maintenant hors de l'église; puis, qu'ils entrent pour t'implorer à son sujet. C'est ainsi que notre Sauveur a prié le Père pour les pécheurs[3].»

C'était apparemment la coutume de l'Église de Syrie dès le début du IIIᵉ siècle, à l'époque où Babylas subit le

---

1. *Histoire des empereurs*, t. 3, Paris 1702, p. 497.

2. Cf. M. METZGER, Introd. à son éd. des *Constitutions apostoliques* (*SC* 320), Paris 1985, p. 54 s.

3. *Const. apost.*, II, 16, 1 (trad. Metzger). Le texte poursuit : «Qu'elle soit exclue (ἀφορισθήτω) du camp pendant sept jours, et après cela, elle reviendra. (*Nombr.* 12, 14) Ainsi devez-vous agir vous aussi; ceux qui affirment se repentir de leurs péchés, il faut les exclure pendant le temps prévu, en proportion de leur péché, puis les accueillir quand ils se repentent, comme un père accueille son fils» (II, 16, 3-4). L'usage pénitentiel du verbe ἀφορίζειν peut provenir de la Septante et, de même, celui de ἐξωθεῖν, que les *Constitutions apostoliques* utilisent également pour l'excommunication (II, 20, 4) : «Ramène celle qui a été rejetée (τὸ ἐξωσμένον ἐπίστρεψε : *Éz*. 34, 16), c'est-à-dire celle qui est prise dans ses péchés et a été frappée d'expulsion (ἐκβεβλημένον), ne permets pas qu'elle reste dehors, mais accueille-la, ramène-la et réintègre-la dans le troupeau, c'est-à-dire dans le peuple de l'Église immaculée.» L'Ancien Testament a pu servir de modèle pour l'expulsion immédiate du pécheur hors de la communauté (cf. *Const. apost.*, II, 9, 3; 10, 3).

martyre et où fut rédigée la *Didascalie,* reprise par les *Constitutions apostoliques* : sur l'ordre de l'évêque, le pécheur était entraîné hors de l'église.

D'autre part, les *Constitutions apostoliques* et le *Discours sur Babylas* insistent également sur le devoir qu'a l'évêque de chasser le pécheur hors de l'église, devoir qu'ils associent à son pouvoir de lier et de délier[1]. Ils se réfèrent tous deux à l'Ancien Testament pour affirmer que l'évêque doit se garder de faire acception de personne, comme de tolérer qu'une considération quelconque vienne limiter sa liberté d'action et d'expression. Les *Constitutions apostoliques* évoquent en effet Saül, qui épargna Agag (*I Sam.* 15), et Héli, qui épargna ses fils (*I Sam.* 3, 13-14); comme eux sera puni l'évêque qui aura souillé son ministère et l'Église de Dieu en tolérant la présence du pécheur dans l'église : il périra avec son peuple. De même, pour Jean Chrysostome, l'évêque qui sape son autorité en ne punissant pas le pécheur, lèse ses ouailles et sera châtié[2].

Tout en insistant sur la liberté de Babylas, qui osa chasser un empereur de l'église (35, 2; cf. 31, 6-13; 47, 6-12), Jean Chrysostome montre sa grande modération. Peut-être craignait-il que l'évêque parût manquer de respect au souverain (35-39). Il affirme cependant (51, 4-6) que «l'homme investi du sacerdoce est un gardien de la terre et de ce qui s'y fait plus efficace que l'homme revêtu de la pourpre»[3]. Les *Constitutions apostoliques* affirment, de même, que, puisqu'il représente Dieu parmi les hommes,

---

1. *Const. apost.*, II, 18, 3; cf. *Discours*, 51, 6-7 : «il ne faut pas amoindrir l'étendue de cette autorité».

2. *Const. apost.*, II, 9-10.17, et *Discours*, 51; *Const. apost.*, II, 6, 12.

3. Dans l'une des *Homélies sur Matthieu* (LXXXII, 6), Jean Chrysostome recommande aux diacres d'être sur leurs gardes quand ils distribuent la communion aux fidèles : «Qu'il soit général, gouverneur ou qu'il porte le diadème, s'il s'approche sans en être digne, écarte-le : tu possèdes une autorité supérieure à la sienne.»

l'évêque détient l'autorité (ἄρχειν) sur tous, sur les prêtres, les souverains, les gouverneurs, les pères, les fils, les maîtres d'école, avec tous ceux qui leur sont assujettis (II, 11, 1).

De plus, la littérature patristique, en général, et les *Constitutions apostoliques,* en particulier, assimilent fréquemment la pénitence à un traitement médical[1] : Babylas est, de même, comparé à un médecin et l'expulsion du souverain hors de l'église à une opération chirurgicale[2]. Les mêmes remarques reviennent dans le traité *Sur le sacerdoce* et dans le *Discours sur Babylas* : «Cela étant, que pourrait-on faire ? Car si l'on agit avec une certaine douceur à l'égard de celui qui a besoin d'une large incision et si l'on ne fait pas une plaie profonde à celui pour qui c'est nécessaire, on supprime une partie du mal et on laisse l'autre ; et si l'on fait sans ménagements l'entaille nécessaire, souvent le malade, hors de lui sous le coup de la douleur, repousse tout à la fois le remède et les bandages» (*Sur le sacerdoce,* II, 4, trad. A.-M. Malingrey ; cf. *Discours sur Bab., 37,* 10-15). Le succès de la cure dépend du patient : «L'utilisation d'un remède ne dépend pas de celui qui l'offre, mais du malade» (*Sur le sacerdoce,* II, 3 ; cf. *Discours sur Bab.,* 52, 1-8). Dans les deux ouvrages enfin, Jean Chrysostome déclare que le pécheur doit être reconnaissant pour la pénitence que l'évêque lui impose (*Sur le sacerdoce,* II, 3 ; *Discours sur Bab.* 54, 6-9)[3].

---

1. Par exemple, *Const. apost.,* II, 41, 5-9. L'article de É. AMANN, «Pénitence-sacrement» (*DTC* 12[1], 1933, c. 770 ; 786 ; 805 ; 808 ; 813) donne des exemples chez Cyprien, Méthode, Augustin, Aphraate. Voir aussi A. HARNACK, *Medicinisches aus der ältesten Kirchengeschicte* (*TU* VIII, 4[2]), p. 89-111

2. *Discours,* 29 ; 37 ; 52 ; 56. ORIGÈNE avait déjà fait de l'excommunication une «solution chirurgicale» *(remedium desecandi)* et cité le verset de *Matthieu* 5, 30 : «Si ta main droite te scandalise, coupe-la et rejette-la loin de toi» (*Hom. sur Jos.,* VII, 6).

3. Cf. CYPRIEN, *De lapsis,* 14.

L'image de la brebis galeuse chassée loin du troupeau par crainte de la contagion revient également dans les *Constitutions apostoliques* et dans le *Discours sur Babylas*[1].

Les similitudes relevées entre les *Constitutions apostoliques* et le récit de Jean Chrysostome peuvent faire penser que Babylas suivait la discipline ecclésiastique en chassant le souverain hors de l'église. Le § 47 (8-9) peut le suggérer : «Il a châtié l'insolent, et de la manière dont un prêtre a le droit de châtier.» Jean Chrysostome a sans doute voulu faire, pour l'édification des fidèles, un rapprochement entre la coutume pénitentielle de l'Église. Mais peut-on en tirer des conclusions d'ordre historique?

Le culte des martyrs — Alors que la première partie du *Discours* (jusqu'à la mort de Babylas) illustre la supériorité de la religion chrétienne et la pratique de la pénitence, la seconde partie (la vie posthume de Babylas, qui provoqua la destruction du sanctuaire de Daphné) permet de prouver la résurrection du Christ et des disciples et de légitimer le culte rendu aux martyrs et à leurs reliques[2]. C'est aussi l'occasion de fournir aux fidèles une explication des atermoiements de la justice divine.

D'après Jean Chrysostome, les miracles opérés par les apôtres après la crucifixion prouvent que la puissance du

---

1. *Const. apost.*, II, 17, 4; VI, 18, 10; *Discours*, 30. ORIGÈNE avait employé cette même image pour affirmer que la présence d'un pécheur dans la communauté la souille tout entière (*Hom. sur Jos.*, VII, 6); cf. É. AMANN, *art. cit.* (*p. 45, n. 1*), c. 776.

2. Sur ce thème, notre traité précède les apologies de Jérôme (*C. Vigilance*) de 406 et de Théodoret («De l'honneur rendu aux martyrs», au livre VIII de la *Thérapeutique des maladies hellénistiques*) de 423 environ.

Christ reste active dans ce monde (9)[1] ; car, contrairement
aux maîtres païens, le Christ a communiqué son pouvoir à
ses disciples (1, 5-11). Ce pouvoir se manifeste aussi chez
les martyrs : «La plus grande preuve de la résurrection,
c'est que, après sa mort, le Christ assassiné manifeste une
puissance telle qu'il persuade des hommes à renoncer à leur
patrie, à leur maison, à leurs amis, à leurs parents, à leur vie
même, pour le confesser, et qu'ils choisissent les fouets, les
dangers et la mort plutôt que les plaisirs présents... Ce ne
sont pas là les œuvres d'un cadavre couché dans un
tombeau, ce sont celles d'un ressuscité, d'un vivant[2].» Le
Christ vit et agit dans les âmes des martyrs[3].

Les miracles opérés par les reliques des martyrs sont une
autre manifestation de la puissance toujours agissante du
Christ. Ceux que produisirent, au temps de Julien, les
ossements de Babylas, témoignent de la résurrection et
d'une autre vie (64). Aussi Jean Chrysostome écrit-il dans
son *Homélie sur Babylas* (2) : «Ne regarde pas seulement ce
fait que le corps du martyr gît nu, privé de la force active
de l'âme, mais considère plutôt ceci qu'une autre puissance
supérieure à celle de l'âme elle-même l'assiste, la grâce du
Saint-Esprit qui, pour tous les hommes parle en faveur de
la Résurrection par les miracles qu'elle accomplit.»

Dans plusieurs sermons enfin, Jean Chrysostome affirme
que les honneurs rendus aux martyrs sont une honte pour
les païens ; dans l'*Homélie sur Babylas* (4), par exemple :
«Partout où l'on fait mention des martyrs, il y a aussi honte
pour les Grecs», et, dans le *Panégyrique de S. Phocas* (1) :

---

1. «Si le Christ était mort, nul n'aurait pu accomplir de miracles en
son nom» (*Hom. sur le début des Actes des apôtres*, IV, 6-7 ; *Hom. sur Jn*,
LXXII, 2).
2. *Panég. de S. Ignace, 4.* – ATHANASE prouve, de même, la résurrection du Christ par le mépris des chrétiens pour la mort (*Sur l'incarnation
du Verbe*, 27-29) ; cf. *A Diognète*, VII, 9.
3. *Panég. de S. Droside*, 2.

«C'est la honte des gentils, le déshonneur de leur égarement, l'anéantissement des démons, et c'est notre noblesse et la couronne de l'Église.» Par les foules qu'elles attirent, les célébrations organisées chaque année en l'honneur des martyrs manifestent, en effet, que leur souvenir est impérissable[1]. Bien plus, les païens sont confondus par le rappel de la cruauté et de la défaite des bourreaux[2] : en s'acharnant sur les restes de Babylas, Julien s'est non seulement couvert de ridicule, mais il a fourni aux chrétiens une occasion de comprendre pourquoi la justice divine est parfois si tardive.

**L'action de Dieu
dans la vie
de Julien**   Païens et chrétiens se demandaient, en effet, où était la justice de Dieu dans la vie de Julien. Jérôme raconte que, à la nouvelle de la mort de l'empereur, un païen exprima son étonnement de voir les chrétiens louer la patience et la longanimité d'un dieu apparemment cruel et vindicatif[3].

La communauté chrétienne semble avoir été troublée par le règne de Julien et s'être demandé pourquoi Dieu l'avait permis. Jean Chrysostome formule cette question en l'adaptant à son récit : pourquoi le temple d'Apollon fut-il détruit et le souverain épargné[4]? Il tente d'y répondre

---

1. *Panég. de S. Pélagie*, I, 3 : «Ce n'est pas au hasard que, dans nos discussions avec les Grecs, nous nous glorifions de la foule qui fréquente la fête; car nous les couvrons de honte en disant qu'une simple jeune fille attire chaque année par sa mort une ville tout entière et un peuple si nombreux, sans que les années écoulées aient pu interrompre cette suite d'hommages.» Cf. *Panég. de S. Phocas*, 1.

2. *Discours sur Bab.*, 11; *Panég. des martyrs d'Égypte*, 1-2; *Panég. des saints martyrs*, 1.

3. *In Abacuc*, II, 3, 14-16 (*CCL* 76 A, p. 645, l. 1013 s.).

4. *Discours*, 114; 124. – Dans ses deux discours contre Julien, GRÉGOIRE DE NAZIANZE essaie de répondre à la même question : pourquoi Dieu tarda-t-il à réprimer l'impiété de Julien? (*Discours*, IV, 28; V, 27).

(118-124) : Julien fut épargné par la patience de Dieu, la bonté et l'amour du Christ, qui lui donna le temps de se repentir, tout en l'avertissant par divers signes, dont l'incendie de Daphné; ce n'est qu'après avoir longtemps abusé de la longanimité divine qu'il reçut la rétribution de ses actes. Jean Chrysostome répond ainsi à la fois aux chrétiens et aux païens.

III. BABYLAS APRÈS JEAN CHRYSOSTOME

Mais avec Jean Chrysostome l'«histoire de Babylas» ne faisait que commencer. On la retrouvera avec des variantes multiples dans les *Passions de Babylas,* dans la *Chronique pascale* et dans la *Passion de S. Basile d'Épiphanie,* auxquelles on pourrait ajouter les interprétations que donneront de ces textes Lenain de Tillemont au XVIIe et le Père Merlin au XVIIIe siècles[1]. Tous ces récits racontent à leur façon les circonstances de la mort de Babylas et donnent, en particulier, un nom aux deux personnages dont Jean Chrysostome ne révèle pas l'identité : l'empereur romain et le roi étranger.

Les Passions La *Passion de Babylas* nous est connue par plusieurs recensions byzantines antérieures à la révision de Syméon Métaphraste (Xe s.). Les plus importantes sont :
a) La Passion résumée par Philostorge (*H.E.,* VII, 8 = *GCS* 21, p. 89-92);

---

1. «Dissertation sur ce que rapporte S. Chrysostome du Martyre de Saint Babylas, contre la censure injurieuse que fait M. Bayle de la Narration du Saint Docteur», *Mémoires de Trévoux,* juin 1737, p. 1072-1074.

b) Μαρτύριον τοῦ ἁγίου καὶ ἐνδόξου ἱερομάρτυρος Βαβυλᾶ, ἀρχιεπισκόπου Ἀντιοχείας, καὶ νηπίων τριῶν, édité par Papadopoulos-Kerameus dans Συλλογὴ Παλαιστίνης καὶ Συριακῆς ἁγιολογίας (Pravoskavnyj Palestinskij Sbornik XIX, 3 = 57, 1907), p. 75-84 (= *BHG* 205);

c) *Acta ex veteri ms. Ripatorii et Mombritio* : dans *ASS*, janvier III, p. 185-187 (= *BHL* 889).

Il en existe des versions grecque, latine, syriaque, géorgienne et arménienne[1].

Tous ces textes racontent le martyre de Babylas et de trois enfants[2]. Ces enfants sont également associés à l'évêque martyr par l'ancien martyrologe syriaque de 412[3] et par le *Martyrologe hiéronymien*[4]. Le *Discours sur Babylas* n'en fait jamais mention, alors qu'en commençant un sermon, Jean Chrysostome rappelle, en ces termes, une célébration récente : «L'autre jour, le bienheureux Babylas et trois enfants nous ont rassemblés ici; aujourd'hui un duo de saints soldats a placé l'armée du Christ sur la ligne de bataille : alors un quatuor de martyrs, maintenant un

---

1. Voir P. PEETERS, «La Passion de S. Basile d'Épiphanie», *AB* 48, 1930, p. 309 et p. 310, n. 4.

2. PHILOSTORGE, VII, 8 : «On dit que Babylas fut martyrisé avec trois jeunes enfants qui étaient frères.» Ils auraient été élèves de Babylas et âgés respectivement de douze, neuf et sept ans (*Martyre* publié par Papadopoulos-Kerameus, § 6-7). Mélétios de Mopsueste (*circa* 432) fait allusion à un enfant de sept ans qui subit le martyre avec Babylas : voir LENAIN DE TILLEMONT, *Mémoires*, t. 3, p. 404.

3. Édité par W. Wright dans le *Journal of sacred Literature*, Londres 1866, p. 424 : «24 janvier : A Nicomédie, Babylas, évêque d'Antioche, avec trois garçons, confesseurs»; GRÉGOIRE DE TOURS a certainement utilisé (*Histoire des Francs*, I, 30) une source syriaque, puisque deux des noms qu'il donne aux enfants, Urbain et Épollon (= Apollonius) se retrouvent dans le martyrologe syriaque du XIIIᵉ siècle de Rabban Sliba : cf. P. PEETERS, «Le martyrologe de Rabban Sliba», *AB* 27, 1908, p. 173.

4. *ASS*, nov. II, 2, p. 59-60 : «A Antioche, passion de S. Babylas, évêque, avec trois jeunes enfants.»

duo[1]. Autre est l'âge, mais la foi est une; diverse est la lutte, mais le courage est le même; ceux-là sont d'une époque ancienne, ceux-ci nouveaux et tués récemment» (*Panég. des S. Juventin et Maximin,* 1). On peut supposer que cet éloge de Babylas et des trois enfants a été prononcé par un autre clerc de l'Église d'Antioche, puisqu'on n'en trouve aucune trace parmi les panégyriques attribués à Jean Chrysostome. Connaissant donc la tradition concernant les trois enfants, il ne les a pourtant pas mentionnés dans son *Discours,* peut-être parce qu'il voulait écrire à la gloire du seul Babylas et qu'il lui fallait, pour cela, éviter de disperser l'attention du lecteur sur plusieurs héros[2]. C'est à Antioche que fut sans doute prononcé le panégyrique des saints Juventin et Maximin et c'est d'Antioche qu'était originaire Théodoret, qui affirme, dans son *Histoire ecclésiastique* (III, 10, 2-3), que les restes de Babylas et des trois enfants martyrisés avec lui furent enfermés dans le même cercueil[3]. Toutefois, d'après la fin de l'*Homélie sur Babylas* (10) le corps de Babylas déposé dans l'église construite en son honneur par Mélétios reçut comme «voisin, et dans le même habitacle un homme de même caractère». Jean Lassus, qui a visité les ruines de cette église, y a vu un sarcophage ayant reçu deux corps : il en a conclu à la probabilité de la présence, dans ce sarcophage, des corps de Babylas et de Mélétios[4].

---

1. Litt. : «alors un *quadrige,* aujourd'hui un *bige*».

2. L'*Homélie* de Jean Chrysostome *sur Babylas* ne fait pas non plus mention des trois enfants, ce qui s'explique du fait qu'elle ne traite que des miracles accomplis par les reliques de Babylas. Jean Chrysostome renvoie à cette homélie dans un *Sermon sur Lazare,* où Babylas est encore seul mentionné.

3. La Passion *BHL* 889, § 12 (*ASS,* janvier III, p. 187) affirme également que Babylas fut enterré avec trois enfants. D'après Jean Chrysostome, un seul cercueil fut enlevé de Daphné (*Discours,* 90).

4. «L'église cruciforme d'Antioche-Kaoussié 12-F» *(art. cit. p. 19, n. 3),* p. 38. Il faut encore signaler le *Martyre de Babylas avec 84 enfants,*

S'il n'est pas invraisemblable que Babylas ait été martyrisé avec trois enfants, il est impossible de suivre les
Passions lorsqu'elles fixent la date du martyre sous Numérien[1], car, sous Numérien (283-284), l'évêque d'Antioche
était Cyrille[2]. Comme l'a suggéré Baronius, cette mention
de l'empereur Numérien pourrait provenir d'une confusion avec le général Numérius, qui, d'après les *Actes
d'Isidore*[3], persécuta les chrétiens sous Dèce. Cependant le
nom de Numérien apparaît déjà dans la Passion utilisée par
Philostorge et qui remonte au IVe ou au Ve siècle, ce qui
prouve que, dès cette époque, la tradition suivie par
Eusèbe, qui la fixe sous Dèce[4], n'était pas partout admise...
à moins qu'on y voie, au contraire, un indice en faveur de
la chronologie d'Eusèbe, puisque c'est précisément sous
Dèce que Numérius poursuivit les chrétiens.

publié par F. HALKIN (*Inédits byzantins d'Ochrida, Candie et Moscou*,
Bruxelles 1963, p. 328-339) d'après un manuscrit de Moscou du
XIe siècle. Cette Passion, antérieure aux remaniements de Syméon
Métaphraste, est résumée dans un synaxaire constantinopolitain qui fait
mention d'un second Babylas, au même jour que celui d'Antioche
(4 septembre). Ce second Babylas aurait enseigné à Nicomédie et subi le
martyre sous Dioclétien avec 84 enfants (*Propylaeum ad ASS novembris :
synaxarium Ecclesiae Constantinopolitanae*, Bruxelles 1902, c. 12). Il peut
s'agir d'une mauvaise lecture de l'abréviation ΠΔ (ΠΑΙΔΩΝ), interprété
comme πδ' : 84; cf. H. DELEHAYE, «Les deux saints Babylas», *AB* 19,
1900, p. 5-8.

  1. Également d'après JEAN MALALAS (*Chron.*, XII = *PG* 97,
457 BC), qui semble, par conséquent, avoir puisé ses informations dans
les Passions. De même aussi d'après notre manuscrit O *(Parisinus
gr. 968)* qui indique Numérien dans la marge du § 23.
  2. DOWNEY, *History*, p. 316.
  3. BARONIUS, *Annales ecclesiastici*, Anvers 1597, t. 2, p. 447 E. Le
même Numérius est appelé Numérien dans le synaxaire constantinopolitain (*Propylaeum ad ASS novembris*, c. 818; cf. c. 683). D'après LENAIN
DE TILLEMONT (*Mémoires*, t. 3, p. 729), c'est peut-être à tort que, à la
suite de cette confusion, la date de nombreux martyrs a été fixée sous
Numérien.
  4. Cf. *infra*, p. 54, n. 4.

La *Chronique pascale* La *Chronique pascale* fut composée sous le règne d'Héraclius (610-641), peut-être par un clerc de la suite de Serge, patriarche de Constantinople[1]. Elle contient deux récits du martyre de Babylas; nous ne considérons ici que le premier d'entre eux[2], inspiré par un historiographe arien[3], à qui Léonce, évêque d'Antioche de 348 à 357 et semi-arien lui-même, avait communiqué ses informations[4] : «Voici la tradition qui est parvenue jusqu'à nous au sujet de S. Babylas, d'après ce que racontait à nos prédécesseurs le bienheureux Léonce, évêque d'Antioche : Dèce fit périr saint Babylas non seulement en tant que chrétien, mais parce qu'il avait empêché l'empereur Philippe et sa femme, qui étaient chrétiens, d'entrer dans l'église, à la suite d'un crime de Philippe. Voici ce crime : ce Philippe le Jeune[5], qui était préfet du prétoire sous son prédécesseur Gordien, avait reçu en otage de Gordien son fils; à la mort de l'empereur Gordien, il tua l'enfant et régna à sa place» (*Chronique pascale*, 257ᵉ olympiade, *PG* 92, 665 B - 668 A).

P. Peeters attachait une grande valeur au témoignage de

1. H. GELZER, *Sextus Julius Africanus und die byzantinische Chronographie*, Leipzig 1898, t. 2, p. 138.

2. Le second récit, qui provient certainement des Passions, ressemble à celui de Jean Malalas et fixe le martyre de Babylas sous Carin (283-285) et Numérien. Voir la *Chronique pascale*, 266ᵉ olympiade (*PG* 92, 680 A).

3. H. GELZER, *ibid.*

4. Contrairement à l'affirmation des *Acta sanctorum* (janvier III, p. 183), rien ne prouve que Léonce soit à l'origine des *Actes de Babylas*. Son récit diffère assez profondément de celui des Passions.

5. Léonce paraît confondre l'empereur Philippe (Philippe l'Arabe) et son fils, M. Iulius (Verus) Philippus. On trouve une confusion semblable chez JÉRÔME (*De uiris*, 54) : «Origène écrivit à l'empereur Philippe... et à sa mère des lettres qui subsistent jusqu'à ce jour.» Or, d'après EUSÈBE, Origène écrivit à Philippe et à sa femme Severa, qui était la mère de Philippe le Jeune (*H. E.*, VI, 36, 3).

Léonce et y voyait le «fond primitif de toute l'histoire de Babylas[1]». Ce témoignage appelle trois remarques :

– 1) D'après Théodoret (*H. E.*, II, 10, 2), Léonce n'était pas originaire d'Antioche, mais de Phrygie; de plus, son arianisme le rendait suspect aux chrétiens orthodoxes et il n'a peut-être pas pu tirer ses informations de la tradition ecclésiastique d'Antioche. Aussi a-t-on pu se demander si un adversaire déclaré de Léonce, Flavien[2], n'a pas été plus que lui au courant de la tradition antiochienne sur Babylas[3]; originaire d'Antioche, il en sera l'évêque (381-404) quand Jean Chrysostome y exercera le ministère sacerdotal (386-397).

– 2) Certains éléments de ce récit sont conformes à celui de Jean Chrysostome (un empereur aurait été le meurtrier d'un jeune prince qui lui avait été confié), d'autres à celui d'Eusèbe[4], auquel il apporte des précisions : comme

1. *Art. cit. (p. 50, n. 1)*, p. 305; cf. p. 314.

2. Cf. THÉODORET, *H. E.*, II, 24, 6-8; PHILOSTORGE, *H.E.*, III, 18.

3. Les historiographes ariens cités par la *Chronique pascale* omettent toute allusion aux miracles opérés sous Julien par les reliques de Babylas. Ariens et eunoméens étaient, en effet, opposés à la vénération des reliques (JÉRÔME, *C. Vigilance*, 8; 10).

4. «Gordien ayant achevé son règne sur les Romains après six années entières, Philippe lui succède au pouvoir avec son fils Philippe. On raconte que celui-là était chrétien et qu'au jour de la dernière veillée de Pâques il voulut prendre part avec la foule aux prières faites à l'église [d'après la traduction de Rufin (*GCS* 9, 2, p. 591), Philippe serait venu à l'église pour "communier aux mystères", ce qui ne correspond pas au texte grec], mais que le président du lieu ne lui permit pas d'entrer avant qu'il eût fait l'exhomologèse [= confessé publiquement ses péchés] et qu'il se fût inscrit lui-même parmi ceux qui étaient classés comme pécheurs et qui occupaient la place des pénitents : autrement, en effet, l'empereur, s'il n'avait pas fait cela, n'aurait jamais été reçu par le président à cause de nombreuses plaintes de ceux qui étaient contre lui. Et l'on dit qu'il se soumit de bon cœur, montrant par ses actes la sincérité et la piété de ses dispositions relativement à la crainte de Dieu» (*H. E.*, VI, 34, trad. Bardy). Ce texte est le premier à faire mention du

Eusèbe, il parle de l'affront fait à Philippe (*H. E.*, VI, 34), mais il est plus explicite, situant l'action à Antioche et en attribuant la responsabilité à Babylas. D'autre part, si Eusèbe déclare seulement que Babylas a subi le martyre sous Dèce (*H. E.*, VI, 39), Léonce fait de Dèce le vengeur de Philippe ; sans doute Eusèbe affirme-t-il que Dèce était hostile à Philippe, suspect de sympathie avec le christianisme, et il semble dans ces conditions peu vraisemblable que Dèce ait voulu venger Philippe, mais il est possible que Dèce ait songé à l'affront fait non à la personne de Philippe, mais à la majesté impériale[1].

– 3) Enfin, selon Léonce, Philippe aurait tué le fils de

christianisme de Philippe l'Arabe et de la pénitence publique qui lui aurait été imposée. L'emploi d'expressions telles que «on raconte», «on dit», ainsi que l'absence de précisions essentielles (nom de l'évêque, localisation de la scène, griefs formulés contre l'empereur) ne laissent d'autre source que des rumeurs dont l'authenticité reste incontrôlable. Mais, si le chroniqueur a rapporté cette histoire sans vouloir en garantir l'authenticité, il a raconté d'une façon beaucoup plus affirmative la célébration sous Philippe du millénaire de Rome avec le sacrifice d'animaux innombrables (*Chronique hiéron.*, 256ᵉ olympiade, 2ᵉ année = *GCS* 47, p. 217), ce que corroborent les monnaies émises à cette occasion et qui montrent des célébrations conformes au rite païen. Sans doute Philippe avait-il pu entrer en contact avec le christianisme dans sa Trachonitide natale. Toutefois, le seul élément qui paraisse certain, c'est l'absence de persécutions sous son règne – comme, semble-t-il, sous celui de son prédécesseur, Gordien –, absence qui permit d'annoncer l'évangile en toute liberté (EUSÈBE, *H. E.*, VI, 36, 1-2). Mais nous ignorons s'il rencontra un jour Babylas et en quels termes ils purent se rencontrer. Les documents anciens ont été rassemblés par LENAIN DE TILLEMONT (*Histoire des empereurs*, t. 3, p. 262-277 ; 494-504) et H. GRÉGOIRE (*Les persécutions dans l'Empire romain*, Bruxelles 1950, p. 11-12 ; 90-91). Les monnaies et médailles émises sous son règne ont été étudiées par E. STEIN (art. «M. Iulius Philippus», *PW* 10, 1, 1919, c. 755-770). Voir aussi l'article de H. CROUZEL, «Le christianisme de l'empereur Philippe l'Arabe», *Gregorianum* 56, p. 547-548. Pour les imputations de l'*Histoire Auguste*, voir ci-dessous p. 56, n. 2.

1. P. PEETERS, *art. cit. (p. 50, n. 1)*, p. 305.

Gordien, mais ce meurtre n'est attesté nulle part[1], et il n'est pas sûr que Gordien III ait eu des enfants[2].

**La *Passion*
de *Saint Basile*
d'*Épiphanie***

Parmi les légendes du recueil géorgien d'Iviron (XIᵉ siècle) se trouve la *Passion de S. Basile*, évêque d'Épiphanie (aujourd'hui Hamah sur l'Oronte), mort martyr sous Numérien. Cette Passion, qui mentionne assez longuement Babylas, fut publiée par C. Kekelidze en 1918 (*Monumenta Hagiographica Georgica*, I, 5-10). P. Peeters en a publié une étude approfondie, ainsi qu'une traduction latine en douze paragraphes[3]. En voici un résumé.

---

1. *Ibid.*, p. 305, n. 3.

2. LENAIN DE TILLEMONT, *Histoire des empereurs*, t. 3, p. 252. Même l'*Histoire Auguste*, qui ne craint pourtant «ni les personnages imaginaires ni les documents apocryphes pour disqualifier les victimes de ses outrages» et qui a voulu faire de Philippe l'Arabe un «empereur-repoussoir», ne lui a pas imputé un tel crime : cf. J. BÉRANGER, «L'idéologie impériale dans l'Histoire Auguste», *Bonner Historia Augusta Colloquium (1972-1974)*, Bonn 1976, p. 31-32; 53; A. CHASTAGNOL, «Le problème de l'Histoire Auguste», *ibid. (1963)*, Bonn 1964, p. 70. Mais l'*Histoire Auguste* ne fut ni la première ni la seule à déformer le portrait de Philippe : c'est EUTROPE, l'ami de Julien, qui attribua le premier la mort de son prédécesseur à cet empereur trop clément envers les chrétiens : après avoir remporté une grande victoire sur les Parthes – alors que ce sont les Perses qui remportèrent une grande victoire sur Gordien et Philippe –, Gordien aurait été tué *fraude Philippi* (*Breviarium*, IX, II, 2-3 = *MGH* II, p. 150; cf. GENSEL, art. «Eutropius 10», *PW* 6, 1, c. 1522), ce qu'a repris et développé l'*Histoire Auguste* (XX, 22-34) et a pu donner naissance à des histoires du genre de celle dont Léonce et la *Chronique pascale* se sont faits les échos. Parce que Philippe était l'ancêtre présumé de Licinius, défait par Constantin en 324, les historiens favorables à la dynastie constantinienne furent incapables de lui rendre justice. Quant aux païens, ils avaient un autre motif de lui être hostiles : cf. J.M. YORK, «The Image of Philip the Arab», *Historia* 21, 1972, p. 320-323.

3. P. PEETERS, «La Passion de S. Basile d'Épiphanie», *AB* 48, 1930, p. 302-323.

1. L'action se passe sous Numérien qui régnait à Antioche à l'époque où Babylas en était l'évêque. Perses et «Grecs» venaient de conclure un traité de paix, selon lequel le roi de Perse, Sapor, avait livré son fils en otage à Numérien. A la mort de Sapor, Numérien fit assassiner l'enfant et saisit son héritage.

2. Babylas apprit le crime. Quand Numérien, qui se disait chrétien, apparut aux portes de l'église, il l'empêcha d'entrer.

3. Numérien fit arrêter Babylas et promulgua un édit général de persécution : partout les chefs des Églises furent arrêtés et, par conséquent aussi, Basile, évêque d'Épiphanie.

4-10. Un officier du nom de Tullius se rendit à Épiphanie, accompagné de deux Syriens, Julien et Libérien. Ils firent comparaître Basile, l'interrogèrent et le torturèrent. Ils le laissèrent finalement en prison pour lui donner trois jours de réflexion.

11. Il reçut dans sa prison une lettre du patriarche d'Antioche, Babylas, aux évêques emprisonnés. Le document reproduit le texte de la lettre[1].

12. A la suite de cette lettre, le désir du martyre grandit dans le cœur de Basile. Au bout de trois jours, il comparut et fut torturé à nouveau. Inébranlable, il fut livré aux bêtes.

Comme le *Discours sur Babylas,* la *Passion de S. Basile* raconte l'histoire d'un jeune otage assassiné sur l'ordre d'un empereur romain. Le même récit se trouve, sous une forme différente, dans des légendres coptes monophysites[2]. L'existence de plusieurs versions de cet événement peut confirmer le récit qu'en fait Jean Chrysostome, comme elle peut illustrer la dissémination et l'évolution d'un récit émouvant et édifiant. Les écrits de Jean Chrysostome ont

---

1. L'envoi d'exhortations au martyre à des chrétiens emprisonnés était fréquent au IIIᵉ siècle. Origène, par exemple, écrivit au moins deux exhortations de ce genre, la première, sous Septime Sévère (202), alors qu'il était encore enfant, la seconde au début du règne de Maximin (235) (EUSÈBE, *H. E.,* VI, 2, 6; 28).

2. P. PEETERS, *art. cit.,* p. 310-313 : d'après la *Passion* copte *de S. Épimé,* le jeune prince fait prisonnier de guerre était le fils du roi de Perse, Sapor. Comme ce dernier nom ne fait pas partie du répertoire des hagiographes coptes, il doit provenir d'une source byzantine.

connu, dès l'Antiquité, une diffusion considérable : comment les auteurs ultérieurs n'auraient-ils pas cherché à combler les lacunes du *Discours sur Babylas*?

La *Passion de S. Basile* est, en effet, plus détaillée que le récit de Jean Chrysostome. Comme le synaxaire constantinopolitain (4 sept.), elle reconnaît dans l'enfant massacré un fils du roi de Perse[1], ce qui pourrait suggérer une source commune à ces deux documents. Elle nomme enfin le roi dont la mort fut suivie du meurtre de son fils : Sapor. Mais cette dernière allégation est peu vraisemblable ; s'il s'agit de Sapor, mort en 272, l'empereur romain ne peut être que Philippe l'Arabe, qui conclut avec lui le traité de paix de 244, attesté par Zozime (III, 32, 4) et par Zonaras (XII, 19). Or cette paix était peu glorieuse pour Philippe, et l'on comprend mal – même si cela n'est pas absolument impossible – que le vaincu ait reçu en otage le fils de son vainqueur qui n'avait nul besoin de son amitié[2].

1. *Propylaeum ad ASS novembris*, c. 11.

2. Sur un des cinq bas-reliefs de Bichapour édifiés par Sapor après sa victoire sur Gordien III et Philippe l'Arabe on voit Sapor à cheval, foulant aux pieds le cadavre de Gordien, et Philippe, le genou en terre, les bras tendus en avant dans la posture du suppliant. Ce bas-relief est l'illustration du texte des *Res gestae diui Saporis* : « Le César Gordien périt et nous anéantîmes l'armée romaine et les Romains proclamèrent Philippe César. Et le César Philippe vint à composition et, pour rançon de leur vie, il nous donna 500 000 deniers et il devint notre tributaire» (8-9, trad. Maricq, *Syria* 35, 1958, p. 306-308). C'est du moins la thèse de B.C. MACDERMOT («Roman emperors in the Sassanian reliefs», *JRS* 44, 1954, p. 76-80), acceptée par A. GHIRSHMAN (*Parthes et Sassanides*, Paris 1962, p. 151-161), mais combattue par J. GAGÉ (*La montée des Sassanides*, Paris 1964, p. 281). Selon la tradition historique moderne, les bas-reliefs représenteraient le triomphe de Sapor sur Valérien (vaincu par Sapor en 260) : il ne pourrait s'agir ici de Gordien et de Philippe, et le personnage suppliant serait Valérien. La thèse de Macdermot a cependant été reprise récemment par X. LORIOT, «Les premières années de la grande crise du IIIe siècle : de l'avènement de Maximin le Thrace à la mort de Gordien III», dans *Festschrift J. Vogt*, II, 2, Berlin 1975, p. 657-787 (en particulier p. 773).

On le constate, aucune de ces versions du martyre de Babylas ne vient dissiper le mystère que Jean Chrysostome laisse planer sur l'identité de l'empereur romain et du roi étranger. Toutes apparaissent comme des amalgames d'éléments divers, empruntés à des épisodes mettant en scène des personnages historiques sans qu'on puisse établir entre eux un lien vraisemblable. Ainsi voit-on successivement l'empereur romain s'appeler Philippe (*Chron. pasc.*), Numérien (Passions, *Passion de Basile*), ou Dèce (*Chron. pasc.*); l'otage est tantôt le fils du roi de Perse Sapor I (*Passion de Basile*), tantôt le fils de l'empereur Gordien (*Chron. pasc.*); la mort de Babylas est le fait soit de l'empereur même qu'il avait outragé (Numérien, selon la *Passion de Basile*), soit du successeur de cet empereur (Dèce, selon la *Chron. pasc.*). On comprend, devant cet imbroglio, la réflexion de Lenain de Tillemont : «Il n'y a guère d'histoire si difficile à examiner et si embrouillée que celle de Babylas quand nous ne nous arrêterions qu'à ce qu'Eusèbe et S. Chrysostome en ont écrit. Car si nous y voulons ajouter le témoignage des auteurs postérieurs, je crois qu'il n'y aura aucun moyen d'en sortir[1].»

Que peut-on retenir, alors, du récit de Chrysostome? Vers le milieu du IIIᵉ siècle, l'évêque d'Antioche, Babylas, mourut martyr. Sous Julien, peu après le transfert de la dépouille du martyr d'Antioche à Daphné, le temple d'Apollon de Daphné fut la proie des flammes. Enfin, du vivant même de Jean Chrysostome les restes de Babylas furent transportés dans l'église élevée en son honneur par Mélétios.

1. *Mémoires*, t. 3, p. 727.

Pas plus ici qu'ailleurs, Jean Chrysostome ne nous fait connaître les sources de sa narration. S'est-il inspiré d'Actes apocryphes[1]? A-t-il «enjolivé» une histoire entendue[2]? Son but, qui n'était certainement pas de faire œuvre d'historien, différait-il totalement de celui de son contemporain Jérôme dans ses «Vies» de Malchus ou de Paul ermite[3]?

Sans doute ne faut-il pas tant chercher l'intérêt du *Discours sur Babylas* dans les renseignements d'ordre historique qu'il nous transmet, que dans le portrait de l'évêque qu'il nous dépeint, de cet évêque qui garde jusqu'au bout son franc-parler devant le maître du monde et qui en assume toutes les conséquences; ce modèle avait séduit Jean dans sa jeunesse et deviendra le sien à Constantinople face à l'impératrice Eudoxie.

---

1. Comme il l'a fait ailleurs : cf. J. ROUGÉ, «Néron à la fin du IVe et au début du Ve siècle», *Latomus* 37, 1978, p. 73-87.

2. Comme celle de l'impératrice Fausta livrée aux bêtes : cf. J. ROUGÉ, «Fausta, femme de Constantin, criminelle ou victime», *Cahiers d'histoire* 25, 1980, p. 4.

3. Cf. M. FUHRMANN, «Die Mönchsgeschichten des Hieronymus», dans *Entretiens sur l'Antiquité classique*, t. 23, Vandœuvres-Genève 1977, p. 41-89.

CHAPITRE II

HISTOIRE DU TEXTE

I. LES MANUSCRITS

A. LISTE DES MANUSCRITS

Atheniensis 2806 XIe s.; parch.; f°s 188^r-225^v. Deux folios ont été perdus et d'autres ont été intervertis :
- le f° 208 se termine au § 72, 2 ἀλ<λὰ> ;
- le f° 209 va de 92, 21 ἀπρὶξ à 96, 4 μὲν;
- les f°s 210-213 vont de 78, 4 μὲν à 92, 20 ἀλλά;
- le f° 214 reprend à 96, 4 ἱερέα.

L'ordre normal serait :
- 188^r-208^v : début jusqu'à 72, 2 ἀλ<λὰ> ;
- manque la valeur de deux folios, soit de 72, 2 <ἀλ>λὰ καὶ à 78, 4 ἀλλὰ πρὸς;
- 210^r-213^v : 78, 4 μὲν à 92, 20 ἀλλά;
- 209^r-209^v : 92, 21 ἀπρὶξ à 96, 4 μὲν;
- 214^r-225^v : 96, 4 ἱερέα à la fin.

Basiliensis gr. 39 (= B.II.15) IXe-Xe s.; parch.; f°s 409^r-439^v; texte complet.

Parisinus gr. 801 (= Colbert 974) XIe s.; parch.; f°s 191^v-233^r; texte complet.

Atheniensis, Musée Benaki, fonds ancien 10 Xe s.; parch.; f°s 236^v-263^r. Contient le début du texte jusqu'à 87, 11.

E   *Scorialensis gr.* Ψ.IV.8 *(= gr. 482)* XVe-XVIe s.; papier; f°s 1^r^-100^v^; texte complet.

F   *Marcianus gr. 567* XIe s.; parch.; f°s 11^r^-58^r^; texte complet.

G   *Vaticanus gr. 561 (anciennement 785)* milieu XVIe s.; papier; f°s 70^r^-102^r^; texte complet. Copié par Franciscus Syropulus[1]. Aux f°s 96^v^ à 99^v^ le texte a été interverti : les § 112, 16 à 114, 17, soit de ἐχυχᾶτο jusqu'à ἐφιστάμενος sont écrits après 120, 11 ἐπεδείχνυτο. Ἤδει γὰρ ἤδει (voir apparat).

H   *Oxoniensis Holkham gr. 25 (olim 91)* XVIe s.; papier; f°s 316-335; le scribe a noté au f° 326^r^ qu'il manque un folio et laissé assez d'espace pour le rajouter : le texte manque de 72, 1 τῷ γοῦν à 74, 19 <προσ>κειμένων.

K   *Marcianus gr. 113* XIe s.; parch. f°s 5^r^-37^v^; le début manque, ainsi que le quaternion ζ′ : il commence à 29, 10 φάρμαχον, puis saute de 111, 7 φυσήσας χεναῖς à 125, 13 ἐπιδειχνύς.

L   *Vallicellianus 87* XVe s.; papier; f°s 434^r^-483^v^; texte complet.

M   *Monacensis gr. 31* année 1546; papier; f°s 246^r^-279^v^; texte complet.

O   *Parisinus gr. 968 (= Regius 2989)* XVe s.; papier; f°s 267^r^-321^v^; texte complet.

P   *Parisinus gr. 759 (= Regius 2343)* X^e^-XIe s.; parch.; f°s 8^r^-38^r^, texte complet.

R   *Vaticanus Ottobonianus gr. 350* XVIe; papier; f°s 151^r^-222^r^; texte complet; il présente aux f°s 211-217 la même interversion que G.

S   *Sinaiticus gr. 1607* année 1431; papier; f°s 51^v^-78^v^; texte complet.

T   *Patmiacus 164* XIe s.; parch. f°s 1^r^-29^r^; le début manque : il commence au § 53, 18 ἐλθόντες et continue jusqu'à la fin. En tête du premier folio, on a écrit, en grec moderne, « manquent 3 quaternions, soit 24 folios ».

U   *Laurentianus Plut. 9 cod. 4* XIe s.; parch.; f°s 7^r^-51^v^; texte complet.

---

1. Cf. M. VOGEL et V. GARDTHAUSEN, *Die griechischen Schreiber des Mittelalters und der Renaissance*, Leipzig 1909, § 424.

V *Vaticanus gr. 1628* XIe s.; parch.; f°s 6[v]-40[v]; texte complet.

W *Vindobonensis phil. gr. 166* XVIe s.; papier; f°s 63[v]-69[v]; s'interrompt au § 16, 11.

X *Marcianus gr. 108* XIVe s.; parch.; f°s 335[r]-354[v]; texte complet.

Vu le grand nombre de manuscrits récents, nous avons renoncé à collationner :

– le *Vaticanus Barberinus gr. 583 (= VI, 22)* XVe s.; papier; p. 29-92.

– le *Vaticanus Ottobonianus gr. 264* XVe-XVIe s.; papier; f°s 25[r]-68[v].

– L'*Athous Iviron 427 (Lambros 428)* année 1534; papier; f°s 50[r]-96[r].

B. CLASSEMENT DES MANUSCRITS

A partir du Xe siècle, le texte a subi une série de révisions et de remaniements auxquels seuls les manuscrits BDAC paraissent avoir échappé.

Les plus anciens des manuscrits ainsi corrigés (PFVTUK) sont du type dit «panégyrique»; ils présentent un choix de «panégyriques» attribués à Jean Chrysostome et classés d'après le calendrier liturgique[1]. Considérant le *Discours sur Babylas* non comme un traité, mais comme un sermon, les scribes l'ont mis à la seconde place, le 4 septembre, date de la fête de Babylas dans l'Église grecque. Les copistes F et V le désignent comme l'Homélie 2.

Les remaniements ont porté, entre autres, sur le titre du *Discours*. Voici les titres des manuscrits du IXe au XIe siècle[2] :

– Discours en l'honneur du bienheureux Babylas et contre les Grecs (BDAC)

1. A. EHRHARD, *Überlieferung und Bestand der hagiographischen und homiletischen Literatur der griechischen Kirche*, II (*TU* 51), Leipzig 1937, p. 1-2; K. KRUMBACHER, *Geschichte der byzantinischen Literatur (527-1453)*, München 1897[2], t. 1, p. 163.

2. Le début des manuscrits T et K fait défaut.

– Discours en l'honneur du bienheureux Babylas, aux Grecs et contre Julien (P)
– En l'honneur du bienheureux Babylas et contre les Grecs (FV)
– Contre les Grecs et en l'honneur du saint évêque martyr Babylas (U).

Les manuscrits U et K concluent le *Discours* par une longue doxologie, comme il est d'usage pour les homélies.

Le nombre restreint de manuscrits non révisés montre que le *Discours sur Babylas* n'avait été lu que rarement : son intérêt apologétique disparaissait avec le paganisme. Mais, en même temps, l'intérêt pour les vies de saints et les récits de miracles allait croissant[1] : ce dont témoignent les manuscrits «panégyriques». Notre *Discours* fut sans doute remanié au moment de la copie de PFVTUK – et autres que nous ne connaissons pas –, afin de faciliter la lecture publique à l'Église[2]. Le *Discours sur Babylas* entra ainsi dans le vaste champ de la littérature hagiographique qui fut, plus que tout autre, le domaine de correcteurs fervents (voir le stemma page ci-contre)[3].

Pour obtenir une vue d'ensemble de la tradition manuscrite, nous commencerons l'étude des manuscrits BDAC et, en particulier, du plus ancien d'entre eux, B; nous verrons ensuite les manuscrits «panégyriques», en insistant sur ceux qui nous ont paru les plus intéressants, P et F, et nous terminerons par un certain nombre de manuscrits des XIVe, XVe et XVIe siècles, tous inspirés par des modèles panégyriques.

---

1. Voir H.G. BECK, *Kirche und theologische Literatur im byzantinischen Reich*, Munich 1959, p. 267 s.

2. C'est le sens du sous-titre ajouté au début du § 30 par les manuscrits U et K : «Début de l'éloge de Babylas». D'après K. KRUMBACHER (*op. cit.*, p. 101), ce terme d'éloge (ἐγκώμιον) signifie que ce texte devait être lu en chaire.

3. Cf. H. DELEHAYE, *Les passions des martyrs et les genres littéraires*, Bruxelles 1966[2], p. 259-270.

Stemma

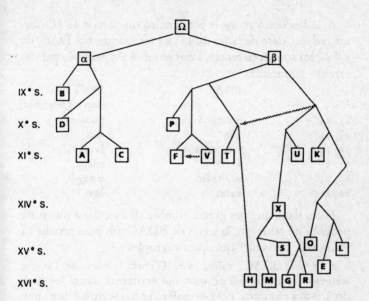

1. La famille BDAC (α)

B, le *Basiliensis gr. 39*, le plus ancien manuscrit du *Discours sur Babylas*, date de la fin du IXe s.; les manuscrits DAC, du XIe s., lui sont apparentés. Leur parenté est prouvée par des erreurs communes[1] :

	BDAC	PFVTUK (leçons retenues)
41, 14	σωτήριον	σωρείαν
46, 7	ἤδη	ἡλίῳ
52, 17	ἐναργεστέρα	ἐναγεστέρα
71, 3	ἀλεία	αὐλίῳ
80, 1	νουνεχῶς	συνεχῶς
82, 11	ἔσται	ἐστι

Mais, dans un plus grand nombre de cas, il y a une forte probabilité pour que la leçon de BDAC soit plus proche de l'original. En voici quelques exemples :

1, 12 τινές BDAC : παῖδες *ceteri*. D'après le contexte, l'auteur songeait à certains païens, ceux qui écrivirent contre les chrétiens, non à eux tous, Ἑλλήνων παῖδες, ce qui revient à dire «tous les païens». Au reste, paléographiquement, ΠΑΙΔΕΣ peut apparaître comme une corruption ou une mélecture de ΤΙΝΕΣ.

62, 3-4 κινδυνεύεις με ἐν ὀλίγῳ ποιῆσαι χριστιανόν BDAC : ἐν ὀλίγῳ με πείθεις χριστιανὸν γενέσθαι *ceteri*. La paraphrase d'*Actes* 26, 28 est remplacée par la citation textuelle[2]. De même, au verset suivant, le ηὐξάμην de BDAC a été remplacé, au § 62, 4, par εὐξαίμην, plus conforme au *textus receptus*.

---

1. Dans cette liste, comme dans celles qui suivront, nous ne mentionnerons pas l'absence des manuscrits ADTKH. Le lecteeur désireux de vérifier pour quelles leçons on peut en tenir compte devra se reporter à la description des manuscrits (p. 61-63).

2. Voir J. DUMORTIER, «Les citations des Lettres de S. Jean Chrysostome à Théodore», *Studia Patristica* 4 (*TU* 79), 1961, p. 78-83; M.L. GUILLAUMIN, «Problèmes posés aux éditeurs de Jean Chrysostome par la richesse de son inspiration biblique», *Analecta Vlatadôn* 18, 1973, p. 59-76.

76, 2 ἀναγαγόντος BDAC : μεταθέντος *ceteri*. Jean Chrysostome utilise régulièrement le verbe ἀνάγειν (monter) pour le trajet d'Antioche au plateau de Daphné. Un scribe ignorant cet usage l'a remplacé par le terme plus courant.

Assez souvent BDAC présentent la leçon *difficilior*, par exemple, l'omission d'un ἄν dans une irréelle (96, 11-12 et 105, 5)[1].

Les manuscrits BDAC nous paraissent donc plus proches de l'original et, d'une manière générale, leurs leçons doivent être choisies de préférence à celles des autres manuscrits.

B *Basiliensis gr. 39 (= B.II.15).*

Écrit aux alentours de 900, ce codex est un recueil (ἐκλογή) d'ouvrages de Jean Chrysostome choisis, entre 869 et 879, par Sisinnios II, évêque de Laodicée en Phrygie[2].

Il présente un certain nombre de leçons différentes à la fois de DAC et des autres manuscrits. Parfois ce sont des erreurs, ainsi :

	B	DAC + autre famille
105, 22	φερόμενος	πετόμενος
115, 5	τῶν τόπων	τὸν τόπον
117, 6	τοιούτων	τοίχων
120, 11	ἀπεδείκνυτο	ἐπεδείκνυτο

Plus souvent ces leçons paraissent fidèles à l'original :

18, 1	ἐξεπῆρεν	καὶ ἐπῆρε
111, 8	*om.*	ἄν

---

1. Cf. R. KÜHNER et B. GERTH, *Ausführliche Grammatik der griechischen Sprache*, II, 1, Leipzig 1898, p. 215-216.
2. D'après G. MEYER et M. BURCKHARDT, *Die mittelalterlichen Handschriften der Universitätsbibliothek Basel*, Abteilung B, t. 1, Bâle 1960, p. 150..

Au § 50, 7, la bonne leçon est probablement τιμᾶσθαι, comme B. Mais le copiste qui est peut-être à l'origine de tous les autres manuscrits a corrigé ἐπιτιμᾶσθαι, d'après le verbe κολάζεσθαι qui précède[1].

Au § 59, 13, la confusion entre un υ et un κ a entraîné une mélecture, qui fut ensuite corrigée par le scribe lui-même ou par un autre : εὖ γένηται (υ *in ras.*) B : σωθῆναι ἐκγένηται *ceteri.*

Enfin, au § 124, 11, B est seul à omettre les mots πρὸς τὸ τέλος, sans doute une glose, apparentée à l'expression ἐξ ἀρχῆς, qui a été insérée à la ligne 2 dans un certain nombre de manuscrits.

Autres exemples de leçons qui ne se trouvent que chez B et que nous avons retenues :

	B	DAC + autre famille
15, 16	σπινθῆρα	μικρὸν ὄντα σπινθῆρα
75, 5	θορυβήσητε	θορυβηθῆτε
94, 6	ἐκκεκάλυπται	ἐκκάλυπται AC ἐκέκαυτο FV
		ἐκκέκαυται *cet.*
123, 12	χωρίου	φρουρίου

B n'est donc pas à l'origine immédiate de DAC, car leurs fautes ne paraissent pas être des corruptions directes de son texte.

D *Atheniensis, Musée Benaki, fonds ancien 10.*

C'est le seul manuscrit à partager certaines erreurs de B :

	BD	AC + autre famille
47, 19	ἀποστῆσαι	ἀποστῆναι
51, 11	ζώντων	ζῶν
52, 2	τι	*om.*
52, 4	*om.*	τι
70, 28	ἀναπαύεται	ἀναπαύει
85, 1	εἰ	*om.*

---

1. Jean Chrysostome a rapproché, comme ici, τιμᾶν et κολάζειν dans son opuscule *Contre les détracteurs de la vie monastique* (éd. F. Dübner, Paris 1861, t. 1, p. 39, l. 48, et p. 40, l. 20).

Parfois aussi BD paraissent être seuls à présenter le texte non corrompu :

	BD	*ceteri*
28,11	ὅσον ἰδεῖν	ὁ συνιδεῖν
59, 15	τῶν συγγενῶν μου	~ sec. Rom. 9, 3
	τῶν ἀδελφῶν μου	
75, 10	εἰκότων	εἰκόνων

Sans être issu de B, D en est donc relativement très proche.

A *Atheniensis 2806.*
C *Parisinus gr. 801.*

Le manuscrit A paraît provenir d'un exemplaire assez semblable à C, car il lui est semblable en tout, orthographe exceptée, et ne comporte qu'une seule erreur qui lui soit propre. Le texte de C renferme de nombreuses confusions de lettres (iotacismes, confusions entre o et ω, par exemple). Les leçons particulières à AC ne paraissent pas remonter à l'original :

	AC	*ceteri*
10, 11	ζαμόλαξιν	ζάμολξιν
18, 8	*om.*	οὕτως ἦν
43, 16	κοινωνούς	κυνῶν
69, 14	*om.*	οἱ δὲ ἀσελγεῖς καὶ ἀκόλαστοι κωλυέσθωσαν
80, 2	*reduplicauerunt* (A[ac])	μετὰ πολλῶν μὲν ἀναθημάτων
80, 5	*om.*	ἀναιρεῖν
116,10	ζωδον (= ζῴδιον)	ξόανον

Enfin AC paraissent avoir subi l'influence des manuscrits « panégyriques », de PF[ac] en particulier :

25, 8	εὐμενείας	AC P^{ac}FV	εὐγενείας	cet.
57, 1	ἐν τῷ δεσμωτηρίῳ	AC PF^{ac}	εἰς τὸ δεσμω- τήριον	cet.
61, 15	μεγαλοφρονῶν	AC PF^{ac}	μέγα φρονῶν	cet.
122, 16	καὶ ἐλεεινῶς ἔπραξε	AC FVTU	ἔπραξεν καὶ ἐλ.	cet.
127, 9	om.	AC FVT	μέτρου	cet.

Leurs variantes ne pouvant pas contribuer à l'établissement du texte, ces manuscrits n'apparaîtront qu'exceptionnellement dans l'apparat critique.

2. La famille PFVTUK : les «panégyriques»[1] (β)

Aux premières pages de son ouvrage *Überlieferung und
Bestand der hagiographischen Litteratur,* A. Ehrhard analyse
un type de manuscrits liturgiques grecs du Moyen Age,
connus sous le nom de «panégyriques» : ce sont des
recueils de panégyriques du Christ et des saints, compilés à
l'usage monastique[2].

Comme nous l'avons dit plus haut (p. 63), certains de ces
recueils ne renferment que des écrits de Jean Chrysostome,
dont le *Discours sur Babylas.* Ehrhard cite six manuscrits
représentatifs de ces «panégyriques de Jean Chrysostome» : ce sont précisément nos manuscrits PFVTUK[3]. Il
note qu'ils sont de deux formats différents et que, avec le
format, varient également le choix des textes et l'ordre
dans lequel ils sont cités. Le format I n'est représenté que
par P (X^e-XIe siècles); le format II rassemble FVTUK du

---

1. On verra plus loin (p. 76-79) les similitudes et parentés avec les
manuscrits plus récents.
2. A. EHRHARD, *op. cit. (p. 63, n. 1),* p. 1-2.
3. *Ibid.,* p. 216-224.

XIe s., au sein desquels FVT et UK forment encore deux subdivisions.

Les variantes du texte de la famille PFVTUK correspondent en gros à la classification établie par Ehrhard à partir de critères externes :

	BDAC	PFVTUK
20, 8	ἐκείνων τῶν χρόνων	τῶν κατ' ἐκεῖνον τὸν χρόνον
69, 11	οἰκουμένην	πόλιν
76, 2	ἀναγαγόντος	μεταθέντος
81, 7	μιαρὲ καὶ παμμιαρέ	μιαροὶ καὶ παμμιαροί
88, 4	καταλύσει	καταλύσεις
90, 4	καταδέχεται	καταδέχοιτο
96, 12	om.	ἄν
103, 2	ἀπεπήδησεν	ἀποπεπήδηκεν
105, 4	τοῦτο	ταῦτα
120, 11	om.	ᾔδει γάρ, ᾔδει κτλ.

P *Parisinus gr. 759.*

De tout le groupe des manuscrits «panégyriques», c'est P qui partage le plus grand nombre de leçons avec BDAC; entre autres :

	BDACP	*ceteri*
8, 3	οὐκ ἐδέξαντο	οὐ παρέλαβον
65, 22	ἀνέρχεται	ἀπέρχεται
69, 17	δεινῶν	δεσμῶν
80, 5	ἀναιρεῖν	ἐρεῖν FUO
99, 14	om.	ὦ ληρόσοφε

Mais P partage un plus grand nombre encore de leçons avec FVTUK. Ceux-ci ayant été copiés environ un siècle plus tard, on pourrait penser que leur archétype était assez proche de P. Nous avons donné ci-dessus quelques exemples de ces variantes. Comparées au texte de B(DAC)[1], la plupart des leçons propres à P(FVTUK) paraissent être des remaniements introduits par un copiste, en vue de rendre le texte plus clair et plus parlant, en un mot, pour l'«améliorer». Le plus souvent ce ne sont que de légères modifications apportées au style, au vocabulaire, à l'ordre des mots, au temps ou au mode, des mots ajoutés ou supprimés (voire toute une phrase au § 120, 11). Plusieurs passages manifestent une incompréhension du texte (81, 7 et 104, 7-8). Un motif d'ordre théologique peut être à l'origine de τινι au § 90, 12. Par conséquent, les variantes proposées par PFVTUK nous paraissent être le plus souvent le résultat d'une intervention banalisante[2]. Sur notre *stemma* (ci-dessus, p. 65), nous désignons par le sigle β l'archétype des manuscrits «panégyriques». Ce n'était pas P, mais sans doute un ancêtre de P.

Il y a cependant des cas où, la leçon de B(DAC) paraissant corrompue, PFVTUK reproduisent peut-être le texte original (voir les exemples donnés ci-dessus, p. 66). Mais il est également possible que le texte de P(FVTUK) ait été corrigé par conjecture et ne remonte pas à l'original.

Cependant P partage aussi un certain nombre de variantes avec FVT seulement; entre autres :

	BDAC UK (DA et K faisant parfois défaut)	PFVT
63, 4	λίαν	σφόδρα
92, 7	*om.*	περὶ Μαξιμίνου *in mg.*
103, 8	τοῦτο	τοσοῦτον
118, 6	*om.*	τεώς
123, 4	αἰσχρῶς	ἰσχυρῶς

En outre, P partage un certain nombre de variantes avec

---

1. Voir apparat critique.
2. Voir ci-dessus, p. 63-64.

FV seulement, qui nous font penser que P n'est le modèle ni de FV ni de T.

Comparé au texte de BDAC UK, celui de PFV(T) comporte un certain nombre de changements et d'additions qui ne paraissent pas remonter à l'original.

F *Marcianus gr. 567.*

Ce manuscrit a des leçons communes avec P, dont un grand nombre a été ensuite effacé et un petit nombre seulement ne l'a pas été. Le texte de F avant correction est apparenté à la fois à BDAC et à P, puisqu'ils partagent des erreurs :

	BDACPF^{ac}	*ceteri*
15, 18	ἔπνει	ἐπήει
105, 13	καὶ χοίνικα	κερουλκὰ

mais aussi des leçons peut-être conformes à l'original :

	BDACPF^{ac}	*ceteri*
11, 8	ἄνεισι	γίνεται
65, 19	συνευχομένου	συνεισερχομένου F^{pc} UO

F a toutefois moins de leçons communes avec BDAC que P, et le plus souvent elles se retrouvent dans P. Cependant BACF^{ac} partagent une même erreur au § 114, 4 (ἤλεγξεν au lieu de ἔληξεν). Il arrive également que BF ou BACF^{ac} aient peut-être la meilleure leçon. Plus souvent cependant le texte de F est conforme à VTUK contre BDACP; par exemple :

	BDACP	FVTUK
26, 7	ἀποσφαχθέν	ἀποσφαγέν
42, 3	θείου	θεοῦ
99, 14	*om.*	ὦ ληρόσοφε

Ces variantes nous paraissent dues à des interventions banalisantes : ainsi les citations très exactes de *Jean* 14, 11 et du *Psaume* 63 (64), 8-9 (8, 2-3 et 11, 13); alors que les autres manuscrits ont un texte légèrement modifié, les manuscrits destinés à la lecture publique ne pouvaient pas s'écarter du texte habituel de l'Écriture[1] : ainsi, au § 64, 3, la leçon τοὺς λόγους, qui concerne un discours parlé, remplace τὸν λόγον qu'on trouve en BDACP.

Mais il arrive aussi que F ne soit conforme qu'à V ou à VT contre BDACP et UK :

79, 3	αὐτῷ BDACP	αὐτοῦ TUK	αὐτῶν FV
120, 7	ἡμῖν BACPTH		om. FV

Ces variantes indiqueraient une révision intervenue après le texte déjà révisé que l'on trouve en P.

Souvent F a été effacé et corrigé. Dans tous les cas, le premier texte de F était, semble-t-il, conforme à BDACP ou à P (voir ci-dessus, p. 71), alors que la «correction» est conforme à V[2], VT ou VTUK. C'est donc apparemment à un manuscrit semblable à V que F a emprunté ses corrections, par exemple :

	BDACPF^ac	F^pcVTUK
56, 15-16	ταύτην — πονηρός	om.
92, 15	καὶ (om. B) ἁπλώσας BPF^ac	ἁπλῶς
101, 3	οὖν B	ὁ δαίμων F^pcV οὖν
		ὁ δαίμων TU(H)
119, 17	ἀναχώρησιν F^acP^ac	ἀπολογίαν

V *Vaticanus gr. 1628.*
T *Patmiacus 164.*
U *Laurentianus Plut. 9, 4.*
K *Marcianus gr. 113.*

Ces manuscrits ont de nombreuses variantes communes. Ils ont ajouté, en particulier :

5, 16 θαυμάσῃς ‖ 13, 12 ἑτέρου ‖ 50, 10 καὶ διδάξας ‖ 124, 2-3 ἐξ ἀρχῆς.

La plupart de ces variantes sont le fruit d'une nouvelle révision du texte.

Toutefois il arrive que les autres manuscrits aient une leçon apparemment corrompue et que la leçon de VTUK paraisse la meilleure : au § 108, 6, par exemple, οὐδὲ BDACPF^ac : σὺ δὲ F^pcVTUK. On peut soupçonner ces variantes d'être les corrections d'un scribe byzantin.

Mais, au sein même de la famille VTUK, Ehrhard avait distingué deux groupes (ci-dessus, p. 70-71) d'après l'aspect extérieur des manuscrits : FVT d'une part, et UK de l'autre. A ce qui a déjà été dit au sujet de F, il convient d'ajouter que T est partiellement indépendant de FV et de PFV.

Les manuscrits UK manifestent une parenté assez proche. En voici deux exemples parmi d'autres :

	BDACPFVT	UK
30, 12	κατέχοντα	κατάρχοντα
53, 1	ψυχὴ γάρ	ἡ γὰρ ἐπιρρεπὴς πρὸς κακίαν ψυχή

Les leçons particulières à U sont insignifiantes (32, 11 ἀστραπτόντων BDACPFVTK : ἀπαστραπτόντων U).

Les variantes propres à K sont un peu plus nombreuses, par exemple :

	BDACPFVTU	K(OEL)[1]
56, 7	εἰσήγαγεν	ἀντεισήγαγεν
61, 7	ἁμαρτιῶν	ἁμαρτημάτων
78, 12	προστεθέντα	προστιθέντα etc.

K paraît avoir subi une révision de plus que U. D'après

---

1. Pour OEL, voir p. 79.

Ehrhard, l'ordre des sermons de ce codex serait aussi plus récent que celui de U[1].

3. Les *Codices recentiores*

Outre le manuscrit de Venise du XIVe siècle[2], nous avons collationné neuf manuscrits des XVe et XVIe siècles. Ils proviennent tous de la tradition des «panégyriques» et présentent de nouvelles révisions.

H Oxoniensis Holkham gr. 25.

Ce ménologe rassemble des panégyriques dus à des auteurs différents en l'honneur des saints dont les fêtes s'échelonnent de juillet à octobre[3]. Le titre du *Discours sur Babylas* y est «Éloge du bienheureux Babylas, évêque d'Antioche, et contre les Grecs». Ce titre provient de la tradition des manuscrits FV, à laquelle il ajoute les mots «éloge» et «évêque d'Antioche»[4].

Le texte appartient au groupe des manuscrits (F)VT, avec lequel il partage des variantes (cf. ci-dessus, p. 74). Mais il est plus proche de T que de FV, et il arrive à TH d'avoir des leçons communes avec UK, différentes de celles de V. Cependant H n'a pas été copié directement sur T, car celui-ci présente une omission, là où H a le texte complet : 102, 15 ἐμπρησμοῦ — σϐέσαι. Mais il présente également des leçons communes avec d'autres manuscrits plus récents, OEL et SM. Comparé aux autres

---

1. A. EHRHARD, *op. cit. (p. 63, n. 1)*, p. 223.
2. La collation du *Marcianus gr.* 108 (X) a été effectuée par J.-N. Guinot, qui a également relu le ms M pour étudier cette partie de la tradition du *Discours*.
3. H. DELEHAYE, «Catalogus codicum hagiographicorum graecorum bibliothecae comitis de Leicester Holkhamiae in Anglia», *AB* 25, 1906, p. 464-472.
4. Voir ci-dessus, p. 64 et n. 3.

manuscrits de la Renaissance, le texte de H paraît cependant plus conforme à l'ancienne tradition.

Les manuscrits XSM GR descendent d'un modèle proche de U, avec lequel ils partagent un certain nombre de variantes[1]. On peut toutefois les répartir, à leur tour, en deux groupes différents.

X *Marcianus gr. 108.*
S *Sinaiticus gr. 1607.*
M *Monacensis gr. 31.*

Ils sont seuls à partager certaines variantes de U, mais ils présentent aussi des variantes communes qui leur sont propres et qui montrent qu'aucun d'eux n'a pu être recopié directement sur U; par exemple :

	XSM	*ceteri*
15, 6	γενναίως	βεϐαίως
15, 18	σφοδρότερος	φαιδρότερος
23, 10	ἀσφαλείας	ἀφοϐίας

En réalité, X apparaît comme un relais important entre U et SM, bien que ces derniers ne semblent pas avoir été directement copiés sur lui. Ils en reproduisent pourtant toutes les leçons particulières, et partagent avec lui plusieurs transformations du texte[2]. La dépendance de M à

---

1. D'après A. EHRHARD, (*op. cit.* [*p. 63, n. 1*], p. 224, n. 1), M présente la même structure que les manuscrits «panégyriques».

2. La seule addition propre à X se retrouve en SM (113, 12 : οὐ *post* μόνον) qui, à deux exceptions près (112, 25 : οὖν *ante* εὐθὺς; 112, 34 : δ' *ante* ἐλάττω), reproduisent aussi toutes les additions communes à U et à X. La plupart des nombreuses omissions (13 cas) propres à X se retrouvent en SM (par ex., 49, 10-11 : ὁ λόγος; 55, 2 : προϐῆναι; 121, 18 : ἐπιθυμία), et toutes en M. Seule une omission commune à UX (33, 11 : τῆς *ante* παρρησίας) ne se trouve pas en M. Les transpositions propres à X sont également celles de SM ou de M seul (par ex., 49, 7 : μᾶλλον τούτων; 85, 1-2 : θαυμαστοὶ καὶ μεγάλοι; 98, 6 : μεγάλην μήτε καλήν, avec omission de ἔτι propre à XSM), à une exception près (94, 6 : ὁ ναὸς

l'égard de X est encore plus marquée que celle de S[1]. M
pourrait donc avoir été copié, sinon directement sur X, du
moins sur une copie fidèle de ce manuscrit. Les variantes
propres à M sont en réalité des modifications sans véritable
importance, des *orthographica,* ou encore des fautes dues à la
négligence du copiste[2].

Par ailleurs, comme S présente plusieurs leçons différentes de celles de M et suit moins fidèlement que lui le
texte de X, M (XVIᵉ s.) n'a pas été recopié sur lui.

G *Vaticanus gr. 561.*
R *Vaticanus Ottob. gr. 350.*

Ces manuscrits ont certainement été recopiés sur un
même codex où deux feuillets avaient été intervertis. Ils
ont beaucoup de variantes et de notes marginales communes. Ces variantes paraissent dues à un scribe relativement tardif.

Si le modèle de GR était proche de U, il a cependant été

ἐκκέκαυται, mais la leçon ἐκκέκαυται est commune à UXSM). Enfin, sur
quatre doublons propres à X, un se retrouve en SM (112, 16 : ἐϐϐα),
deux en M seulement (96, 13 : ἐν *ante* τῇ πόλει; 126, 7 : τοῦ *ante* τοῦ
ἁγίου); un seul ne figure que dans X (100, 1 : ἀπατᾶν).

1. M est seul à reproduire certaines leçons de X (par ex., dans le titre
du discours, la leçon πατριάρχου au lieu de ἀρχιεπισκόπου; cf. aussi
94, 10 : τῶν ὀπισθοδόμων, etc.). Le plus souvent, il s'agit du reste
d'*orthographica,* voire de fautes (par ex., 28, 8 : καταποθέντος), plutôt que
de véritables leçons. En outre, comme pour les transpositions ou
doublons, plusieurs omissions (5 cas) sont communes à XM seulement
(par ex., 1, 3 : τῇ *ante* τελευταίᾳ; 100, 11 : γὰρ; 124, 4 : φορᾶς). Rarement
toutefois, M conserve contre X la leçon d'autres mss : par ex., 73, 17 :
νικῶν; 88, 4 : καταλύσει; 105, 1 : μὲν οὐ (mais en 105, 7 M a μὲν οὖν
comme X. Autre différence : aux § 29-30, M ne reproduit pas le «titre»
qu'on trouve en UX (ἀρχὴ τοῦ εἰς βαϐύλαν ἐγκωμίου).

2. Sur une vingtaine de variantes propres à M, on ne relève qu'une
addition (35, 15 : γὰρ *post* μηδὲν) et deux omissions (18, 13 : ἀλλὰ;
110, 2-3 : οὑτωσί — ταμίας); les fautes sont en revanche nombreuses :
par ex., 13, 9 : νίκης *post* Ἑλληνικῆς; 75, 10 : εἰκοκόνων; 116, 8 : γαγών).

corrigé conformément aux manuscrits qui n'appartiennent
pas à la tradition des «panégyriques». Ainsi :

10, 6	οὐ θαυμασθέντα	BDACPF^{ac}GR	οὐκ ἂν ἀσθέντα F^{pc}UO
105, 13	καὶ χοίνικα	BACPF^{ac}GR	κερουλκὰ F^{pc}VTUK
112, 27-28	ἐν ᾗ	BACPFVTUGR	ὁμοῦ O

Comme ils présentent, d'autre part, des leçons communes avec PF^{ac} seulement[1], c'est probablement un de ces
manuscrits qui est à l'origine des textes qui ne suivent pas
la tradition des «panégyriques». Mais GR présentent
également des affinités avec les manuscrits OEL. Leur
modèle paraît donc avoir subi trois influences différentes.

O *Parisinus gr. 968.*
E *Scorialensis gr Ψ.IV.8.*
L *Vallicellianus 87.*

Ces manuscrits sont à rapprocher de K (voir ci-dessus,
p. 75), à cause des variantes qu'ils partagent avec lui. Mais
leur modèle avait subi une nouvelle révision :

	OEL		*ceteri*
36, 4	μὴ		τῷ
37, 3	εἰκότος O	εἰκότως EL	δέοντος
45, 3	ἐκεῖνος K^{pc}OEL		ἐκεῖ
58,11	φιλότεκνος		φιλόστοργος

D'après leurs nombreuses omissions, le réviseur semble
avoir voulu abréger.

Au sein de ce groupe, les manuscrits EL ont des
variantes et des notes marginales qui leur sont propres. Ils
paraissent donc avoir subi plus de corrections que O.

W *Vindobonensis phil. gr. 166.*

Ce manuscrit ne contient que le début du *Discours sur*

---

1. Les leçons suivantes ne se trouvent qu'en PF^{ac}GR : 91, 8 *om.*
(ἐκεῖθεν *cet.*); 92, 6 *om.* (ὡς *cet.*); 92, 15 καὶ ἀπλώσας (ἀπλώ(σα)ς *cet.*). Une
autre ne se trouve qu'en PGR : 104, 20 ἐκεῖθεν οὐκ ἂν (οὐκ ἂν ἐκεῖθεν *cet.*).

Babylas jusqu'à la fin du § 22. Son titre est le même que celui de U. Son texte est composite et présente des analogies tantôt avec une famille, tantôt avec l'autre. Il est, de ce fait, impossible de lui trouver une place sur le *stemma*.

II. LES ÉDITIONS

A. LES ÉDITIONS ANTÉRIEURES

Le texte grec de notre *Discours* a été édité par Érasme, Fronton du Duc, Henry Savile, Bernard de Montfaucon et Johann Friedrich Dübner.

Érasme   La première édition est celle d'Érasme, imprimée chez Froben à Bâle en 1527[1]. La page de titre annonce :

Jo. Frob. Studioso Lectori s. d. Tria nova dabit hic libellus, Epistolam Erasmi, de modestia profitendi linguas. Libellum perquam elegantem D. Johannis Chrysostomi Graecum, de Babyla martyre. Epistolam Erasmi Roterodami in tyrologum quendam impudentissimum calumniatorem. Fruere bonis auribus ac vale. Basileae An. MD.XXVII.

Ce «libelle» n'est pas paginé. La première lettre n'est que de quatre pages; elle est adressée à Nicolas Maruillanus, *praeses* du collège *Busteidianus* près de Louvain. Le *Discours sur Babylas,* qui suit, occupe 102 pages. Dans la seconde lettre enfin, adressée à Robert Aldrisius (Aldridge), qui comporte 37 pages, Érasme s'en prend à un théologien de Londres, qu'il accuse d'être *tyrologus*, connaisseur en fromages, plus que *theologus*; il avait accusé Érasme de falsifier le texte de *Jean* 7, 39.

---

1. Érasme n'a publié notre *Discours* qu'une seule fois, contrairement à l'opinion émise dans mon article de *Kyriakon (art. cit. p. 15, n. 1).*, p. 474, n. 1.

Érasme, qui était à Bâle à cette époque[1], suit fidèlement le texte du *Basiliensis gr. 39*[2], notre manuscrit B.

Fronton du Duc   En 1609 parut le premier volume des œuvres complètes de Jean Chrysostome éditées par Fronton du Duc[3]. Le *Discours sur Babylas* y figure aux pages 728-786. Contrairement à son habitude, l'éditeur ne précise pas pour ce texte de quels manuscrits il s'est servi[4]. Il affirme toutefois dans sa préface que, parmi les soixante manuscrits de Paris, il en a choisi huit pour établir le texte des homélies prononcées à Antioche et il remercie ceux qui, en lui procurant d'autres manuscrits, lui ont permis de corriger ce texte. Le titre de notre traité y est identique à celui du manuscrit P qu'il paraît donc avoir utilisé. Il se rapproche aussi du manuscrit de Bâle (B) en certains passages, (par exemple, au § 69, 11 : οἰκουμένην), ce qui fait penser qu'il a connu l'édition d'Érasme.

Savile   En 1612 parut l'édition de Sir Henry Savile qui précise, dans une note, avoir utilisé deux manuscrits, l'un de Paris et l'autre de Bavière et en avoir corrigé le texte grâce à l'édition de

1. Comme nous le révèle une lettre à Germanus Brixius, qui se chargeait de traduire le texte : *Opus epistolarum Des. Erasmi Roterodami*, éd. P.S. Allen, Oxford 1928, t. 7, p. 82.

2. G. MEYER et M. BURCKHARDT, *op. cit. (p. 67, n. 2)*, p. 165.

3. *S. Joannis Chrysostomi Episcopi Constantinopolitani Opera omnia graece et latine*, chez Claude Morel, Paris 1609. D'après C. BAUR, *S. Jean Chrysostome et ses œuvres dans l'histoire littéraire*, Louvain-Paris 1907, p. 103, la première édition serait de 1602. On n'en trouve toutefois pas trace à la Bibliothèque Nationale.

4. C'est sans doute pourquoi Savile n'a pas pu l'utiliser (voir t. 8, p. 735 de son édition, mentionnée ci-dessous). Il semble cependant qu'ils ont utilisé tous deux le codex P.

Bâle[1]. Il fut aidé dans son travail par deux humanistes, Andrew Downes et John Bois. J. F. Dübner a consigné dans son édition certaines remarques de ce dernier (voir, par exemple, l'apparat critique du § 112, 6-7). L'exemplaire de Savile, conservé à la Bibliothèque Bodléienne[2], nous permet d'identifier ces manuscrits. C'est, en effet, de la page 225 à la page 266 (nos § 1 à 98, 27) une copie de P et, à partir de la page 267 jusqu'à la fin, une copie de M. Les variantes du manuscrit de Bâle sont indiquées dans la marge de l'exemplaire de Savile, et l'édition de 1527 est mentionnée à la page 255.

Montfaucon   C'est dans le second volume des œuvres complètes de Jean Chrysostome (p. 536-577) que Bernard de Montfaucon fit paraître à Paris, en 1718, le *Discours sur Babylas*[3]. Il énumère les manuscrits utilisés[4] : les *Codices Reg. 1673; 2343; 2447* et *Colb. 974; 2443*. On ne retrouve pas actuellement à la Bibliothèque Nationale le *Regius 1673*. Les autres[5] ont actuellement les cotes *Parisinus gr. 759* (P), *1177, 801* (C), *1175*. Les manuscrits *1177* et *1175* renferment également d'autres textes, à côté du *Discours sur Babylas*. Montfaucon s'est aussi servi du *Codex Regius 2989*, l'actuel *Parisinus*

---

1. *Chrysostomi opera omnia*, Eton 1612, 8 vol. La note se trouve au t. 8, p. 734. Le *Discours sur Babylas* occupe les pages 442-473 du t. 5.

2. Sous la cote *Auctarium E.3.12*, p. 225-285, d'après M. AUBINEAU, *Codices Chrysostomici graeci*, t. 1, Paris 1968, p. 135 s.

3. Le texte de ces *Opera omnia* sera repris tel quel dans ses réimpressions successives, en particulier dans celles de 1834 (chez Gaume, à Paris) et de 1862 (Migne, *PG* 50, 533-572).

4. Dans une note au bas de la p. 536 (= *PG* 50, 533, n. a).

5. L'identification de ces manuscrits est due au Professeur Marcel Richard, qui, dans une lettre datée du 9 juin 1965, a bien voulu me communiquer le résultat de ses recherches.

gr. 968 (O), dont il indique la cote et dont il cite des variantes en note[1].

Dübner   Johann Friedrich Dübner[2] a également utilisé des manuscrits de Paris; à la page X de son *Adnotatio critica,* il déclare avoir eu deux manuscrits, l'un du XIe, l'autre du XIIe siècle et énumère leurs variantes. Le premier des manuscrits donne à notre traité le même titre que BDAC (ci-dessus, p. 63). Son texte est très proche de celui de C[3] et renferme un certain nombre de leçons qui ne se retrouvent qu'en AC (ci-dessus, p. 69)[4]. Cependant C ne renferme ni l'ancienne scholie, Νουμεριανὸς οὗτος ἦν ὁ ἐξάγιστος, mentionnée par Dübner (p. 218, 26 = § 23, 1) ni αὐτῷ, ajouté par une seconde main sur son exemplaire (p. 232, 27 = § 68, 14). Le texte du second manuscrit utilisé par Dübner est très proche de P, quoique celui-ci lui soit antérieur (X[e]-XIe s.)[5]. Mais il y a dans son texte des leçons qui diffèrent à la fois de C et de P[6]. Il n'a sans doute utilisé ni l'un ni l'autre, mais des manuscrits qui leur étaient très proches... A moins que, sans le signaler, il ne soit intervenu de son propre chef.

---

1. Par exemple : titre : *Reg. unus* κατὰ Ἑλλήνων καὶ εἰς τὸν ἅγιον ἱερομάρτυρα Βαβύλαν; 23, 1 : *In Codice Reg. scribitur ad marg.* Νουμεριανός...; 24, 2 : *Unus secunda manu* ὅρκοις.

2. *Sancti Joannis Chrysostomi opera selecta graece et latine, codicibus antiquis denuo excussis, emendavit Fred. Dübner,* t. 1, chez Firmin Didot, Paris 1861, p. 212-254.

3. Dübner relève ainsi, à la page 223 (de son édition), 24 (38, 18) : καὶ τῶν πραγμάτων *omittit antiquior meorum*; de même, p. 225, 18 (45, 12) : φθοροί, *hoc accentu, antiquior meorum*; p. 236, 50 (80, 12) : ὀφλεῖ *cod. antiquior*; etc.

4. Par exemple, p. 236, 19 (78, 9) : ψεύσασθαι; p. 245, 42-43 (107, 1) : καίτοι γε.

5. Dübner mentionne ainsi à la p. 225, 18 (45, 12) : *alter* φθορεῖς, et à la p. 243, 11 (99, 14) : *in altero sec. manu insertum* ὦ ληρόσοφε.

6. P. 224, 53 (44, 4) : ἐπαρκεῖν; p. 228, 25 (55, 6) : γένωνται.

B. LES ANCIENNES TRADUCTIONS

Deux traductions latines parurent au XVIᵉ siècle : la première est celle d'Œcolampade (Bâle 1523), qui traduisit le manuscrit de Bâle avant qu'Érasme ne l'édite.

Dès 1528 Brixius fit paraître à Paris une autre traduction, accompagnée de la liste des erreurs qu'il relevait dans celle d'Œcolampade. Cette traduction sera reprise par Fronton du Duc.

Mais, pour son édition des œuvres complètes de Jean Chrysostome, Montfaucon traduisit à nouveau le *Discours sur Babylas,* parce que, expliqua-t-il, l'œuvre de Brixius tenait plus de la paraphrase que de la traduction[1]. C'est la traduction de Montfaucon qu'adopte Dübner dans son édition de 1861.

Trois traductions françaises des œuvres complètes de Jean Chrysostome ont paru au XIXᵉ siècle. Elles renferment toutes le *Discours sur Babylas* :
  – M. Jeannin, t. 3, Bar-le-Duc 1863, p. 465-491.
  – C. E. Joly, t. 3, Paris-Nancy 1864, p. 35-60.
  – J. Bareille, t. 4, Paris 1866, p. 216-279.
Cette dernière est la meilleure.

Une traduction russe, due à A. Lopukhin, parut en 1896 à Saint-Pétersbourg, aux Izdanié S. Peterşburgskoï Duhovnoï Akademi (t. 2, 1, p. 573-617).

C. LA PRÉSENTE ÉDITION

Comme nous l'avons vu (ci-dessus, p. 66-67), les manuscrits de la famille BDAC paraissent plus proches de l'original que les manuscrits dits «panégyriques» ou les plus récents, et, au sein de cette famille BDAC, c'est B qui

---

1. *Opera omnia*, t. 2, Paris 1718, p. 531 : *Admonitio*.

nous a paru le plus fidèle au texte primitif (ci-dessus, p. 68). C'est donc lui que nous avons suivi en général, quoique nous l'ayons corrigé parfois, en puisant non seulement dans les manuscrits de la famille «panégyrique», mais aussi dans les plus récents qui, en certains endroits, nous ont paru présenter le meilleur texte. Puisque DAC dépendent d'un exemplaire assez semblable à B, nous ne les avons cités qu'exceptionnellement dans l'apparat, et c'est B que nous indiqué comme représentant de cette famille.

Nous avons renoncé le plus souvent à citer dans l'apparat le manuscrit P de la tradition «panégyrique», parce qu'il est peu lisible – le parchemin a noirci et l'encre a pâli – et parce qu'il a été utilisé par les éditeurs antérieurs, Fronton du Duc, Savile et Montfaucon. Nous avons cité, au contraire, F, comme un témoin privilégié des révisions de notre texte (ci-dessus, p. 73-74).

De la famille VTUK, TK sont incomplets et V est suffisamment représenté par F^{pc}; c'est donc U que nous avons choisi de citer. Pour représenter les manuscrits les plus récents, nous citerons O. Enfin X sera cité de manière habituelle dans l'apparat : il est le seul témoin du texte entre les manuscrits du XIe siècle et ceux des XVe-XVIe siècles.

Nous avons utilisé le texte de Montfaucon réédité par Migne pour faire la collation des manuscrits. Nous indiquons dans l'apparat critique les passages où notre texte diverge du sien. Nous avons également cité le texte de Dübner, parce qu'il a utilisé des manuscrits qui ont disparu aujourd'hui.

Pour faciliter les renvois au texte, celui-ci a été subdivisé en 127 paragraphes. Les colonnes de l'édition de Migne et les paragraphes de l'édition de Montfaucon (chiffres romains) sont indiqués dans la marge de gauche. Des titres et des sous-titres ont été insérés dans la traduction.

TEXTE

ET

TRADUCTION

MANUSCRITS ET ÉDITIONS

MANUSCRITS CITÉS HABITUELLEMENT

		siècle
B	*Basiliensis gr. 39*	IXe-X^e
F	*Marcianus gr. 567*	XIe
O	*Parisinus gr. 968*	XVe
U	*Laurentianus Plut. 9 cod. 4*	XIe
X	*Marcianus gr. 108*	XIVe

MANUSCRITS CITÉS OCCASIONNELLEMENT

A	*Atheniensis 2806*	XIe
C	*Parisinus gr. 801*	XIe
D	*Atheniensis, Benaki, fonds ancien 10*	X^e
G	*Vaticanus gr. 561*	XVIe
H	*Oxoniensis Holkham gr. 25*	XVIe
M	*Monacensis gr. 31*	XVIe
P	*Parisinus gr. 759*	X^e-XIe
R	*Vat. Ottobonianus gr. 350*	XVIe
S	*Sinaiticus gr. 1607*	XVe
V	*Vaticanus gr. 1628*	XIe
X	Consensus XMS	

ÉDITEURS

d	Dübner, 1861
m	Montfaucon, 1718 (cité d'après *PG* 50)
s	Savile, 1612

PLAN DU *DISCOURS*

Τοῦ μακαριωτάτου Ἰωάννου ἀρχιεπισκόπου Κωνσταντινουπόλεως τοῦ Χρυσοστόμου λόγος εἰς τὸν μακάριον Βαβύλαν καὶ κατὰ Ἑλλήνων

I   1. Ὁ Κύριος ἡμῶν Ἰησοῦς ὁ Χριστὸς μέλλων πρὸς τὸ πάθος ἤδη χωρεῖν καὶ τὸν θάνατον ἀποθνήσκειν τὸν ζωοποιὸν αὐτῇ τῇ τελευταίᾳ νυκτί, καλέσας ἰδίᾳ τοὺς ἑαυτοῦ μαθητάς, ἄλλα τε διελέχθη πολλὰ καὶ παρήνεσε καὶ μετὰ
5 τῶν ἄλλων εἶπέ τι καὶ τοιοῦτον αὐτοῖς · «Ἀμὴν ἀμὴν λέγω ὑμῖν, ὁ πιστεύων εἰς ἐμέ, τὰ ἔργα ἃ ἐγὼ ποιῶ κἀκεῖνος ποιήσει καὶ μείζονα τούτων ποιήσει[a].» Καίτοι πολλοὶ ἕτεροι διδάσκαλοί τε ἐγένοντο καὶ μαθητὰς ἔσχον καὶ θαύματα ἐπεδείξαντο καθὼς Ἑλλήνων παῖδες κομπά-
10 ζουσι, ἀλλ᾽ ὅμως οὐδεὶς οὐδέποτε ἐκείνων τοιοῦτον οὐδὲν

Titulus in codd. sic legitur : apud B fᵒ 2ᵛ τοῦ μακαριοτάτου... χρυσοστόμου et fᵒ 409 τοῦ αὐτοῦ λόγος... ἑλλήνων; apud F τοῦ ἐν ἁγίοις πατρὸς ἡμῶν ἰωάννου τοῦ χρυσοστόμου εἰς τὸν μακάριον βαβύλαν καὶ κατὰ ἑλλήνων; apud UXO τοῦ ἐν ἁγίοις πατρὸς ἡμῶν ἰωάννου ἀρχιεπισκόπου κωνσταντινουπόλεως τοῦ χρυσοστόμου κατὰ ἑλλήνων καὶ εἰς τὸν ἅγιον ἱερομάρτυρα βαβύλαν

1, 1 ὁ² > F UXO dm ‖ 3 τῇ > XM ‖ 5 ἀμὴν² > O ‖ 8 τε > F O

---

1. a. Jn 14, 12

---

1. Dans ses *Homélies sur Jean* (LXXIV, 2), Jean Chrysostome entend cette prophétie des miracles accomplis par les apôtres et rapportés dans les *Actes*; ceux qu'opèrent les reliques de Babylas (73) confirmeraient en quelque sorte leur authenticité. On pourrait donc dire que Jésus a prédit les miracles de Babylas; mais la destruction du temple d'Apollon n'est pas attribuée à l'action des reliques : Babylas pria Dieu de faire tomber le

Discours du très heureux Jean Chrysostome archevêque de Constantinople en l'honneur du bienheureux Babylas et contre les Grecs

I. PROLOGUE

1. Notre Seigneur Jésus-Christ, au moment de marcher déjà vers la Passion et de mourir, de la mort qui donne la vie, en la dernière nuit même, prit ses disciples à part, s'entretint avec eux longuement, leur donna des conseils et leur dit, entre autres, ces paroles : «En vérité, en vérité, je vous le dis, celui qui croit en moi fera, lui aussi, les œuvres que je fais et il en fera de plus grandes que celles-là[a][1].» Certes, il y a eu beaucoup d'autres maîtres, qui ont eu des disciples et ont fait voir des prodiges[2], comme s'en vantent les Grecs[3]; cependant jamais aucun d'eux n'a conçu ni osé

feu sur le temple (93), et c'est le Christ qui l'y jeta (118). Voir AUGUSTIN, *Cité de Dieu*, XXII, 9 : «Les miracles qu'on attribue aux martyrs ne sont dus qu'à leur prière et à leur intercession, non à leur activité» (trad. Combès).

2. Jean Chrysostome peut songer à Apollonius de Tyane ou à certains philosophes néoplatoniciens, thaumaturges professionnels. D'après ORIGÈNE (*C. Celse*, II, 55; III, 26-34), d'autres thaumaturges païens, dont Zamolxis qui est évoqué plus loin (10), furent comparés à Jésus-Christ.

3. Littéralement «les enfants des Grecs», expression courante tant en grec classique (cf. R. RENEHAN, *Greek Lexicographical Notes*, Göttingen 1975, p. 156-157) que chez les Pères de l'Église : les «enfants» des poètes (CLÉMENT D'ALEX., *Protr.*, II, 25, 3), des philosophes et des prophètes (EUSÈBE, *Dém. év.*, V, prol.), des médecins (JEAN CHRYS., *Discours sur Babylas*, 39; *Les délices à venir*, 1); voir W. ARNDT et F. W. GINGRICH, *A*

οὔτε εἰς νοῦν ἐβάλετο οὔτε εἰπεῖν ἐτόλμησεν. Οὐδ' ἂν
ἔχοιεν Ἑλλήνων τινές, κἂν πάντα ἀναισχυντοῖεν, ἐπιδεῖξαι
πρόρρησιν ἢ λόγον τοιοῦτον κείμενον παρ' αὐτοῖς, ἀλλὰ
φάσματα μὲν τῶν κατοιχομένων καὶ νεκρῶν τινῶν εἴδωλα
15 δεῖξαι πολλοὶ πολλοὺς παρ' αὐτοῖς θαυματοποιούς φασι, καὶ
φωνὰς δέ τινας ἀπὸ μνημείων τισὶν ἐνεχθῆναι λέγουσιν, ὅτι
δέ τις τῶν ζησάντων ἀνθρώπων καὶ θαυμασθέντων παρ'
αὐτοῖς ἢ οὓς μετὰ τελευτὴν ἐνόμισαν εἶναι θεοὺς εἶπέ τι
τοιοῦτον τοῖς ἑαυτοῦ μαθηταῖς οὐδεὶς ἂν αὐτῶν ἰσχυρίσαιτό
20 ποτε.

2. Καὶ τὴν αἰτίαν δὲ εἰ βούλεσθε ἐρῶ, διὰ τί τὰ ἄλλα
πάντα ἀπηρυθριασμένως καὶ γυμνῇ ψευδόμενοι τῇ κεφαλῇ,
τοιοῦτον οὐδέποτε οὐδὲν πλάσασθαι ἐτόλμησαν. Οὐ γὰρ
ἁπλῶς οὐδὲ ἄνευ τινὸς λόγου ταύτης ἀπέσχοντο τῆς
5 μηχανῆς, ἀλλ' εἶδον τοῦτο κακούργως οἱ λυμεῶνες ἐκεῖνοι,
ὅτι τὸν μέλλοντα ἀπατᾶν πιθανά τινα καὶ πολλῆς γέμοντα
κομψείας καὶ πρὸς τὸ φωραθῆναι δυσδιάγνωστα συντιθέναι
χρή· καὶ γὰρ τοὺς δεινοὺς τῶν τε ἰχθύων τῶν τε ὀρνίθων
534 θηρευτὰς οὐ γυμνὰ προτιθέναι τὰ θήρατρα, | ἀλλὰ τῷ
10 δελέατι πάντοθεν αὐτὰ περιστείλαντας ἀκριβῶς οὕτω τῆς
ἄγρας περιγενέσθαι ἑκατέρας ἑκατέρους. Εἰ δὲ ἐκκαλύ-
ψαντες αὐτὰ τοῖς ἁλίσκεσθαι μέλλουσιν οὕτω παρεῖχον
ὁρᾶν, οὔτε ἰχθῦς οὔτε ὄρνιθες τῶν ἀρκύων ἐκείνων ἐντὸς ἂν
ἐγένοντό ποτε, μᾶλλον δὲ οὐδ' ἂν τὴν ἀρχὴν προσῆλθον
15 αὐτοῖς, ἀλλὰ κεναῖς ἂν ἕκαστος ἀπῆλθε χερσὶν οἴκαδε ὅ τε

1, 12 τινές : παῖδες F UXO d ‖ ἀναισχυντῶσιν d ‖ 13 τοιοῦτον > Fᵃᶜ ‖
17 τις : τισι B U ‖ 19 διισχυρίσαιτό F
2, 2 ἀπερυθριάσαιεν ὡς B ‖ 3 οὐδέποτε > O ‖ 7 τὸ + μὴ Xˢˡ SMO dm
‖ 9 θηρευτὰς B : θηρατὰς ἔθος F UXO ‖ 10 δελεάματι X ‖ περιστείλοντας
Fᵖᶜ ‖ 11 περιγίνεσθαι F UXO ‖ 13 ὄρνις F UXO ‖ 14 ἐγένετό F UXO ‖
προσῆλθεν F ‖ 15 οἴκαδε ἀπῆλθε χερσὶν ∼ F d ‖ οἴκαδε > UXO

Greek English Lexicon of the New Testament, Chicago 1957, s.u. υἱός 1 c.
– Pour les chrétiens, à l'époque, les termes «Grecs» et «héllénisme»
désignent les païens et le paganisme.

dire rien de pareil. Et personne parmi les Grecs, aurait-il toutes les impudences, ne pourrait montrer une prédiction ou une parole de ce genre chez eux ; des apparitions de défunts et des fantômes de quelques morts, beaucoup disent que beaucoup de thaumaturges chez eux en ont évoqué, et ils racontent que, pour certains, des voix sont montées des tombeaux[1] ; mais qu'un des hommes qui ont vécu chez eux et se sont fait admirer ou qu'un de ceux qu'ils ont, après leur mort, pris pour des dieux, ait tenu à ses disciples pareil langage, aucun d'entre eux ne pourrait jamais le soutenir.

2. Si vous le voulez, je vous dirai aussi le motif pour lequel, tout en mentant impudemment et à découvert[2] pour tout le reste, ils n'ont jamais rien osé inventer de pareil. Car ce n'est ni par hasard ni sans quelque raison qu'ils n'ont pas eu recours à cet artifice ; mais ils ont bien vu dans leur malice, ces fléaux, que, si l'on veut tromper, il faut combiner des histoires vraisemblables, pleines d'une grande ingéniosité et difficiles à prendre en défaut. En effet, les pêcheurs et les oiseleurs habiles n'ont pas coutume de présenter leurs pièges tout nus, mais c'est en les dissimulant complètement et avec soin sous l'appât que chacun s'empare de sa proie. S'ils découvraient leurs pièges et ainsi les laissaient voir à ceux qui vont se faire attraper, jamais ni poissons ni oiseaux ne tomberaient dans leurs rêts, plutôt même ils ne s'approcheraient pas du tout, et chacun

---

1. La nécromancie a été attribuée aux mages perses et aux disciples de Zoroastre auxquels Jean Chrysostome fait allusion au § 10 : cf. W. HEADLAM, «Ghostraising, magic and underworld», *The Classical Review* 16, 1902, p. 55). Apollonius de Tyane en aurait eu une connaissance toute particulière (EUSÈBE, *C. Hieroclès*, 24). Il paraît certain qu'elle se pratiquait au IVe siècle : voir T. HOPFNER, art. «Nekromantie», *PW* 16, c. 2228. Au § 79, Jean Chrysostome parlera de pratiques de nécromancie effectuées sous le règne de Julien.

2. Littéralement «tête nue», cf. *Hom. sur Matth.*, XXXVII, 6. L'expression pourrait remonter au *Phèdre* (243b).

θαλάττιος ὅ τε χερσαῖος θηρατής. Ἐπεὶ οὖν καὶ τούτοις
σαγηνεύειν ἀνθρώπους προὔκειτο οὐκ ἔρριψαν γυμνὴν τὴν
ἀπάτην εἰς τὸ τοῦ βίου πέλαγος ἀλλὰ πλασάμενοι καὶ
συνθέντες τὰ δυνάμενα τοὺς ἀλογωτέρους ἑλεῖν περαιτέρω
20 προελθεῖν ἐφείσαντο τῷ ψεύδει δεδοικότες τὴν ὑπερβολὴν
καὶ φοβούμενοι μὴ τῇ τῶν δευτέρων ἀμετρίᾳ καὶ τὰ
πρότερα ἀναλύσωσιν.

3. Εἰ γὰρ εἶπον ὅτι τοιοῦτόν τι παρ' αὐτοῖς ἐπηγγείλατό
τις οἷον ὁ ἡμέτερος Σωτὴρ τοῖς μαθηταῖς εἶπε τοῖς ἑαυτοῦ
καὶ οἱ παρ' αὐτῶν ἠπατημένοι κατεγέλασαν ἂν αὐτῶν
ὡς οὐδὲ πιθανὰ ψεύσασθαι δυνηθέντων. Τὸ γὰρ τοιαῦτα
5 καὶ προλέγειν καὶ πληροῦν μετὰ ἀληθείας, τῆς μακαρίας
ἐκείνης δυνάμεως μόνης ἐστίν. Εἰ δέ τι καὶ δαίμονες
ἴσχυσάν ποτε φαντάσαι τοὺς ἠπατημένους μικρόν, ἀλλ' ὅτε
οὔπω τοῦ φωτὸς ἡ πηγὴ γνώριμος ἦν τοῖς πολλοῖς. Καὶ
τότε δὲ αὐτόθεν ἐδείκνυτο ὅτι δαιμόνων ἦν ἔργα τὰ
10 τελούμενα τῇ τε ἄλλῃ ἀπάτῃ καὶ ταῖς θυσίαις αὐταῖς. Τὸ
γὰρ ἀνθρωπίνοις αἵμασι τοὺς ἑαυτῶν προστάττειν φοινίτ-
τεσθαι βωμοὺς καὶ παρὰ τῶν σπειράντων τὰ τοιαῦτα
αὐτοῖς κελεύειν ἱερεῖα καταβάλλεσθαι, τίνα οὐκ ἂν ἀποκρύ-
ψειε μανίας ὑπερβολήν;

2, 22 πρότερον O
3, 1 τι > O ‖ 4 οὐδὲν U ‖ 6 μόνης δυνάμεως ~ F ‖ 11 φοινίσσεσθαι F
UX̌O d ‖ 12 σπειράντων : ἤγουν παρὰ τῶν γονέων gloss. F^{mg} U^{mg}

1. Jean Chrysostome paraît admettre les affirmations traditionnelles
de la littérature apologétique sur les démons (voir note suivante).
A.-M. Malingrey pense cependant que «la place importante du démon
chez Jean Chrysostome mériterait une étude spéciale» (dans *Sur
l'incompréhensibilité de Dieu*, SC 28 bis, p. 259, n. 2). D'après E. NOWAK
enfin, Jean Chrysostome a corrigé la conception populaire en ne faisant
plus des démons l'unique cause du mal (*Le chrétien devant la souffrance*,
Paris 1972, p. 44-51). On pourrait en voir un exemple dans le fait
d'affirmer qu'il est plus difficile d'extirper le péché que de chasser un
démon (*Hom. sur le texte : J'ai vu le Seigneur*, V, 3).

2. Voir aussi JEAN CHRYS., *Hom. sur les Actes des apôtres*, IV, 4.

reviendrait chez lui les mains vides, chasseur en mer ou sur terre. Donc, puisque ces gens aussi avaient l'intention de prendre des hommes dans leurs filets, ils n'ont pas jeté leur amorce toute nue dans l'océan de la vie mais, après avoir inventé et combiné ce qui pouvait capturer les moins réfléchis, ils se sont gardés d'aller plus loin dans le mensonge, redoutant tout excès et craignant que le manque de mesure, la seconde fois, ne leur fît perdre même leurs premiers gains.

3. S'ils avaient dit, en effet, qu'avait été faite chez eux une promesse semblable à celle que notre Sauveur fit à ses disciples, ceux-là même qu'ils avaient trompés se seraient moqués d'eux, puisqu'ils ne pouvaient même pas mentir avec vraisemblance. Car prédire de pareilles choses et les accomplir en vérité n'appartient qu'à cette puissance bien-heureuse. Si les démons aussi[1] ont été un jour capables de faire illusion – bien peu – à ceux qu'ils avaient trompés[2], c'était quand la source de la lumière n'était pas encore connue du plus grand nombre; et même alors il y avait une preuve évidente que ces opérations étaient l'œuvre de démons, c'étaient, entre autres fourberies, les sacrifices eux-mêmes : commander de rougir ses propres autels de sang humain et ordonner que de pareilles victimes y soient déposées par les parents, n'est-ce pas dissimuler le comble de la folie?

D'après AUGUSTIN, la plupart des miracles païens accomplis à l'aide de la magie n'étaient qu'illusion (*Cité de Dieu* X, 16, 2). Voir ci-dessous § 85; cf. TATIEN, *Discours contre les Grecs*, 14 : «Par des erreurs et des visions, ils (les démons) ont trompé vos âmes abandonnées (par l'Esprit divin)»; EUSTATHE D'ANTIOCHE, *Sur la voyante d'Endor contre Origène*, 2 (*PG* 18, 616 B) : «les fantômes de la divination»; PS.-JUSTIN, *Questions et réponses aux orthodoxes*, 81 (*PG* 6, 1324 A) : «Les fantômes à l'aide desquels les devins prononcent leurs oracles et effectuent les pratiques de la divination ne sont pas de vrais corps : les démons font illusion aux yeux des voyants, qui voient des corps là où il n'y en a pas»; cf. *ibid.*, 26 (1273 B) et 52 (1296 C).

4. Οἱ γὰρ μηδέποτε ἐκ τῶν ἡμετέρων κορεννύμενοι συμφορῶν μηδὲ εἰδότες ὅρον τινὰ καὶ πέρας τῆς μάχης τῆς πρὸς ἡμᾶς, ἀλλὰ ἀθάνατα λυττῶντες ἀεὶ καθάπερ οὐκ ἀρκοῦν αὐτῶν ἐμπλῆσαι τὸν θυμὸν τὸ γυναῖκας καὶ |
535   5 παῖδας ἀντὶ προβάτων καὶ βοῶν εἰς τοὺς αὐτῶν κατασφάττεσθαι βωμούς, ἐπενόησαν ξένην ἀνδροφονίας παρανομίαν καὶ καινότερον συμφορᾶς ἐπεισήγαγον τρόπον. Οὓς γὰρ ἔδει πενθεῖν τὰς τῶν ἀνῃρημένων σφαγὰς τούτους ἔπεισαν εἰς τὴν ἀθλίαν ἐκείνην μιαιφονίαν προάγειν αὐτούς.

5. Καὶ ἵνα μὴ μόνον οἱ παρὰ τῶν ἀνθρώπων τεθέντες ἀτιμάζωνται νόμοι καὶ τοὺς τῆς φύσεως αὐτοὺς θεσμοὺς ἐκ βάθρων ἀνέσπασαν αὐτὴν καθ' ἑαυτῆς ἐκβακχεύσαντες καὶ τὸν ἁπάντων ἐναγέστερον φόνον εἰς τὸν τῶν ἀνθρώπων
5 εἰσάγοντες βίον. Οὐδένας γὰρ ἐχθροὺς οὕτως λοιπὸν ὡς τοὺς γεγεννηκότας ἅπαντες ἔδεισαν, καὶ οἷς ἐχρῆν μάλιστα πάντων θαρρεῖν τούτους μάλιστα πάντων δι' ὑποψίας εἶχον καὶ ἀπεστρέφοντο. Οἱ γὰρ ἀλάστορες ἐκεῖνοι δι' ὧν ὁ Θεὸς αὐτοὺς ἐπὶ τὴν θεωρίαν τοῦδε τοῦ κόσμου παρήγαγε
10 διὰ τούτων αὐτοὺς ταύτης ἐκβαλεῖν ἐφιλονείκησαν τῆς δωρεᾶς, τοὺς πρὸς τὸ ζῆν ὑπηρετησαμένους τούτους καὶ τοῦ θανάτου καταστήσαντες αἰτίους ὥσπερ ἐπιδεῖξαι βουλόμενοι ὅτι πλέον οὐδὲν αὐτοῖς γέγονεν ἐκ τῆς ἀγαθότητος τοῦ Θεοῦ · οὐ γὰρ ἑτέρων δεήσονται σφαγέων ἀλλὰ τῶν

4, 9 προσάγειν F UXO
5, 2 αὐτῆς O d ‖ 3 ἑαυτὴν O ‖ 5 εἰσαγαγόντες Fᵖᶜ UXO ‖ γὰρ > F (suppl. s.l. Fᵖᶜ) ‖ οὕτω F UXO dm ‖ 6 ἔδεισαν : ἐδεδίεσαν Fᵖᶜ UXO ‖ 12 καταστήσαντες : τα in ras. et τες s.l. Fᵖᶜ ‖ 13 αὐτοῖς οὐδὲν ∼ F d ‖ 14 σφαγέων F UXO : σφαγῶν B

1. Jean Chrysostome s'inspire peut-être d'Eusèbe qui, à l'aide des écrits de Porphyre et d'autres, s'efforçait de démontrer que les dieux païens n'étaient que de mauvais démons prenant plaisir aux sacrifices humains (*Prép. év.*, IV, 16-17). A la suite de Porphyre, il énumère (IV, 16, 1-10) cités et pays ayant pratiqué ce genre de sacrifices et note qu'ils

4. Ces êtres, en effet, qui ne sont jamais rassasiés de nos malheurs et ne connaissent ni limite ni terme à leur combat contre nous, toujours animés, au contraire, d'une rage éternelle, comme s'il ne suffisait pas, pour assouvir leur colère, d'égorger sur leurs autels des femmes et des enfants au lieu de brebis et de bœufs, ont imaginé un homicide d'une iniquité inouïe et inauguré un type insolite de calamité : c'est à ceux-là même qui auraient dû pleurer sur l'immolation des victimes, qu'ils ont persuadé de mener ces victimes à ce lamentable carnage[1].

5. Afin que les lois établies par les hommes ne fussent pas seules violées, ils ont renversé de fond en comble les décrets mêmes de la nature, ils l'ont mise en conflit avec elle-même, en introduisant dans la vie des hommes le plus exécrable de tous les meurtres. Car il n'y avait plus pour tous désormais d'ennemis aussi redoutés que leurs parents, et ceux en qui on aurait dû avoir confiance plus qu'en tout autre, ceux-là mêmes étaient plus que tout autre objet de soupçon et d'aversion. Ces êtres maudits usaient de ceux par qui Dieu avait amené les hommes à la contemplation de ce monde, pour s'ingénier à les priver de ce bienfait, en faisant de ceux qui avaient été des instruments de vie les auteurs aussi de leur mort. C'était comme s'ils voulaient montrer que les hommes ne retiraient aucun fruit de la bonté de Dieu, puisqu'ils ne devaient avoir d'autres bourreaux que ceux-là mêmes qui les avaient engendrés.

---

ne furent définitivement abrogés que sous le règne d'Hadrien (IV, 15, 6; 16, 7; 17, 4). Comme Eusèbe, Jean Chrysostome affirme qu'avant la venue du Christ les sacrifices humains étaient communs tant parmi les Grecs que parmi les Juifs (*Hom. sur l'Épître à Tite*, V, 4); mais il parle aussi de sacrifices humains qui auraient été perpétrés de son temps (*Sermons sur Lazare*, II, 2). Cf. F. SCHWENN, art. «Menschenopfer», *PW* 15, 1932, c. 948-956).

15 φυσαμένων αὐτῶν. Τούτοις εἰ καὶ θαῦμά τι παρηκολού-
θησεν μέγα — μὴ ὅτι εἴ πού τι καὶ ἐδείχθη μικρὸν καὶ
οὐδενὸς ἄξιον λόγου καὶ πολλῆς γέμον ἀπάτης [ἦν] —, ἀλλ'
εἰ καὶ μεγάλα ἦν τὰ γινόμενα, ταῦτα ἅπερ εἶπον τοῖς μὴ
λίαν ἐξεστηκόσιν ἱκανὰ δεῖξαι τίνες ἦσαν οἱ καὶ ἐκεῖνα
20 ἐργαζόμενοι, πῶς μιαροὶ καὶ παμμίαροι καὶ πάντα ἐπ'
ἐκτροπῇ καὶ τῆς ζωῆς καὶ τῆς καταστάσεως τεκταίνοντες
τῆς ἡμετέρας.

II   6. Ἀλλ' οὐχ ὁ Κύριος ἡμῶν Ἰησοῦς τοιοῦτον οὐδὲν
ἐπέταξεν ἡμῖν, ἀλλὰ θαυμαστὸς ὢν διὰ τὰ τεράστια, διὰ τὰ
προστάγματα τῶν θαυμάτων οὐχ ἧττον παρὰ πάντων ἂν
προσκυνοῖτο δικαίως καὶ πιστεύοιτο εἶναι Θεός. Τὴν γὰρ
5 παρανομίαν ταύτην αὐτὸς ἐλθὼν ἔλυσε, καὶ τὸ θαυμαστότερον ὅτι τῆς ἀγρίας καὶ ἀπηνοῦς τυραννίδος οὐ τοὺς
προσκυνοῦντας αὐτὸν μόνον ἡμᾶς ἀλλὰ καὶ τοὺς βλασφη-
μοῦντας αὐτὸν ἐκείνους ἀπήλλαξεν · οὐδὲ γὰρ Ἑλλήνων
τις ἔτι τοιαύτας θυσίας τοῖς ἑαυτοῦ δαίμοσι προσάγειν
10 ἠνάγκασται.

7. Τοσαύτη πρὸς τὸ ἡμέτερον ἀεὶ φιλανθρωπίᾳ κέχρηται
γένος, καὶ ὧν οἱ δαίμονες τοὺς ἑαυτῶν φίλους εἰργάσαντο
κακῶν μείζονα ὁ Θεὸς τοὺς ἐχθροὺς ἐποίησεν ἀγαθά. Οἱ
μὲν γὰρ δαίμονες τοὺς θεραπεύοντας αὐτοὺς καὶ τιμῶντας
5 τῶν οἰκείων παίδων γενέσθαι σφαγέας ἠνάγκασαν · ὁ δὲ
Χριστὸς τοὺς ἀποστρεφομένους αὐτὸν τούτων τῶν ἐπιταγμάτων ἀπήλλαξε, καὶ τῆς θεριώδους λειτουργίας τὴν
ἀτέλειαν καὶ τὴν θαυμαστὴν ταύτην εἰρήνην οὐκ εἰς τοὺς
οἰκείους μόνους συνέκλεισεν ἀλλὰ καὶ εἰς τοὺς ἀλλοτρίους
10 ἐξήγαγε, δεικνὺς ὅτι ἐκεῖνοι μὲν τύραννοί τινες καὶ τοῦ

5, 15 τούτοις εἰ καὶ Fᵖᶜ UXO : ταῦτα. Κἂν εἰ B ταῦτα · εἰ καὶ P   ταῦτα
εἰ καὶ dm ‖ 16 μέγα > Fᵖᶜ UXO ‖ μὴ + θαυμάσῃς Fᵖᶜ UXO ‖ τι > O ‖
17 ἦν del. d s ‖ 21 ἀνατροπῇ Fᵖᶜ UXO dm
6, 7 αὐτῷ F ‖ 8 ἐκείνους del. F
7, 3 τοῖς ἐχθροῖς F UXO ‖ 9 μόνον UXO

Même s'il s'en était suivi un prodige[1] – et à plus forte raison s'il s'en est manifesté un petit, insignifiant et plein de fourberie –, quand bien même donc l'événement aurait été important, ce que j'ai dit suffirait à montrer à ceux qui n'ont pas complètement perdu la raison quels étaient les artisans de ces actes, comme c'étaient des scélérats, d'abominables scélérats, complotant toujours pour bouleverser notre vie et notre condition.

6. Notre Seigneur Jésus, au contraire, ne nous a rien ordonné de pareil : lui qui est admirable par ses prodiges, il mériterait par ses préceptes non moins que par ses miracles d'être adoré de tous et reconnu comme Dieu. Par sa venue, en effet, il a mis fin à cette iniquité et, chose plus admirable encore, il a délivré de cette tyrannie sauvage et cruelle non seulement nous qui l'adorons, mais ceux-là mêmes qui le blasphèment : car aucun des Grecs n'est désormais contraint d'offrir de pareils sacrifices à ses démons.

7. Telle est la bonté avec laquelle Dieu a toujours traité notre race, et il a fait plus de bien à ses ennemis que les démons n'ont causé de maux à leurs amis. En effet, les démons ont obligé ceux qui les servaient et les honoraient à devenir les meurtriers de leurs propres enfants ; le Christ, lui, a délivré de ces exigences ceux qui le rejettent et il n'a pas limité à ses proches seulement l'abolition de ce culte bestial et cette admirable paix, il les a étendues même aux étrangers, montrant que ces êtres (les démons) sont des

---

1. Voir ci-dessus § 3 ; Augustin, *Cité de Dieu*, VIII, 19.22 ; X, 16, 2 ; et la note de G. Bardy sur «Les miracles païens», dans *BA* 34, 1959, p. 626-627. A. Puech a donc raison d'affirmer qu'«on était disposé, même parmi les chrétiens..., à admettre la possibilité de certains prodiges jusque chez des adversaires», c'est-à-dire chez des païens (*Saint Jean Chrysostome et les mœurs de son temps*, Paris 1891, p. 181).

γένους ἡμῶν ἐχθροὶ καὶ λυμεῶνές εἰσι δι' ὃ καὶ τοῖς
ᾠκειωμένοις ὡς ἀλλοτρίοις ἐκέχρηντο · καὶ γὰρ ἦσαν
ἀλλότριοι. Ὁ δὲ βασιλεὺς καὶ δημιουργὸς καὶ σωτὴρ
τοῦ παντὸς γένους ἀνθρώπων αὐτὸς ἦν · δι' ὃ καὶ τῶν
15 ἠλλοτριωμένων ὡς ἰδίων ἐφείδετο.

8. Καὶ γὰρ ἦν ἴδιον ἔργον αὐτοῦ πᾶσα ἡ τῶν ἀνθρώπων
φύσις καθὼς καὶ ὁ μαθητὴς αὐτοῦ φησιν · « Εἰς τὰ ἴδια
ἦλθε καὶ οἱ ἴδιοι αὐτὸν οὐκ ἐδέξαντοᵃ. » Ἀλλὰ πᾶσαν
536 μὲν αὐτοῦ καταλέγειν τὴν | φιλανθρωπίαν οὐ τοῦ παρόντος
5 καιροῦ, ἀλλὰ κἂν πάντας τοὺς αἰῶνας περὶ αὐτῆς φθέγ-
γηταί τις, κἂν τοσαύτην ἔχῃ δύναμιν ὅσην τὰς ἀσωμάτους
δυνάμεις εἰκὸς οὐδὲ οὕτως ἐφάψεται τῆς ἀξίας ποτέ. Ὅσον
γάρ ἐστιν ἀγαθὸς μόνος οἶδεν αὐτὸς ἐπειδὴ καὶ μόνος ἐστὶν
οὕτως ἀγαθόςᵇ. Ὅρα γοῦν οἷα τοῖς μαθηταῖς φησιν ·
10 « Ἀμὴν ἀμὴν λέγω ὑμῖν, ὁ πιστεύων εἰς ἐμὲ τὰ ἔργα ἃ
ἐγὼ ποιῶ κἀκεῖνος ποιήσει καὶ μείζονα τούτων ποιήσειᶜ. »
Οὐδὲ γὰρ ἂν τοσαύτης αὐτοῖς μετέδωκε τῆς τιμῆς μὴ λίαν
καὶ ἀπείρως ὢν ἀγαθός.

9. Εἰ δέ τις ἡμῖν ἀμφισβητοίη ποῦ τέλος ἔσχεν οὗτος ὁ
χρησμός, τὸ βιβλίον μετὰ χεῖρας λαβὼν ὃ καλεῖται μὲν
Πράξεις Ἀποστόλων – ἔχει δὲ αὐτὰς οὐ πάσας ἀλλ' οὐδὲ
πάντων αὐτῶν, ἀλλ' ἑνὸς ἢ δύο καὶ ταύτας εὐαριθμήτους –
5 ὄψεται τοὺς μὲν ἀρρωστοῦντας ἐπὶ τῶν κλινιδίων κατακει-
μένους, τὰς δὲ σκιὰς μόνον τῶν μακαρίων ἐκείνων ἐφαπτο-

8, 3 οὐκ ἐδέξαντο : οὐ παρέλαβον F UXO ǁ 6 ὅσον UX ǁ 9 οὕτως :
οὗτος F UX (ante ἐστὶν O) d
9, 1 τέλος : pr. τὸ F ǁ 3 ἀποστόλων πράξεις ∼ F UXO d ǁ αὐτὰς : αὐτὸ
X

---

8. a. Jn 1, 11 ǁ b. cf. Matth. 19, 17 ǁ c. Jn 14, 12

---

1. Jean Chrysostome a cité ce verset dès le début de notre *Discours*
(§ 1, cf. p. 90, n. 1). ORIGÈNE, déjà, faisant allusion à des miracles dont
il était témoin, les avait rattachés à cette même prédiction de *Jn* 14, 12

tyrans et des ennemis, des fléaux pour notre race, et c'est pourquoi ils traitaient même leurs intimes en étrangers : c'étaient en effet des étrangers. Lui, au contraire, était le roi, le créateur et le sauveur du genre humain tout entier : aussi épargnait-il comme siens même ceux qui étaient étrangers.

8. Toute la nature humaine était, en effet, son œuvre à lui, comme le dit aussi son disciple : « Il est venu chez lui et les siens ne l'ont pas reçu[a]. » Mais exposer dans le détail son amour pour les hommes, ce n'est pas le moment, et même si quelqu'un le célébrait durant tous les siècles, même s'il avait un talent oratoire aussi grand que les puissances incorporelles, il y a bien des chances, même ainsi, qu'il ne parvienne jamais à en parler dignement. Combien il est bon, il est seul à le savoir puisqu'aussi il est seul bon à ce point[b]. Considère, par exemple, ce qu'il dit à ses disciples : « En vérité, en vérité, je vous le dis, celui qui croit en moi fera, lui aussi, les œuvres que je fais et il en fera de plus grandes que celles-là[c][1]. » Il ne leur aurait pas accordé un si grand honneur, s'il n'était excessivement et infiniment bon.

9. Si quelqu'un nous objecte : "Où cet oracle a-t-il reçu son accomplissement ?" qu'il prenne en mains le livre intitulé *Les actes des apôtres* – il ne contient pas tous leurs actes ni même des actes de tous les apôtres, mais d'un ou deux apôtres et encore un petit nombre – et il verra les malades étendus sur des civières et les ombres de ces bienheureux les toucher seulement et leur rendre en même

---

(*C. Celse*, II, 8), qui est encore utilisée au Ve siècle par THÉODORET à l'appui de l'authenticité des miracles de Syméon le Stylite (*Hist. des moines de Syrie*, 26, 17) et peut-être par SULPICE SÉVÈRE pour ceux de saint Martin (*Dial.*, I, 26, 5).

μένας τε αὐτῶν ἅμα καὶ τὴν ὑγίειαν ἐργαζομένας[a], πολλοῖς
δὲ τῶν μαινομένων τῶν ἱματίων Παύλου οὐδὲν πλέον
ἐδέησε πρὸς τὴν τοῦ κινοῦντος αὐτοὺς δαίμονος ἀπαλ-
10 λαγήν[b].

10. Εἰ δέ τις ταῦτα τῦφον εἶναι λέγοι καὶ τερατείαν
πλασμάτων ἀπίθανον, ἀλλὰ τά γε νῦν ὁρώμενα ἱκανὰ τὸ
βλάσφημον ἐμφράξαι στόμα καὶ καταισχῦναι καὶ τὴν ἀχα-
λίνωτον γλῶτταν ἐπισχεῖν. Οὐ γὰρ ἔστιν ἐν τῇ καθ' ἡμᾶς
5 οἰκουμένῃ οὐ χώρα, οὐκ ἔθνος, οὐ πόλις ἔνθα ταῦτα οὐκ
ᾄδεται τὰ παράδοξα, οὐ θαυμασθέντα ποτὲ εἰ πλάσματα ἦν.
Καὶ τοῦ λόγου τὴν μαρτυρίαν ὑμεῖς ἂν παράσχοιτε ταύτην
ἡμῖν. Οὐ γὰρ δεησόμεθα παρ' ἑτέρων τὴν πίστιν τῶν
λεγομένων λαβεῖν ὑμῶν τῶν ἐχθρῶν ταύτην παρεχομένων
10 ἡμῖν. Εἰπὲ γάρ μοι, διὰ τί τὸν Ζωροάστρην ἐκεῖνον καὶ τὸν
Ζάμολξιν οὐδὲ ἐξ ὀνόματος ἴσασιν οἱ πολλοὶ μᾶλλον δὲ
οὐδένες πλὴν ὀλίγων τινῶν; Ὅτι πλάσματα ἦν τὰ περὶ
ἐκείνων λεγόμενα ἅπαντα. Καίτοι κἀκεῖνοι καὶ οἱ τὰ

9, 7 ὑγίειαν F O ‖ πόλλοι B[ac]
10, 6 οὐ θαυμασθέντα : οὐκ ἂν ἀσθέντα F[pc] UXO ‖ 12 οὐδένες : οὐδέ
τινες O m ‖ ὅτι : pr. ἄρ' οὐχ F[pc] UXO dm ‖ 13 καίτοι + γε m

9. a. cf. Act. 5, 15 ‖ b. cf. Act. 19, 12

1. Jean Chrysostome fait souvent allusion à la puissance émanant de
l'ombre de Pierre et des vêtements de Paul : Hom. contre les Anoméens,
IX, 2 ; Panég. de S. Paul, V, 3 ; Hom. sur S. Mélèce, 2 ; sur les statues, IV 3 ;
sur I Cor., VI, 1 ; Discours sur Babylas, 20 ; 73.
2. C'est-à-dire les miracles du Christ et des apôtres et toute la
prédication chrétienne.
3. Zoroastre est le nom donné par les Grecs à Zarathoustra, le
réformateur de la religion perse au VIe siècle avant Jésus-Christ.
J. BIDEZ et F. CUMONT (Les mages hellénisés, t. 1-2, Paris 1938, rééd.
1973) ont rassemblé toutes les allusions grecques et latines à Zoroastre
(le témoignage de Jean Chrysostome est cité au tome 2, frg. B 10c,
p. 23). Contrairement à l'affirmation de Jean Chrysostome, les ouvrages

temps la santé[a]; d'autre part, à un grand nombre de fous
furieux il ne fallut rien de plus que les vêtements de Paul
pour les délivrer du démon qui les agitait[b1].

10. Si quelqu'un prétend que c'est là orgueil et récit
invraisemblable de prodiges imaginaires, du moins ce
qu'on voit de nos jours suffit à fermer et à couvrir de honte
la bouche qui blasphème, à retenir la langue sans frein. Il
n'y a dans le monde où nous vivons, ni pays, ni peuple, ni
cité où l'on ne chante ces merveilles[2], qui n'auraient jamais
suscité d'admiration si c'étaient des fictions. Et le témoignage de ce que je dis, vous-mêmes, vous pourriez nous le
fournir. Car nous ne demanderons pas à d'autres la preuve
de cette assertion, alors que vous-mêmes, nos ennemis,
vous nous la fournissez. Dis-moi donc pourquoi ce fameux
Zoroastre, et Zamolxis aussi, la plupart des gens ne les
connaissent même pas de nom, ou plutôt personne ne les
connaît, sauf un petit nombre[3]? Parce que tout ce qui a été
raconté à leur sujet était fiction[4]. Et pourtant, aussi bien

attribués à Zoroastre jouirent, jusqu'à la fin du paganisme, d'une
autorité prestigieuse (F. CUMONT, *Les religions orientales dans le paganisme
romain*, Paris 1929, p. 175). Zalmoxis, législateur mythique des tribus de
la Thrace, aurait été, selon HÉRODOTE (IV, 94-95), esclave de Pytha-
gore. Il demeura longtemps suspect aux Grecs (HÉRODOTE, IV, 95;
STRABON, VII, 3, 5; LUCIEN, *L'Assemblée des dieux*, 9; CELSE, d'après
ORIGÈNE, *C. Celse*, II, 55; III, 34), quoique THÉODORET affirme le
contraire (*Thérap.*, I, 25). Pourtant DIODORE DE SICILE reconnaît en
Zoroastre et en lui, comme en Moïse, des législateurs affirmant l'origine
divine des lois qu'ils promulguent (I, 94, 2). Il semble d'après d'Index
de Montfaucon que ce passage renferme l'unique allusion de Jean
Chrysostome à Zoroastre et Zamolxis.

4. Philon et Clément considéraient déjà les mythes grecs comme des
inventions (voir le mot πλάσμα dans H. LEISEGANG, *Indices ad Philonis
Alexandri opera*, Berlin 1930, p. 655, et voir CLÉMENT D'ALEX., *Protr.*,
II, 27, 4 — 33, 2). — JULIEN admet que les païens ont imaginé au sujet de
leurs dieux «des mythes incroyables et monstrueux» (*Contre les Galiléens*,
éd. Neumann, p. 167). A leur suite Jean Chrysostome écrit (69) que le
démon a inventé le mythe de Daphné.

ἐκείνων συνθέντες δεινοὶ γενέσθαι λέγονται οἱ μὲν γοητείαν
15 εὑρεῖν καὶ ἐργάσασθαι οἱ δὲ συσκιάσαι ψεῦδος τῇ τῶν
λόγων πιθανότητι.

11. Ἀλλὰ πάντα μάτην γίνεται καὶ εἰκῆ ὅταν ἡ τῶν
λεγομένων ὑπόθεσις σαθρὰ καὶ ψευδὴς οὖσα τύχῃ ὥσπερ
οὖν ὅταν ἰσχυρὰ καὶ ἀληθὴς πάντα πάλιν μάτην γίνεται καὶ
εἰκῆ τὰ πρὸς ἀνατροπὴν ἐπινοούμενα παρὰ τῶν ἐχθρῶν.
5 Οὐδεμιᾶς γὰρ δεῖται βοηθείας ἡ τῆς ἀληθείας ἰσχύς[a], ἀλλὰ
κἂν μυρίους ἔχῃ τοὺς σβεννύντας αὐτὴν οὐ μόνον οὐκ
ἀφανίζεται, ἀλλὰ καὶ δι' αὐτῶν τῶν ἐπηρεάζειν ἐπι-
χειρούντων φαιδροτέρα καὶ ὑψηλοτέρα ἄνεισι τῶν εἰκῆ
κοπτόντων ἑαυτοὺς καὶ μαινομένων καταγελῶσα. Τὰ μὲν
10 γὰρ παρ' ἡμῖν ἅ φατε πλάσματα εἶναι καὶ τύραννοι καὶ
βασιλεῖς καὶ λόγων ἄμαχοι σοφισταὶ ἤδη δὲ καὶ φιλόσοφοι
καὶ γόητες καὶ μάγοι καὶ δαίμονες καθελεῖν ἐσπούδασαν,
«καὶ ἐξησθένησεν ἐπ' αὐτοὺς ἡ γλῶσσα αὐτῶν[b]» – κατὰ
τὸν προφητικὸν λόγον – καὶ «βέλος νηπίων ἐγενήθησαν αἱ
15 πληγαὶ αὐτῶν[c]». Οἱ μὲν γὰρ βασιλεῖς τοσοῦτον ἐκέρδαναν
ἐκ τῆς καθ' ἡμῶν ἐπιβουλῆς ὅσον θηριωδίας δόξαν παρὰ
πᾶσιν ἔλαβον. Διὰ γὰρ τὸν κατὰ τῶν μαρτύρων θυμὸν εἰς
τὴν τῆς κοινῆς φύσεως ἐξενεχθέντες ἀπήνειαν μυρίοις
ἑαυτοὺς οὐ συνεῖδον περιβαλόντες ὀνείδεσιν. Οἱ δὲ φιλό-
20 σοφοι καὶ δεινοὶ ῥήτορες δόξαν πολλὴν οἱ μὲν ἐπὶ σεμνό-
τητι οἱ δὲ ἐπὶ λόγων δυνάμει παρὰ τοῖς πολλοῖς ἔχοντες
μετὰ τὴν πρὸς ἡμᾶς μάχην καταγέλαστοι γεγόνασι καὶ
παίδων ληρούντων ἁπλῶς οὐδὲν διαφέρειν ἔδοξαν. Ἀπὸ γὰρ

11, 1-4 ὅταν ἡ — εἰκῆ > F^{ac} ‖ 3 ἀληθῆ A ‖ ἅπαντα AP dm ‖ 8 ἄνεισι :
γίνεται F^{pc} UXO ‖ 10 ἡμῶν X ‖ 13 καὶ + ὅμως F^{m2} UXO ‖
ἐξησθένησαν... αἱ γλῶσσαι F UXO ‖ 14 βέλη O m ‖ 17 λαβεῖν F^{pc} UXO
dm ‖ 23 γὰρ > O (suppl. s.l. O^{pc})

---

11. a. cf. I Esd. 4, 35.38.41 ‖ b. Ps. 63, 9 ‖ c. Ps. 63, 8

ces gens-là que les hommes qui ont écrit leur histoire ont
été habiles, dit-on, les uns à imaginer une imposture et à
l'accomplir, les autres à dissimuler un mensonge sous la
vraisemblance du discours.

11. Mais tout est vain et inutile, quand le fondement du
discours est vermoulu et mensonger, tout comme, à
l'opposé, quand il est fort et vrai, tout est vain et inutile de
ce que les ennemis imaginent pour le renverser. Car la
force de la vérité[a] n'a besoin d'aucun secours; mais
aurait-elle des milliers de gens pour l'éteindre, elle ne
disparaît pas; au contraire, grâce à ceux-là même qui
tentent de la calomnier, elle s'élève plus brillante et plus
haute, se riant de ceux qui se frappent eux-mêmes dans une
folie inutile. Quant à notre doctrine que vous appelez
fiction, des tyrans, des empereurs[1], des sophistes invin-
cibles en paroles[2], et désormais aussi des philosophes, des
charlatans, des magiciens, des démons se sont employés à
la détruire, «et contre eux leur langue a perdu sa vigueur[b]»
– selon la parole du prophète – et «flèches de gamins sont
devenus leurs coups[c]». Tout ce que les empereurs ont
gagné à leur complot contre nous, c'est de s'attirer chez
tous les hommes un renom de férocité. Par leur ressentiment envers les martyrs, en effet, ils se sont laissés porter à
la cruauté envers la nature humaine, sans se rendre compte
qu'ils se couvraient d'opprobres sans fin. Et les philosophes et les orateurs habiles, qui jouissaient auprès de la
foule d'une grande renommée, les uns pour leur sérieux,
les autres pour leur talent oratoire, ils se sont couverts de
ridicule après leur combat contre nous et ont passé
pour ressembler simplement à des enfants qui disent

1. Comme Julien qui tenta sans résultat de rétablir la religion païenne
(76-77) et d'autres empereurs païens qui persécutèrent vainement des
chrétiens (92). Cf. JEAN CHRYS. *Hom. avant l'exil*, 2.

2. Allusion à Libanius (cf. 98-113).

537 ἐθνῶν | καὶ δήμων τοσούτων οὐ σοφόν τινα, οὐκ ἄσοφον, οὐκ
25 ἄνδρα, οὐ γυναῖκα ἀλλ' οὐδὲ παιδίον μικρὸν μεταπεῖσαι
ἴσχυσαν, ἀλλὰ τοσοῦτός ἐστι τῶν ὑπ' αὐτῶν γεγραμμένων
ὁ γέλως ὥστε ἀφανισθῆναι καὶ τὰ βιβλία πάλαι καὶ ἅμα
τῷ δειχθῆναι καὶ ἀπολέσθαι τὰ πολλά. Εἰ δέ πού τι καὶ
εὑρεθείη διασωθὲν παρὰ Χριστιανοῖς τοῦτο σωζόμενον εὕροι
30 τις ἄν.

12. Τοσοῦτον ἀπέχομεν βλάβην τινὰ παρὰ τῆς ἐκείνων
ὑποπτεύειν ἐπιβουλῆς, οὕτω καταγελῶμεν τῆς πολλῆς τῶν
μηχανημάτων αὐτῶν περιεργίας. Οὔτε γὰρ εἰ τὰ σώματα
ἀδαμάντινα καὶ ἄφθαρτα ἦν ἡμῖν σκορπίους καὶ ὄφεις καὶ
5 πῦρ ταῖς χερσὶν ἐπισφίγγοντες ἐδείσαμεν ἂν ἀλλὰ καὶ
ἐπεδειξάμεθα · οὔτε ἐπειδὴ τὰς ψυχὰς ἡμῖν καὶ τὴν πίστιν
τοιαύτην κατεσκεύασεν ὁ Χριστὸς τὰ φάρμακα τῶν ἐχθρῶν
ἔχοντες δεδοίκαμεν. Εἰ γὰρ ἐπάνω ὄφεων καὶ σκορπίων καὶ
πάσης τοῦ διαβόλου τῆς τυραννίδος πατεῖν ἡμῖν ἐπιτέ-
10 τακται[a] πολλῷ μᾶλλον ἐπάνω σκωλήκων καὶ κανθάρων
– τοσοῦτον γὰρ τὸ μέσον τῆς τούτων βλάβης πρὸς τὴν
ἐκείνου τοῦ πονηροῦ δαίμονος ἐπιβουλήν.

III   13. Καὶ τὰ μὲν ἡμέτερα τοιαῦτα τὰ δὲ ὑμέτερα. Ἐπο-
λέμησε μὲν αὐτοῖς οὐδεὶς οὐδέποτε, οὐδὲ γὰρ θέμις
Χριστιανοῖς ἀνάγκῃ καὶ βίᾳ καταστρέφειν τὴν πλάνην ἀλλὰ

12, 3 αὐτῶν > F ‖ 9 τῆς τοῦ διαβόλου τυραννίδος ~ F
13, 2 αὐτοὺς BF[ac] ‖ οὐδὲ πώποτε O

12. a. cf. Lc 10, 19; Mc 16, 18; Ps. 90, 13

1. Jean Chrysostome se plaît à comparer philosophes grecs et
incroyants à des enfants : Hom. sur Jn, II, 2 ; Hom. sur les Actes des apôtres,
IV, 3 ; Hom. sur Matth., LIV, 5. Voir ci-dessous § 108 et la note.
2. SOCRATE, H. E., I, 9, rapporte une affirmation de Constantin,
selon qui «les écrits impies» de Porphyre auraient entièrement disparu.
Voir A. PIGANIOL, L'Empire chrétien (325-395), Paris 1972[2], p. 57.

des bêtises[1]. Parmi tant de nations et tant de peuples, en
effet, ils n'ont eu le pouvoir de faire changer d'avis ni sage,
ni insensé, ni homme, ni femme, pas même un petit enfant ;
au contraire, tel a été le rire suscité par leurs écrits que leurs
livres ont disparu depuis longtemps[2] et qu'au moment
même de leur publication ils ont péri pour la plupart. Et
tout ce qui d'aventure en pouvait être sauvé, c'est chez des
chrétiens qu'on peut le trouver conservé[3].

12. Tant nous sommes loin d'appréhender quelque
dommage de leur complot ! Tant nous rions de tout le mal
qu'ils se donnent pour leurs machinations ! Si nos corps
étaient d'acier ou incorruptibles, nous n'aurions pas peur
de serrer dans nos mains des scorpions, des serpents et du
feu, et même nous le ferions voir ; de même, puisque le
Christ nous a préparé des âmes et une foi de cette nature,
nous n'avons pas peur d'avoir chez nous les poisons de nos
ennemis. En effet, s'il nous a été ordonné de fouler aux
pieds les serpents, les scorpions et toute la tyrannie du
diable[a], à combien plus forte raison les vers et les scara-
bées ! – car telle est la distance qu'il y a entre le dommage
que causent ces gens-là et le complot de ce mauvais démon.

13. Voilà ce qu'il en est de notre doctrine ; quant à la
vôtre... Personne ne lui a jamais fait la guerre ; car il n'est
même pas permis aux chrétiens d'user de contrainte et de
violence pour renverser l'erreur, mais il leur faut opérer le

3. Par exemple les citations d'Origène permettent de reconstituer la
plus grande partie du *Discours véritable* de Celse. Le *Contre Julien* de
Cyrille d'Alexandrie cite, de même, de nombreux passages du traité
Contre les Galiléens de Julien, ce qui permet de reconstituer en partie la
polémique disparue (voir K. J. NEUMANN, *Iuliani imperatoris librorum
contra christianos quae supersunt*, Leipzig 1880, p. 203 s.) Enfin, c'est
d'après les citations du *Discours sur Babylas* (98-113) que nous pouvons
connaître partiellement la complainte de Libanius sur la destruction du
temple de Daphné.

καὶ πειθοῖ καὶ λόγῳ καὶ προσηνείᾳ τὴν τῶν ἀνθρώπων
5 ἐργάζεσθαι σωτηρίαν. Ὅθεν οὐδεὶς τῶν τὰ τοῦ Χριστοῦ
φρονούντων βασιλεὺς δόγματα καθ' ὑμῶν ἔθηκε τοιαῦτα
οἷα καθ' ἡμῶν οἱ τὰ τῶν δαιμόνων θεραπεύσαντες ἐπενόησαν. Ἀλλ' ὅμως τοσαύτης ἀπολαύσασα ἡσυχίας καὶ ὑπ'
οὐδενὸς ἐνοχληθεῖσά ποτε τῆς Ἑλληνικῆς δεισιδαιμονίας
10 ἡ πλάνη ἀφ' ἑαυτῆς ἐσβέσθη καὶ περὶ ἑαυτὴν διέπεσε
καθάπερ τῶν σωμάτων τὰ τηκεδόνι παραδοθέντα μακρᾷ
καὶ μηδενὸς αὐτὰ βλάπτοντος αὐτόματα φθείρεται καὶ
διαλυθέντα κατὰ μικρὸν ἀφανίζεται. Ὥστε εἰ καὶ μὴ τέλεον
ὁ σατανικὸς οὗτος ἐξήλειπται γέλως ἀπὸ τῆς γῆς, ἀλλ'
15 ἱκανά γε τὰ ἤδη γενόμενα πιστώσασθαι καὶ ὑπὲρ τῶν
μελλόντων ὑμᾶς.

14. Τοῦ γὰρ πλείονος καθαιρεθέντος ἐν οὕτω χρόνῳ
βραχεῖ περὶ τοῦ λειπομένου οὐδεὶς φιλονεικήσει λοιπόν.
Οὐδὲ γὰρ πόλεως ἁλούσης καὶ τειχῶν κατενεχθέντων καὶ
βουλευτηρίων καὶ θεάτρων καὶ περιπάτων κατακαυθέντων
5 καὶ τῶν ἐν ἡλικίᾳ πάντων ἀνῃρημένων, στοάς τις ἰδὼν
ἡμικαύτους καὶ οἰκιῶν ὀλίγων ἑστῶτα μέρη καὶ γραΐδια
μετὰ παιδίων μικρῶν ἀμφισβητήσειε τῷ νικήσαντι καὶ
περιγενομένῳ τοῦ πλείονος ὡς οὐ δυναμένῳ κατεργάσασθαι
τὸ περιλειφθέν. Ἀλλ' οὐ τά γε τῶν ἁλιέων τοιαῦτα, ἀλλὰ
10 καθ' ἑκάστην ἀνθεῖ τὴν ἡμέραν· καὶ ταῦτα οὐ δι' εὐρυχω-

13, 4 καὶ¹ eras. F² > O ‖ λόγων O ‖ καὶ³ > UXO ‖ 5 τοῦ > F
UXO ‖ 6 ἔθηκε καθ' ὑμῶν ~ F ‖ 7 θεραπεύοντες F UXO ‖ 11 μακρᾷ +
ἃ Fᵖᶜ UXO ‖ 12 βλάπτοντος + ἑτέρου Fᵖᶜ UXO ‖ διαφθείρεται UXO ‖
14 γέλως ἐξήλειπται ~ F UX (ἕξει-) O
14, 6 ἡμικαύστους F UXO dm ‖ 6-7 καὶ γραΐδια μετὰ UXO d : καὶ
γραϊδίων καὶ B   μετὰ γραϊδίων καὶ m

---

1. Cf. GRÉGOIRE DE NAZ., Discours, IV, 98 : «Les chrétiens ont-ils
jamais fait subir aux vôtres un traitement semblable à ceux que vous leur
avez infligés à maintes reprises? Contre qui avons-vous excité la fureur
des foules? Contre qui avons-nous excité la fureur des magistrats qui
obéissent au-delà des ordres reçus? De qui avons-nous mis la vie en

salut des hommes par la persuasion, le raisonnement, la douceur. C'est pourquoi aucun des empereurs qui professèrent la religion du Christ n'a établi contre vous des décrets semblables à ceux que les adorateurs des démons ont imaginés contre nous[1]. Et pourtant, malgré toute cette tranquillité dont elle a joui et bien qu'elle ne fût jamais perturbée par personne, l'erreur de la superstition grecque s'est éteinte d'elle-même et s'est affaissée sur elle-même, tout comme les corps en proie à une longue putréfaction, sans que rien ne leur cause de dommage, se détériorent d'eux-mêmes, se décomposent peu à peu et disparaissent. C'est pourquoi, même si ce rire satanique n'a pas encore été totalement effacé de la terre[2], le passé suffit pour vous répondre aussi de l'avenir.

14. La plus grande partie ayant été exterminée en si peu de temps, nul ne soulèvera plus de contestation pour le reste. Après la prise d'une ville, en effet, après la destruction de ses remparts, l'incendie de ses bâtiments publics, théâtres et promenades, l'exécution de tous les hommes dans la force de l'âge, si quelqu'un apercevait des portiques à moitié calcinés, les pans de murs de quelques maisons encore debout, ainsi que des vieilles femmes avec de petits enfants, il ne douterait pas que le vainqueur, qui s'est rendu maître de la plus grande partie, puisse venir à bout du reste. Mais il n'en va pas de même de l'œuvre des pêcheurs[3] : c'est chaque jour qu'elle est plus florissante ; et

---

danger ? Disons mieux : qui avons-nous exclu des magistratures et des autres charges qui sont réservées à l'aristocratie ? En un mot à qui avons-nous fait quoi que ce fût qui rappelât ce que bien des fois vous avez perpétré contre nous ou dont vous nous avez menacés ?» (trad. Bernardi, *SC* 309).

2. Pour la pratique de la religion païenne à l'époque de la rédaction de ce *Discours*, voir § 41 et 43.

3. C'est-à-dire «des apôtres», dont plusieurs étaient pêcheurs (*Matth.* 4, 18-21). Voir aussi § 16 et 18.

ρίας τινὸς καὶ ἀνέσεως εἰς τὸν ἡμέτερον εἰσαχθέντα βίον
ἀλλὰ διὰ θλίψεως καὶ πολέμων καὶ μάχης.

15. Ὁ μὲν γὰρ Ἑλληνισμὸς πανταχοῦ τῆς γῆς ἐκταθεὶς
καὶ τὰς ἁπάντων ἀνθρώπων ψυχὰς κατασχὼν οὕτως
ὕστερον μετὰ τὴν τοσαύτην ἰσχὺν καὶ τὴν ἐπίδοσιν ὑπὸ τῆς
τοῦ Χριστοῦ κατελύθη δυνάμεως · τὸ δὲ κήρυγμα τὸ
5 ἡμέτερον οὐ μετὰ τὸ διαδοθῆναι πανταχοῦ καὶ στῆναι
βεβαίως ἔσχε τοὺς πολεμοῦντας, ἀλλὰ πρὶν ἢ παγῆναι καὶ
φυτευθῆναι ἐν ταῖς τῶν ἀκουόντων ψυχαῖς ἐξ αὐτῶν τῶν
προοιμίων πρὸς ἅπασαν ἠναγκάζετο παρατάττεσθαι τὴν
οἰκουμένην, «πρὸς τὰς ἀρχάς, πρὸς τὰς ἐξουσίας, πρὸς
10 τοὺς κοσμοκράτορας τοῦ σκότους τοῦ αἰῶνος τούτου, πρὸς
τὰ πνευματικὰ τῆς πονηρίας[a]». Οὔπω γὰρ τοῦ σπινθῆρος
τῆς πίστεως ἀφθέντος καλῶς ποταμοὶ καὶ ἄβυσσοι |
538   πάντοθεν ἐπέρρεον. Ἴστε δὲ δήπου ὡς οὐκ ἔστιν ἴσον τὸ
μυρίοις ἔτεσι ῥιζωθὲν ἀνασπάσαι φυτὸν καὶ τὸ ἐπὶ τῆς γῆς
15 ἄρτι τεθέν. Ἀλλὰ καὶ τούτων οὕτως ἐχόντων ἐπέκλυζε μὲν
ἔτι τὸν σπινθῆρα ὡς ἔφην τῆς εὐσεβείας τὸ τῶν ἐναντίων
πέλαγος, ὁ δὲ οὐ μόνον οὐκ ἐσβέννυτο τούτῳ, ἀλλὰ καὶ
μείζων γινόμενος καὶ φαιδρότερος πάντα ἐπῄει ταχέως τὰ
μὲν τῶν ἐχθρῶν καταλύων καὶ ἀναλίσκων εὐκόλως τὰ δὲ
20 τῶν οἰκείων ἀνιστῶν καὶ πρὸς ὕψος ἄφατον αἴρων καίτοι
ἀνδρῶν εὐτελῶν καὶ ἀσήμων ὑπηρετησαμένων αὐτῷ.

16. Τὸ δὲ αἴτιον οὐκ ἦν τῶν ἁλιέων ἐκείνων οὔτε τὰ
ῥήματα οὔτε τὰ θαύματα ἀλλὰ τῆς εἰς αὐτοὺς ἐνεργούσης

15, 6 βεβαίως : γενναίως X ‖ 7 τῶν[2] > O ‖ 13 ἐπέρρεον + πολέμων
F[mg.2] UXO ‖ 16 ἔτι + μικρὸν ὄντα F UXO dm ‖ ἔφην : ἔφθην εἰπὼν F[pc]
UXO ‖ 18 γενόμενος F dm ‖ φαιδρότερος : σφοδρό- X ‖ ἐπῄει : ἔπνει BF[ac]

---

15. a. Éphés. 6, 12

---

1. Voir infra § 16; Hom. sur I Cor., VI, 1; Panég. de S. Paul, IV, 10.
Dans son Histoire ecclésiastique, EUSÈBE est attentif à la puissance du
Christ agissant chez les apôtres et chez les martyrs (voir l'Index de
P. Périchon, SC 73, p. 303, δύναμις).

cela, bien qu'elle ne soit pas entrée dans notre vie avec
facilité et sans peine, mais au milieu des souffrances, des
guerres et du combat.

15. Le paganisme, en effet, s'était déjà étendu en tout
lieu de la terre et avait possédé les âmes de tous les
hommes, et c'est tardivement, malgré toute cette force et
ce progrès, qu'il fut ruiné par la puissance du Christ[1];
notre prédication, au contraire, ce n'est pas après s'être
répandue partout et s'être solidement établie qu'elle trouva
des gens pour lui faire la guerre; mais avant d'être
enfoncée et implantée dans les âmes de ses auditeurs, dès
ses débuts même, elle fut contrainte à entrer en lutte avec le
monde entier, «avec les puissances, les autorités, les
princes de ce siècle de ténèbres, les esprits du mal[a]». Alors
que l'étincelle de la foi[2] n'était pas encore devenue une
belle flamme, fleuves et flots de l'abîme se ruaient sur elle
de toutes parts. Vous savez, bien sûr, que ce n'est pas la
même chose d'arracher une plante enracinée depuis des
milliers d'années ou celle qui vient d'être mise en terre. Et
pourtant, il en était ainsi lorsque, sur ce qui n'était encore
qu'une petite étincelle, comme je l'ai dit, de la piété,
déferlait l'océan des ennemis; et non seulement elle n'était
pas éteinte par cet océan, mais devenue plus grande, plus
lumineuse, elle atteignait rapidement toutes choses, ruinant
et dévorant avec facilité les biens des ennemis, rétablissant
ceux de ses amis et les élevant à une hauteur indicible, bien
que servie par des hommes simples et obscurs[3].

16. La cause n'en était ni les paroles ni les prodiges de
ces pêcheurs, mais de la puissance du Christ agissant sur

---

2. L'image de l'étincelle est fréquente chez Jean Chrysostome :
Virginité, LII, 94, 6; *Panég. de Juventin et Maximin*, 1; *Hom. sur II Cor.*,
I, 4. Voir LAMPE, *s.u.* σπινθήρ.

3. Cf. *Panég. de S. Paul*, IV, 18.

δυνάμεως τοῦ Χριστοῦ. Τῶν γὰρ ταῦτα ἐργασαμένων ὁ μὲν
ἦν σκηνοποιὸς[a] (ὁ Παῦλος) ὁ Πέτρος δὲ ἁλιεὺς[b] καὶ οὐκ
5 ἂν οὕτως εὐτελέσι καὶ ταπεινοῖς πλάσαι τι τοιοῦτον ἐπῆλθέ
ποτε πλὴν εἰ μαίνεσθαί τις αὐτοὺς φαίη καὶ παραπαίειν.
Ὅτι δὲ οὐκ ἐμαίνοντο δῆλον ἐξ ὧν εἰπόντες κατώρθωσαν
καὶ ἐκ τῶν ἔτι καὶ νῦν πειθομένων αὐτοῖς. Οὐκ ἂν οὖν
ποτε τοιαῦτα ἐψεύσαντο οὐδὲ ἐκόμπασαν ἁπλῶς. Καὶ γὰρ
10 ὅπερ ἀρχόμενος ἔφην · ὁ μέλλων ἐξαπατᾶν ψεύδεται μὲν
ψεύδεται δὲ οὐχ οὕτως ὡς πᾶσι γενέσθαι καταφανής.

17. Εἰ γὰρ καὶ πραγμάτων ἐκβεβηκότων καὶ τοσούτων
μαρτυρούντων τῷ τέλει, τῶν τε ἐν ἐκείνοις πιστευσάντων
τοῖς χρόνοις καὶ τῶν ἐξ ἐκείνου πανταχοῦ ταῦτα ᾀδόντων,
οὐ παρ' ἡμῖν μόνον ἀλλὰ καὶ παρὰ βαρβάροις καὶ τοῖς
5 ἐκείνων μᾶλλον ἐκτεθηριωμένοις, ὅμως εἰσί τινες, μετὰ
τοσαῦτα τεκμήρια καὶ τῆς οἰκουμένης ἁπάσης ὡς εἰπεῖν
τὴν μαρτυρίαν, οἳ διαπιστοῦσι τοῖς γεγενημένοις — καὶ
πολλοὶ οὕτως ἀβασανίστως καὶ ἀνεξετάστως — τίς ἂν
παρὰ τὴν ἀρχὴν μήτε πράγματα θεασάμενος μήτε μαρτυ-
10 ρίας ἀξιοπίστους τούτων ἔχων ταύτην ἂν τὴν πίστιν
ἐδέξατο τῇ ψυχῇ;

18. Τί δὲ ὅλως ἐξεπῆρεν πλάσαι καὶ συνθεῖναί τι
τοιοῦτον αὐτούς; Οὔτε γὰρ λόγων ἰσχύϊ — πῶς γὰρ ὢν

16, 8 καὶ² > F ‖ 11 ὡς : ὥστε UXO
17, 2 τε > X ‖ ἐν > O ‖ 6 ὡς εἰπεῖν ἁπάσης ~ F dm ‖ 8 πολλοὶ
οὕτως : πάνυ οὗτοι corr. ds
18, 1 δὲ : δαὶ F   + καὶ O ‖ ἐξεπῆρεν : καὶ ἐπῆρε F UXO dm ‖
πλάσασθαί τι καὶ συνθεῖναι F

16. a. cf. Act. 18, 3 ‖ b. cf. Matth. 4, 18

1. Voir aussi JEAN CHRYS., *Hom. sur I Cor.*, III, 4 : «Quand donc les
Grecs accusent les apôtres de manquer d'éducation, nous les en
accusons davantage... Et s'ils disent que les apôtres étaient grossiers,
approuvons et disons qu'ils étaient aussi ignorants, analphabètes,

eux. Parmi ceux qui les opéraient, en effet, l'un était fabricant de tentes[a] (Paul), et Pierre était pêcheur[b1] : à des gens aussi simples et modestes il ne serait jamais venu à l'esprit de rien inventer de pareil, à moins qu'on ne prétende qu'ils étaient fous et déraisonnaient. Mais ils n'étaient pas fous, comme le prouvent ce qu'ils ont accompli par leurs paroles et les hommes qui, maintenant encore, leur obéissent. Jamais, en vérité, ils n'auraient proféré de tels mensonges ni de telles vantardises inconsidérément. En effet, comme je le disais au début, celui qui veut tromper ment, mais pas de manière à ce que son mensonge soit manifeste aux yeux de tous.

17. Si, une fois les événement accomplis et quand tant d'hommes portent témoignage de leur réalisation – ceux qui ont cru en ces temps-là et ceux qui depuis lors les célèbrent partout, non seulement chez nous mais chez les barbares et chez des hommes encore plus sauvages qu'eux[2] –, s'il y a néanmoins, malgré tant de preuves et le témoignage du monde entier pour ainsi dire, des gens qui doutent de ce qui est arrivé – et un grand nombre d'entre eux avec cette absence de critique et d'examen –, qui donc, au commencement, sans avoir vu des faits, sans posséder à leur sujet des témoignages dignes de confiance, aurait accueilli cette foi dans son âme?

18. En un mot, qu'est-ce qui aurait pu les inciter à inventer et à combiner une telle affaire? Car ce n'est ni dans leur éloquence – comment serait-ce possible alors que l'un

pauvres, vulgaires, inintelligents et obscurs. Ce n'est pas diffamer les apôtres, mais les louer, puisque de tels hommes ont paru plus brillants que toute la terre.»

2. Jean Chrysostome fait plusieurs fois allusion à la conversion de Scythes, de Thraces ou de Sarmates : voir B. METZGER, «The problematic Thracian Version of the Gospels», *A Tribute to Arthur Vööbus*, éd. R. Fischer, Chicago 1977, p. 349, et ci-dessous § 119.

θάτερος οὐδὲ γράμματα ὅλως ἠπίστατο[a]; — οὔτε χρημάτων
ἐθάρρουν περιουσίᾳ · καὶ γὰρ τῆς ἀναγκαίας μόλις εὐπόρουν
5 τροφῆς ἀπὸ τῆς τῶν χειρῶν τέχνης διαζῶντες ἀμφότεροι.
Ἀλλ' οὐδὲ ἐπὶ γένους λαμπρότητι παρῆν αὐτοῖς μέγα
φρονεῖν · τοῦ μὲν γὰρ οὐδὲ τὸν πατέρα ἴσμεν ὅστις ἦν
οὕτως ἦν ἄσημος καὶ ἀφανής, τοῦ Πέτρου δὲ δῆλος μέν
ἐστιν ὁ πατήρ, τοσοῦτον δὲ ἔχει θατέρου πλέον ὅσον τὴν
10 προσηγορίαν αὐτοῦ γνώριμον ἡμῖν ἐποίησαν αἱ Γραφαὶ
μόνον καὶ τοῦτο διὰ τὸν υἱόν[b]. Εἰ δὲ καὶ χώραν τις καὶ
ἔθνος ἐξετάζειν βούλοιτο τὸν μὲν Κίλικα εὑρήσει[c] τὸν δὲ
πόλεως ἀσήμου πολίτην μᾶλλον δὲ οὐδὲ πόλεως ἀλλὰ
κώμης τῆς ἐσχάτης, ἀπὸ Βηθσαϊδὰ[d] γὰρ – τῆς Γαλιλαίας
15 δέ ἐστι χωρίον οὕτω καλούμενον ἐξ ἧς ὁ μακάριος ἐκεῖνος
ἦν. Καὶ τὰς τέχνας δέ τις αὐτῶν ἀκούσας ὄψεται οὐδὲν
μέγα ἐχούσας καὶ σεμνόν · τοῦ μὲν γὰρ ἁλιέως ὁ σκηνοποιὸς τιμιώτερος τῶν δὲ ἄλλων χειροτεχνῶν εὐτελέστερος.

19. Πόθεν οὖν, εἰπέ μοι, πόθεν πρᾶγμα τοσοῦτον
ὑποκρίνασθαι ἐτόλμησαν; Ποίαις ἐπαρθέντες ἐλπίσι; Τίνι
θαρρήσαντες; Ἆρα τῷ καλάμῳ καὶ τῷ ἀγκίστρῳ ἢ τῇ σμίλῃ
καὶ τῷ τρυπάνῳ; Οὐκ ἀπελθόντες ἀπάγξεσθέ που ἢ καὶ
5 κατακρημνίσετε ἑαυτοὺς τοσαύτην ὀφλισκάνοντες ἄνοιαν;

IV   20. Θῶμεν δὲ εἰ βούλεσθε καθ' ὑμᾶς καὶ τὸ ἀδύνατον
τοῦτο γενέσθαι δυνατόν, καὶ τὸν μὲν ἀπὸ τῆς λίμνης
539   ἀνελθόντα λέγειν ὅτι ἡ σκιὰ τοῦ σώματος τοῦ ἐμοῦ | νεκροὺς
ἀνέστησε, τὸν δὲ ἐκπηδήσαντα τῶν τοῦ σκηνορραφείου
5 δερρῶν τὰ αὐτὰ δὴ ταῦτα κομπάζειν ἐκείνῳ περὶ τῶν
ἱματίων αὐτοῦ. Τίς οὕτως ἐμεμήνει τῶν ταῦτα ἀκουόντων

18, 3 θάτερος : θ del. F UO ‖ οὐδὲ : οὔτε BF[ac] m ‖ 6-7 μεγαλοφρονεῖν d
‖ 10 ἑαυτοῦ UX ‖ 13 οὐδὲ : οὐ ΧΟ ‖ 14 βηδσαϊδὰ B   βιθσαϊδὰ F[pc] UX ‖
15 οὕτως B ‖ ἐξ ἧς codd. : euanesc. O ‖ 17 καὶ : οὐδὲ O ‖ γὰρ > F
(suppl. F[pc])
    19, 4 ἀπάγξασθαί B   ἀπάγξασθέ X   ἀπάγξεσθαί UO[ac] ‖ καὶ > d ‖
5 κατακρημνίσαι BF[ac]
    20, 5 δέρρεων F[pc] UXO m

d'eux ne savait même pas du tout l'alphabet[a]? –, ni dans
l'abondance des richesses qu'ils mettaient leur confiance;
ils se procuraient, en effet, avec peine la nourriture
indispensable, vivant l'un et l'autre du travail de leurs
mains. Et, ils ne pouvaient pas non plus s'enorgueillir de
l'éclat de leur race; de l'un d'eux nous ignorons même qui
était le père, tant il était obscur et inconnu; quant à Pierre,
son père est connu, mais tout ce qu'il a de plus que l'autre,
c'est que les Écritures nous ont tout juste fait connaître son
nom – et cela à cause de son fils[b]. Si l'on veut examiner
aussi leur pays et leur peuple, on trouvera que l'un était de
Cilicie[c], l'autre citoyen d'une ville obscure, ou plutôt non
pas d'une ville, mais du dernier des villages : il était de
Bethsaida[d] – il y a en Galilée un lieu-dit de ce nom, d'où ce
bienheureux était originaire. En entendant ce qu'étaient
leurs métiers, on verra aussi qu'ils n'avaient rien de grand
ni de distingué : le fabricant de tentes est, en effet, plus
estimé que le pêcheur, mais plus humble que les autres
artisans.

19. Où donc, dis-moi, où auraient-ils puisé l'audace de
jouer une pareille comédie? Entraînés par quelles espé-
rances? En faisant confiance à qui? à leur canne à pêche et à
leur hameçon ou à leur tranchet et à leur tarière? N'iriez-
vous pas vous pendre, dites, ou encore vous jeter du haut
d'un précipice, pour payer une telle folie?

20. Admettons, voulez-vous, selon votre point de vue,
que cette chose impossible devienne possible et que cet
homme, quittant son lac, vienne vous dire : "L'ombre de
mon corps a ressuscité des morts", et que cet autre
s'échappe des cuirs de sa boutique de fabricant de tentes

18. a. cf. Act. 4, 13 ‖ b. cf. Jn 1, 42 ‖ c. cf. Act. 22, 3 ‖ d. cf. Jn
1, 44

ὡς ψιλοῖς ῥήμασι πιστεῦσαι περὶ πραγμάτων τοιούτων; Διὰ
τί δὲ μηδεὶς ἐκείνων τῶν χρόνων χειροτέχνης ἀνὴρ εἶπέ τι
περὶ ἑαυτοῦ τοιοῦτόν ποτε ἢ ἕτερός τις περὶ αὐτοῦ; Καίτοι
10 εἰ τὰ ἡμέτερα πλάσματα ἦν τοὺς μετ' ἐκείνους εὐκολώτερον τὰ τοιαῦτα ψεύδεσθαι εἰκὸς ἦν. Ἐκεῖνοι μὲν γὰρ οὐκ
εἶχον εἰς ἑτέρους ἀνενεγκόντες ὑπὲρ τούτων ἐλπίσαι τοῦ
πράγματος περιέσεσθαι, οἱ δὲ μετ' ἐκείνους εἰς ἐκείνους
ὁρῶντες προχειρότερον ἂν τοῦ πλάσματος κατετόλμησαν
15 τοῦ παραδείγματος τῶν προτέρων τοῖς δευτέροις παρακε-
λευομένου θαρρεῖν ὡς οὐδενὸς ἐν τῇ γῇ νοῦν ἔχοντος ἀλλὰ
πάντων ἐξεστηκότων καὶ μεμηνότων, καὶ τοῖς βουλομένοις
ἐξὸν ἅπασιν ἅπερ ἂν θέλωσι περὶ ἑαυτῶν λέγειν τε καὶ
πιστεύεσθαι.

21. Λῆρος ταῦτα καὶ γέλως καὶ μωρίας Ἑλληνικῆς
ῥήματα. Καθάπερ γὰρ ἂν εἴ τις προαχθείη τοξεύειν τὸν
οὐρανὸν ὡς διαρρήξων αὐτὸν τοῖς αὐτοῦ βέλεσιν ἢ τὸν
ὠκεανὸν ἐξαντλεῖν ὡς κενώσων αὐτὸν ταῖς ἑαυτοῦ χερσὶν
5 οὐδεὶς ὅστις οὐ γελάσεται τῶν ἀστειοτέρων αὐτόν, οἱ
δὲ σεμνότεροι καὶ δακρύσονται δάκρυσι πολλοῖς, οὕτως
ὅταν ἡμῖν Ἕλληνες ἀντιλέγωσι γελᾶν αὐτοὺς καὶ δακρύειν
καλόν · πολλῷ γὰρ τοῦ τὸν οὐρανὸν τρώσειν ἐλπίζοντος καὶ
τὴν ἄβυσσον κενώσειν ἀπορωτέροις ἐπιχειροῦσι πράγμασιν.
10 Οὔτε γὰρ τὸ φῶς ἔσται σκότος ποτὲ ἕως ἂν ᾖ φῶς[a] οὔτε ἡ

20, 8 ἐκείνων τῶν χρόνων BᵃᶜΑ : τῶν κατ' ἐκείνων τῶν χρόνων in ras.
B² τῶν κατ' ἐκεῖνον τὸν χρόνον F UXO dm ‖ 9 αὐτοῦ : ἑαυτοῦ O ‖
10 τοὺς : τοῖς F ‖ 13 πλάσματος B² m ‖ δὲ μετ' ἐκείνους codd. (in ras. F) ‖
18 ἐθέλωσι F UXO
21, 4 αὐτοῦ F ‖ 5 οὐδεὶς + ἔσται F² UXO ‖ 8 ἐλπίζοντος post
κενώσειν (9) B m

21. a. cf. Matth. 6, 22-23

1. Voir ci-dessus § 9 et p. 102, n. 1.
2. Voir ci-dessus § 1; Hom. sur Ozias, IV, 2; Dial. sur le sacerdoce,

pour proférer les mêmes vantardises que lui en parlant de
ses vêtements[1]. Qui serait assez fou, en entendant ces
propos, pour se fier simplement à des mots sur un pareil
sujet? Pourquoi aucun artisan de cette époque n'a-t-il
jamais tenu pareil langage sur lui-même ou une autre
personne sur lui? Et pourtant, si notre doctrine était
fiction, leurs successeurs pouvaient plus aisément, semble-
t-il, débiter de pareils mensonges : les apôtres, en effet,
n'avaient pas de précédents sur ce point à qui se référer
pour caresser l'espoir de l'emporter en cette affaire; leurs
successeurs, au contraire, en regardant vers eux, auraient
en plus de facilité à oser cette fiction, car l'exemple des
premiers incitait les suivants à avoir de l'assurance, comme
s'il n'y avait plus de bon sens sur la terre, mais que tous les
hommes avaient perdu la tête et étaient pris de folie, et
qu'il était possible à tous ceux qui en avaient envie de
raconter sur eux-mêmes ce qu'ils voudraient et d'être crus
sur parole.

21. Sottise que cela, dérision, paroles propres à la folie
grecque! C'est comme si quelqu'un se laissait emporter à
tirer de l'arc contre le ciel, dans l'espoir de le déchirer de
ses traits, ou à puiser l'eau de l'océan, dans l'espoir de le
vider de ses mains : il n'est personne si poli soit-il qui ne se
rira de lui et les gens sérieux pleureront même des larmes
abondantes; ainsi lorsque les Grecs nous contredisent,
est-il bien de rire d'eux et de pleurer sur eux; car leur
entreprise est de beaucoup plus irréalisable que celle de
l'homme qui espère blesser le ciel et vider l'abîme[2]. Jamais
la lumière ne sera ténèbres tant qu'elle sera lumière[a] et
jamais la vérité de ce qui s'est accompli chez nous ne sera

VI, 9, 45-46, où Jean Chrysostome évoque de même l'impossibilité de
«mesurer la mer dans ses profondeurs». Voir É. DUTOIT, *Le thème de
l'adynaton dans la poésie antique*, Paris 1936, qui a classé par thèmes les
adynata qu'il a trouvés chez les poètes grecs et latins.

τῶν παρ' ἡμῖν πραγμάτων ἀλήθεια διελεγχθήσεται · ἀλήθεια γάρ ἐστι ταύτης δὲ ἰσχυρότερον οὐδέν[b].

22. Ὅτι μὲν οὖν καὶ τὰ ἀρχαῖα ἃ ἀκοῇ ἴσμεν τῶν παρόντων καὶ ὁρωμένων οὐχ ἧττόν ἐστι πιστὰ πᾶς ὁστισοῦν μὴ παραπαίων καὶ ἐξεστηκὼς ὁμολογήσειεν ἄν · ἵνα δὲ καὶ ἐκ περιουσίας τὴν νίκην ἀρώμεθα βούλομαι καὶ ἐπὶ
5 τῆς ἡμετέρας γενεᾶς γενόμενόν τι παράδοξον εἰπεῖν. Ἀλλὰ μὴ θορυβηθῆτε εἰ θαῦμα ὑποσχόμενος ἐρεῖν ἐφ' ἡμῶν γεγονὸς εἶτα ἐκ παλαιᾶς ἱστορίας ἄρχομαι τοῦ διηγήματος ὑφαίνειν τὴν ἀρχήν. Οὔτε γὰρ μέχρις ἐκείνων στήσομαι μόνον οὔτε ἀλλότρια τῆς νέας ὑποθέσεως ἐρῶ τὰ παλαιά · ἀλλήλων
10 γὰρ ἑκάτερα ἔχεται καὶ διαζευχθῆναι τὴν ἀκολουθίαν αὐτῶν οὐκ ἔνι. Εἴσεσθε δὲ καλῶς αὐτῶν τῶν πραγμάτων ἀκούσαντες.

---

21. b. cf. I Esd. 4, 35.38.41

1. D'après JEAN DAMASCÈNE (Sacra Parallella, éd. Lequien, t. II, Venise 1748, p. 357 C), ces trois dernières lignes proviennent de JUSTIN. Nous n'avons toutefois retrouvé que les derniers mots (τῆς δὲ ἀληθείας ἰσχυρότερον οὐδέν) dans les œuvres du philosophe martyr parvenues jusqu'à nous, et précisément dans le long fragment du Traité de la résurrection cité par Damascène (ibid., p. 756 C). Voir l'édition de Justin par I.C.T. Otto, Iéna 1849, t. 2, p. 352-354.

2. Pour défendre la crédibilité des récits bibliques, Jean Chrysostome dit de même ailleurs (Hom. sur I Thess., 3) : «Les événements d'autrefois ne me paraissent pas incroyables, car ce que je ne vois pas me semble aussi digne de foi que ce que je vois.» Les Grecs avaient, il est vrai,

confondue; car c'est la vérité et rien n'est plus fort qu'elle[b1].

22. Sans doute les histoires d'autrefois, que nous connaissons par ouï-dire, ne sont pas moins sûres que les événements actuels, que nous voyons de nos yeux, quiconque ne déraisonne pas et n'a pas perdu la tête serait prêt à le reconnaître[2]; mais, afin de remporter une victoire absolument complète, c'est un fait extraordinaire survenu dans notre génération que je veux vous raconter. Ne protestez pas si, après avoir promis de vous narrer un prodige qui s'est passé de nos jours, je commence par une histoire ancienne pour composer le début de mon récit : d'une part je ne m'arrêterai pas là, et d'autre part les événements anciens que je vais relater ne sont pas étrangers au sujet récent; tous deux sont imbriqués l'un dans l'autre et il n'est pas possible de briser leur lien. Vous le comprendrez bien quand vous aurez entendu les faits eux-mêmes.

coutume de dire que les yeux sont des témoins plus sûrs que les oreilles : Héraclite d'après POLYBE, XII, 27, 1; cf. DION CHRYS., XII, 71; JULIEN EMP., *Discours*, XI, (IV), 25 : CYRILLE DE JÉR., *Cat.*, XIX, 1; THÉODORET, *Thérap.*, X, 103. Jean Chrysostome lui-même reprend à son compte cette affirmation au § 56 et dans une des *Homélies sur les statues* (XIX, 2).

V   23. Ἐγένετό τις βασιλεὺς ἐπὶ τῶν προγόνων τῶν ἡμε-
τέρων, καὶ τὰ μὲν ἄλλα ὁποῖός τις ἦν οὗτος ὁ βασιλεὺς οὐκ
ἔχω λέγειν, τὸ δὲ ἄγος ὅπερ ἐτόλμησεν ἀκούσαντες εἴσεσθε
καὶ περὶ τῆς λοιπῆς τῶν τρόπων ὠμότητος. Τί οὖν τὸ ἄγος
5 ἦν; Ἔδοξεν ἔθνει τινὶ τῶν ἐκείνῳ πολεμούντων τῷ βασιλεῖ
καταλῦσαι τὸν πόλεμον καὶ μήτε ἑτέρους κόπτειν μήτε
αὐτοὺς ὑπὸ ἑτέρων κόπτεσθαι τοῦ λοιποῦ, ἀλλὰ πραγμάτων
μὲν ἀπηλλάχθαι καὶ κινδύνων καὶ φόβων στέργειν δὲ τοῖς
ὑπάρχουσι καὶ μηδὲν πλέον τῶν ὄντων ἐπιζητεῖν · κρεῖττον
10 γὰρ εἶναι μετὰ ἀφοβίας ἀπολαύειν μετρίων ἢ τοῦ πλείονος
ἐφιεμένους δεδοικέναι καὶ τρέμειν ἀεὶ καὶ κακὰ αὐτούς τε
ἑτέροις διδόντας καὶ παρ' ἑτέρων λαμβάνοντας ζῆν.

24. Δόξαν δὴ καταθέσθαι τὸν πόλεμον καὶ τὸν
ἀπράγμονα βίον ζῆν ἔδοξεν ἰσχυρῷ τινι θεσμῷ καὶ ὅροις
ἀσφαλέσι τοῦτο καταδῆσαι τὸ καλόν · καὶ ποιησάμενοι
συνθήκας καὶ λαβόντες ὅρκους καὶ δόντες ἐκ περιουσίας
5 ἐπεχείρουν πείθειν τὸν βασιλέα τὸν αὐτῶν τὸν υἱὸν τὸν
αὐτοῦ — παιδίον δὲ ἦν κομιδῇ — τῆς εἰρήνης ἐνέχυρον

23, 1 νουμεριανός gloss. O^mg ‖ 10 ἀφοβίας : ἀσφαλείας X ‖ 11 αὐτούς
τε : αὐτοῖς τε καὶ F U (ut uidetur) XO
24, 2 ὅροις : ὅρκοις (x s.l.) O ‖ 5 τὸν αὐτῶν B m : τὸν αὐτῶν F^ac O d
τοῦ αὐτὸν F^pc UX ‖ τὸν⁴ > O ‖ 6 αὐτοῦ X m

---

1. Sur l'identité de cet empereur, voir Introd., p. 59.
2. On retrouve l'expression καταθέντες ἐνέχυρα dans les inscriptions
grecques (CIG, V, 2, p. 71, 1.18 : Orch. Arc., IIIe siècle avant J.-C.).
L'usage de donner des enfants en otage — et de les accepter — semble
avoir été assez répandu dans le monde gréco-romain (voir POLYBE, IX,
11, 4; XXVIII, 4, 7; M. ROSTOVTZEFF, The Social and Economic History
of the Hellenistic World, t. 3, Oxford 1953, p. 1512, note 35). En voici
trois exemples : a) sous Auguste : «Le roi des Parthes Phraate, fils
d'Orodos, m'a envoyé en Italie ses fils et tous ses petits-fils, non qu'il ait
été vaincu à la guerre mais pour rechercher notre amitié (en me laissant

II. ANCIENNE HISTOIRE DE BABYLAS

A. LE CRIME DE L'EMPEREUR

23. Il y eut un empereur[1], du temps de nos ancêtres – ce qu'était par ailleurs cet empereur, je ne peux le dire, mais, quand vous aurez entendu le sacrilège qu'il osa commettre, vous saurez aussi toute la cruauté de ses mœurs. Quel fut donc ce sacrilège? L'un des peuples qui guerroyaient contre cet empereur décida de mettre fin à la guerre, de ne plus frapper d'autres gens désormais et de ne plus être frappé par d'autres, mais d'être délivré des tracas, des dangers et des craintes, de se contenter de ce qui lui appartenait et de ne pas chercher à acquérir plus que ce qu'il avait : mieux valait jouir sans crainte de richesses modérées que d'aspirer à posséder davantage, mais être toujours dans la peur et le tremblement et vivre en infligeant des maux aux autres et en en subissant de leur part.

24. Donc, une fois la décision prise de faire cesser la guerre et de mener une vie sans souci, on décida de consolider ce beau dessein par un pacte solide et des frontières sûres; ils conclurent un traité, échangèrent entre eux des serments et entreprirent en outre de convaincre leur roi d'offrir son fils – c'était un tout petit enfant – comme sûr garant de la paix[2] : il allait ainsi inspirer

---

ses propres enfants comme gages)» (*Monumentum Ancyranum*, 32, 2, dans *Res gestae divi Augusti*, éd. J. Gagé, Paris 1977[3], p. 140-141 ; la parenthèse est une addition de la traduction). – b) sous Constantin : «'L'Indien Théophile, que les Dibènes envoyèrent tout jeune à Rome en otage, il y a longtemps déjà sous le règne de Constantin Ier...» (Philostorge, d'après Photius, III, 4). – c) sous Constant : «Il y avait en ce temps-là en Gordyène (Arménie), qui était soumise à l'autorité des Perses, un jeune satrape appelé Jovinien chez les Romains : il nous était secrètement favorable parce que, ayant été retenu en Syrie en qualité d'otage, il avait été charmé par la douceur des arts libéraux et désirait ardemment revenir à notre manière de vivre» (Ammien Marcellin, XVIII, 6, 20).

καταθέντα ἀσφαλὲς τοῖς τε πρότερον πολεμίοις οὖσι παρέχειν θαρρεῖν τῆς τε οἰκείας γνώμης μαρτύριον ἐξενεγκεῖν
540 ὡς ἀδόλως τὴν | εἰρήνην πεποιημένου πρὸς αὐτούς. Καὶ
10 ταῦτα λέγοντες ἔπεισαν καὶ ἐξέδωκε τὸν υἱὸν ὁ βασιλεὺς
ὡς μὲν αὐτὸς ᾤετο τοῖς φίλοις καὶ συμμάχοις, ὡς δὲ τὸ
τέλος ἔδειξε τῷ πάντων ἀπηνεστάτῳ θηρίῳ. Λαβὼν γὰρ
νόμῳ φιλίας καὶ συνθηκῶν τὸ παιδίον ἐκεῖνο τὸ βασιλικὸν
πάντα ὁμοῦ κατεπάτησε καὶ ἀνέτρεψε τοὺς ὅρκους, τὰς
15 συνθήκας, τὴν πρὸς ἀνθρώπους αἰδῶ, τὴν πρὸς τὸ θεῖον
εὐλάβειαν, τὸν ἀπὸ τῆς ἡλικίας ἔλεον.

25. Καὶ οὔτε ἡ νεότης τὸ θηρίον ἐπέκαμψεν οὔτε ἡ
παρεπομένη τοῖς τοιούτοις μιάσμασι δίκη τὸν ἄγριον
ἐκεῖνον ἐφόβησεν οὔτε τὰ τοῦ παρακαταθεμένου πατρὸς
αὐτὸν εἰσῆλθε ῥήματα ἅπερ ἐκεῖνος τὸν υἱὸν ἐγχειρίζων
5 ἴσως ἐπέσκηπτεν ἐν ἐπιμελείᾳ τε αὐτὸν ἔχειν ἀξιῶν πολλῇ
καὶ πατέρα αὐτὸν ἐπιφημίζων τῷ παιδὶ καὶ ὡς αὐτὸν
γεγεννηκότα οὕτω τρέφειν καὶ παιδεύειν παρακαλῶν καὶ
τῆς τῶν οἰκείων προγόνων εὐγενείας ἄξιον ἀποφαίνειν, καὶ
μετὰ τούτων τῶν ῥημάτων τὴν δεξιὰν τοῦ παιδὸς τῇ
10 δεξιᾷ τοῦ φονέως ἐντιθεὶς καὶ μετὰ δακρύων διαλυόμενος.
Τούτων οὐδὲν εἰς νοῦν ὁ μιαρὸς ἐκεῖνος ἐβάλετο, ἀλλὰ
πάντα ῥίψας ἀθρόως ἀπὸ τῆς ψυχῆς τὸν φόνον ἐκεῖνον τὸν
πάντων ἐναγέστατον τῶν φόνων ἐργάζεται. Τοῦτο γὰρ καὶ
παιδοκτονίας χεῖρον τὸ μίασμα, καὶ μάρτυρες ὑμεῖς οἱ οὐκ
15 ἂν οὕτως ἀλγήσαντες — εἴπερ τοῖς ἐμοῖς πάθεσι καὶ τὰ
ὑμέτερα στοχάζεσθαι χρή — εἰ τὸν υἱὸν ὅτι κατέσφαξεν
ἠκούσατε τὸν αὐτοῦ. Τότε μὲν γὰρ μετὰ τῶν κοινῶν νόμων
καὶ οἱ τῆς φύσεως ἐδόκουν ἀνατετράφθαι θεσμοί, ἐνταῦθα
δὲ πολλὰ ὁμοῦ συνδεδράμηκεν καὶ τῆς φυσικῆς ἀνάγκης
20 ἰσχυρότερα τῷ πλήθει γίνεται.

24, 7 προτέροις O
25, 3 οὔτε : οὐ XO ‖ 4 αὐτὸν > O ‖ 8 εὐμενείας F ‖ 12 ἀθρόον
O ‖ 15 ἠλγήσατε F UXO ‖ 16 ὅτι τὸν υἱὸν ∼ O ‖ ὅτι > UX ‖

confiance à ses anciens ennemis et apporter une preuve de ses dispositions personnelles, de la sincérité avec laquelle il avait conclu la paix avec eux. Par ces paroles ils le persuadèrent et le roi livra son fils à ceux qu'il prenait pour des amis et des alliés, mais en réalité, comme la suite le montra, à la plus cruelle de toutes les bêtes. Après avoir reçu, en effet, au nom de l'amitié et du traité, cet enfant royal, il foula aux pieds et réduisit à néant, tout à la fois, les serments, le traité, le respect des hommes, la piété à l'égard de la divinité, la pitié que cet âge inspire.

25. Ni le jeune âge n'a fléchi la bête féroce, ni le châtiment qui suit de telles souillures n'a effrayé ce sauvage, ni les paroles du père qui lui avait confié ce dépôt ne lui sont venues à l'esprit, ces paroles de recommandation qu'il lui adressait sans doute en remettant son fils entre ses mains : il lui demandait d'en prendre le plus grand soin, l'appelait un père pour l'enfant, l'invitait à l'élever et à l'éduquer comme s'il l'avait lui-même engendré, et à le rendre digne de la noblesse de ses propres ancêtres ; il mettait enfin, tout en parlant, la main droite de l'enfant dans la droite de son meurtrier et s'en séparait avec larmes. Non, ce misérable n'a songé à rien de tout cela, mais, rejetant tout en bloc de son âme, il accomplit ce meurtre, le plus exécrable de tous les meurtres. Car cette souillure est pire encore qu'un infanticide, vous m'en êtes témoins, vous qui n'auriez pas autant souffert — s'il me faut conjecturer votre douleur d'après la mienne — si vous aviez appris qu'il avait égorgé son propre enfant. Alors, en effet, outre les lois de la société, les ordonnances de la nature aussi auraient paru violées ; mais ici, beaucoup d'éléments se sont rencontrés, qui, par leur nombre, sont plus forts encore que la nécessité naturelle.

17 αὐτοῦ BF^{ac} ἑαυτοῦ F^{pc} UO dm ‖ 19 συνδεδράμηκεν + ἃ F^{pc} UXO dm

26. Ὅταν γὰρ ἐννοήσω τὸ μειράκιον τὸ μηδὲν ἠδικηκός,
τὸ παρὰ τοῦ πατρὸς ἐκδοθέν, τὸ τῶν προγονικῶν βασιλείων
ἀποσπασθὲν καὶ τῆς οἰκείας τρυφῆς καὶ δόξης καὶ τιμῆς
ἀλλαξάμενον τὴν ἐν ἀλλοτρίᾳ διαγωγὴν ἵνα ἐξῇ τῷ μιαρῷ
5 θαρρεῖν ἐκείνῳ περὶ τῶν συνθηκῶν, εἶτα ὑπ' αὐτοῦ
κατεργασθὲν καὶ τῶν οἴκοι λαμπρῶν δι' αὐτὸν ἀποστερηθὲν
καὶ ὑπ' αὐτοῦ πάλιν ἀποσφαχθέν, ἐναντίον τι πάσχω πάθος
τηκόμενός τε ὁμοῦ τὴν ψυχὴν καὶ ἐξοιδῶν τὸ μὲν τοῦ
θυμοῦ τὸ δὲ τῆς ἀθυμίας ἐργαζομένης. Ὅταν μὲν γὰρ
10 ἐννοήσω τὸν μιαρὸν ἐκεῖνον ὁπλιζόμενον καὶ τὸ ξίφος
ἀνατείνοντα καὶ τὴν δειρὴν κατέχοντα τοῦ παιδὸς καὶ τὴν
δεξιὰν ἢ τὴν παρακαταθήκην ἐδέξατο ταύτῃ κατ' αὐτῆς
ὠθοῦντα τὸ ξίφος, διαρρήγνυμαι καὶ ἀποπνίγομαι τῷ θυμῷ.
Ὅταν δὲ πάλιν ἴδω τὸν νέον δεδοικότα καὶ τρέμοντα καὶ
15 οἰμώττοντα τὰς ἐσχάτας οἰμωγὰς καὶ τὸν πατέρα ἀνακα-
λοῦντα καὶ τούτων αἴτιον αὐτὸν γεγενῆσθαι λέγοντα καὶ
τὴν σφαγὴν οὐ τῷ βαπτίζοντι τὸ ξίφος εἰς τὸν λαιμὸν ἀλλὰ
τῷ γεγεννηκότι λογιζόμενον καὶ μὴ δυνάμενον ἐκφυγεῖν μὴ
ἀμῦναι ἑαυτῷ ἀλλ' ἀνήνυτα λοιπὸν τῷ φυσαμένῳ μεμφό-
20 μενον καὶ δεχόμενον τὴν πληγὴν καὶ ἀσπαίροντα καὶ
λακτίζοντα τοὔδαφος καὶ τὴν γῆν τοῖς τῶν αἱμάτων
μολύνοντα κρουνοῖς, διακόπτομαι τὰ σπλάγχνα καὶ σκο-
τοῦμαι τὸν λογισμὸν καί μού τις ἀχλὺς ἀθυμίας καταχεῖται
τοῖς ὀφθαλμοῖς.

27. Ἀλλ' οὐχ ὁ θὴρ ἐκεῖνος ἔπαθέ τι τοιοῦτον οὐδέν,
ἀλλ' ὥσπερ τινὰ ἄρνον καταθύειν μέλλων ἢ μόσχον οὕτω
διετέθη πρὸς τὴν μιαρὰν ἐκείνην σφαγήν. Καὶ ὁ μὲν παῖς
ἔκειτο νεκρὸς δεξάμενος τὴν πληγὴν ὁ δὲ σφαγεὺς ἐπηγω-
5 νίζετο τῷ μιάσματι τοῖς δευτέροις τὰ πρότερα ἀποκρύψαι
φιλονεικῶν. Τάχα μέ τις οἴεταί τι περὶ τῆς ταφῆς ἐρεῖν,
καὶ ὅτι μετὰ τὴν σφαγὴν οὐδὲ βραχείας τῷ φονευθέντι

26, 3 οἰκείας : ἐν οἰκίᾳ (οἰκείᾳ O) F^{pc} UXO ‖ 5 ἐκείνῳ θαρρεῖν ~ O ‖
6 κατειρχθέν d ‖ αὐτὸν : αὐτῶν B ‖ 7 πάλιν ὑπ' αὐτοῦ ~ F ‖ ἀποσφαγέν F
UXO m ‖ 9 μὲν > X ‖ 15 οἰμώζοντα F UXO m ‖ 18 μὴ² : μητ' P^{pc}

26. Lorsque je songe à ce garçon qui n'avait rien fait de mal, qui avait été livré par son père et arrraché au palais royal de ses ancêtres, qui avait échangé le luxe, la gloire et l'honneur de sa maison contre le séjour dans une terre étrangère, afin de permettre à ce misérable d'être rassuré sur le traité, et puis qui fut sa victime, privé à cause de lui des splendeurs de sa maison et enfin égorgé par lui, j'éprouve des sentiments contradictoires : je sens mon âme se consumer et se gonfler à la fois sous l'effet de la colère et du désespoir. Lorsque je songe, en effet, à ce misérable en armes, brandissant son épée, saisissant l'enfant à la gorge et de sa main droite dans laquelle il avait reçu le dépôt, de cette main dirigeant son épée contre sa gorge, j'éclate et je suffoque de colère. Mais lorsque je vois, d'autre part, l'enfant effrayé, tremblant, exhalant les dernières plaintes, appelant son père et le disant responsable de ce qui arrive, attribuant le meurtre non à celui qui plonge son épée dans sa gorge mais à celui qui l'a engendré, incapable de fuir ni de se défendre et adressant à celui qui lui a donné la vie des reproches désormais inutiles, puis recevant le coup, se tordant convulsivement, battant le sol de ses pieds et souillant la terre de flots de sang, je sens se rompre mes entrailles, ma raison s'égare, un brouillard de désespoir se répand sur mes yeux.

27. Mais ce monstre n'éprouva rien de pareil; c'est comme s'il allait offrir un agneau ou un veau en sacrifice! telles furent ses dispositions à l'égard de ce meurtre abominable. L'enfant gisait mort, après avoir reçu le coup, et le meurtrier ajoutait à sa souillure en s'ingéniant à cacher le premier crime sous un second. On pense peut-être que je vais parler de la sépulture et dire qu'après le meurtre il n'accorda même pas un peu de terre à celui qu'il avait

μηδὲ UXO dm ‖ 19 ἐπαμῦναι F P UXO dm ‖ 20 σπαίροντα F UXO d
27, 2 τι ἀρνίον UXO d

μετέδωκε γῆς. Ἐγὼ δέ τι τούτου τολμηρότερον ἕτερον ἐρῶ. Τὰς γὰρ ἀνόμους χεῖρας ἐκείνας τοιούτῳ μολύνας
541 10 αἵματι καὶ τὴν καινὴν ἐργασάμενος τραγῳδίαν ὡς | οὐδὲν ὅλως τετολμηκὼς ὁ ἀναιδὴς καὶ πετρῶν αὐτῶν σκληρότερος πρὸς τὴν ἐκκλησίαν ἐπείγετο τοῦ Θεοῦ.

28. Καὶ ἴσως τινὲς θαυμάζουσι πῶς οὐκ ἐπλήγη θεηλάτῳ πληγῇ τοιαῦτα τολμῶν ἢ πῶς οὐκ ἐπαφῆκεν αὐτῷ σκηπτὸν ἄνωθεν ὁ Θεὸς καὶ πρὸ τῆς εἰσόδου τὴν ἀναίσχυντον ὄψιν κατέφλεξε τῷ κεραυνῷ. Ἐγὼ δὲ εἴ
5 τινες ἔλαβον τοῦτον τὸν λογισμὸν ἐπαινῶ μὲν αὐτοὺς καὶ θαυμάζω τῆς πυρώσεως λείπειν δὲ αὐτῶν οὐ μικρὸν τῷ θαύματι τούτῳ καὶ τοῖς ἐπαίνοις φημί. Δικαίαν μὲν γὰρ τὴν ἀγανάκτησιν ἔσχον ὑπέρ τε τοῦ οὐκ ἐν δίκη κατακοπέντος παιδὸς ὑπέρ τε τῶν τοῦ Θεοῦ νόμων οὕτως
10 ὑβρισθέντων ἰταμῶς, ἀλλὰ τῷ θυμῷ ζέοντες οὐ συνεῖδον ὅσον ἰδεῖν ἐχρῆν. Τοῦ γὰρ δικαίου τούτου νόμος ἕτερος ἀνώτερος πολλῷ κεῖται ἐν τοῖς οὐρανοῖς.

29. Τίς οὖν ἐστιν ὁ νόμος; Τοῖς ἡμαρτηκόσι μὴ κατὰ πόδας τὴν τιμωρίαν ἐπάγειν, ἀλλ' ἐνδιδόναι τῷ πεπλημμεληκότι χρόνους καὶ προθεσμίαν τὸ πλημμεληθὲν ἀποδύσασθαι, καὶ διὰ τῆς μετανοίας ἐξισωθῆναι τοῖς οὐδὲν

28, 4 τῷ κεραυνῷ κατέφλεξε ~ F UXO ‖ 6 αὐτῶν οὐ μικρὸν : οὐ μικρὸν αὐτοὺς F   αὐτοὺς οὐ μικρὸν UXO m ‖ 7 γὰρ > O (suppl. s.l. Oᵖᶜ) ‖ 8-9 ὑπέρ — παιδὸς > U (suppl. Uᵐᵍ) O ‖ καταποθέντος X ‖ 11 ὅσον ἰδεῖν : ὃ συνιδεῖν Fᵖᶜ UXO   ὅσον d ‖ 12 ἀνώτερος πολλῷ : γε (s.l.) πολλῷ δικαιότερος (mg.) O
29, 3 προθεσμίαν + ὥστε B² F UXO dm

1. Au § 121, Jean Chrysostome accuse Julien d'endurcissement (σκληρότης).

assassiné? Mais non, je vais citer un acte plus audacieux
encore que cela. Après avoir souillé ces mains impies d'un
tel sang et avoir interprété cette tragédie inouïe, comme
s'il n'avait commis absolument aucun acte d'audace, cet
homme sans pudeur et plus dur que les pierres mêmes[1], se
hâtait vers l'église de Dieu.

B. LES DÉLAIS DE LA JUSTICE DIVINE

28. Peut-être certains s'étonnent-ils qu'il n'ait pas été
atteint d'un coup frappé par Dieu, pour une telle audace,
que Dieu n'ait pas d'en haut lancé un éclair contre lui et
n'ait pas consumé de sa foudre, avant de le laisser entrer,
cette face impudente[2]. Pour moi, si certains ont fait ce
raisonnement, je les loue, j'admire leur ardeur, je dis
pourtant que ce qui manque à mon admiration pour eux et
à mes louanges n'est pas peu de chose. Juste était leur
indignation pour le massacre injuste de l'enfant et la
violation si effrontée des lois de Dieu; toutefois, dans leur
bouillante colère ils n'ont pas bien vu tout ce qu'il fallait
voir. Bien au-dessus de cette justice-là, en effet, il y a une
autre loi dans les cieux.

29. Quelle est donc cette loi? C'est de ne pas infliger
immédiatement le châtiment aux pécheurs, mais d'accorder
au criminel du temps et un délai pour se dépouiller de son
crime[3] et devenir par le repentir l'égal de ceux qui n'ont

---

2. La lenteur des châtiments divins était proverbiale. «Elle tarde :
telle est la nature de la divinité» (EURIPIDE, *Oreste*, 420). ÉPICURE en
tirait un argument contre la doctrine de la Providence (éd. Usener,
p. 246). PLUTARQUE tenta de lui répondre dans l'opuscule sur *Les délais
de la justice divine* (*Mor.* 548a-568a).
3. La même expression revient dans une *Homélie contre Eutrope* (5 =
PG 52, 396) : «Dieu lui accorde un délai de vie... afin qu'il se purifie de
ses crimes.» Voir aussi *Hom. sur les Actes des apôtres*, XII, 4 : «Dieu
t'accorde un délai pour que tu te purifies» (cf. LAMPE, *s.u.* προθεσμία).

5 εἰργασμένοις δεινόν· ὅπερ καὶ τότε ἐνεδείξατο εἰς τὸν
δείλαιον ἐκεῖνον ὁ Θεός. Ἐγίνετο δὲ πλέον οὐδὲν ἀλλ'
ἔμενεν ἀδιόρθωτος. Ὁ δὲ φιλάνθρωπος καὶ τοῦτο προειδὼς
οὐδὲ οὕτως ὑπερεῖδεν αὐτὸν οὐδὲ ἐνέλιπε τὰ παρ' αὐτοῦ,
ἀλλ' αὐτὸς μὲν καὶ ἐπεσκόπησε κάμνοντα καὶ τὰ πρὸς
10 ὑγείαν ἔπραξεν, ἐκεῖνος δὲ οὐκ ἠθέλησε τὸ φάρμακον
δέξασθαι ἀλλὰ καὶ τὸν ἐπὶ τούτῳ πεμφθέντα συνέκοψεν
ἰατρόν. Τὸ δὲ φάρμακον καὶ ὁ τῆς ἰατρείας τρόπος
τοιοῦτος ἦν.

VI		30. Ἔτυχε κατὰ τὸν καιρὸν ἐκεῖνον καθ' ὃν τὸ ἀπηνὲς
τοῦτο δρᾶμα ἐτολμᾶτο καὶ ἐλεεινὸν ἄνδρα τινὰ μέγαν καὶ
θαυμαστὸν — εἴ γε δεῖ αὐτὸν ἄνδρα καλεῖν — τῆς ποίμνης
ἐπιμελεῖσθαι τῆς παρ' ἡμῖν· Βαβύλας ἦν ὄνομα αὐτῷ.
5 Οὗτος τότε τοῦ Χριστοῦ τὴν ἐκκλησίαν τὴν ἐνθάδε ὑπὸ τῆς
τοῦ Πνεύματος χάριτος ἐγχειρισθεὶς τὸν Ἡλίαν καὶ τὸν
τούτου ζηλωτὴν τὸν Ἰωάννην παρήλασε μὲν οὐκ ἂν εἴποιμι
μὴ καὶ λίαν φορτικὸν τὸ λεγόμενον ᾖ, ἔφθασε δὲ οὕτως ὡς
μηδὲ τὸ τυχὸν ἀπολειφθῆναι τῆς ἐλευθερίας τῶν γενναίων
10 ἐκείνων ἀνδρῶν. Οὐ γὰρ τετράρχην πόλεως ὀλίγων οὐδὲ
ἑνὸς ἔθνους βασιλέα[a] ἀλλὰ τὸν τοῦ πλείστου μέρους τῆς
οἰκουμένης ἁπάσης κατέχοντα, αὐτὸν δὴ τοῦτον τὸν ἀνδρο-

29, 5 ἐπεδείξατο F UX ‖ 8 αὐτὸν ὑπερεῖδεν ~ F UXO ‖ 8 αὐτοῦ
scripsi : αὐτοῦ BF UXO ἑαυτοῦ F[pc] dm ‖ αὐτοῦ + ποιῶν F UXO dm ‖
9 ἀπεσκόπησε UX ‖ 10 ὑγίειαν F dm

30, 1 ἔτυχε : pr. (ut tit.) ἀρχὴ τοῦ εἰς βαβύλαν ἐγκωμίου UX ‖ 5 οὗτος
+ τοίνυν B[2] F dm ‖ 7 τούτου : ἐκείνου F UXO d ‖ τὸν > UX ‖
παρήλασε : pr. ὅτι F[pc] UXO dm ‖ 11 τὸν > O ‖ τὸ πλεῖστον μέρος F
UXO dm ‖ 12 ἁπάσης > O ‖ κατέχοντα : κατάρχοντα UXO

---

30. a. cf. Matth. 14, 1; Lc 9, 7

fait aucun mal[1] : c'est cette conduite-là, précisément, que Dieu a manifestée alors envers ce malheureux. Mais il n'y eut aucun résultat et il resta incorrigible. Le Miséricordieux, bien qu'il l'ait prévu, ne l'a pas abandonné pour autant et n'a rien négligé de ce qui dépendait de lui; au contraire, il a visité lui-même le malade et fait le nécessaire pour sa guérison; mais lui a refusé de recevoir le remède et frappé le médecin envoyé à cet effet. Le remède et le traitement, les voici :

C. BABYLAS INTERDIT A L'EMPEREUR
L'ENTRÉE DE L'ÉGLISE

a) La scène de l'expulsion 30. Il se trouva, à cette époque où l'on osait ce drame[2] cruel et pitoyable, qu'un homme grand et admirable, si, du moins, il faut l'appeler un homme, était chargé du troupeau de nos fidèles; son nom était Babylas. Cet homme, qui s'était vu confier alors par la grâce de l'Esprit l'Église du Christ d'ici, je n'oserais dire qu'il surpassa Élie et son émule Jean[3], de peur que mes propos ne soient tout à fait insupportables, mais il en vint au point que sa liberté ne le céda même si peu que ce fût à celle de ces hommes généreux. Car ce n'est pas le tétrarque de quelques villes ou le roi d'un seul peuple[a], mais celui qui occupait la plus grande partie de tout le monde habité, c'est

---

1. Voir aussi JEAN CHRYS., *Hom. sur : Les démons ne gouvernent pas le monde*, I, 7; *Exp. sur le Ps. 9*, 10-11; *sur le Ps. 113*, 4. Cette même idée revient souvent chez les Pères (par ex. GRÉGOIRE DE NAZ., *Discours*, V, 27 s.).

2. Terme que Jean Chrysostome utilise à nouveau aux § 56 et 81. Au § 27, il avait qualifié de «tragédie» le crime de l'empereur. Voir T. AMERINGER, *The stylistic influence of the Second Sophistic on the Panegyrical Sermons of St John Chrysostom*, Washington 1921, p. 62.

3. On retrouve la même comparaison entre Jean-Baptiste et Babylas dans une *Homélie sur l'Épître aux Éphésiens* (IX, 2; cf. *Matth.* 14, 3-4).

φόνον, καὶ πολλὰ μὲν ἔθνη πολλὰς δὲ πόλεις καὶ στρατιὰν
ἄπειρον κεκτημένον καὶ πάντοθεν ὄντα φοβερὸν ἀπό τε τοῦ
15 μεγέθους τῆς ἀρχῆς ἀπό τε τῆς τῶν τρόπων θρασύτητος,
ὡς ἀνδράποδον εὐτελὲς καὶ οὐδενὸς ἄξιον οὕτω τῆς ἐκκλησίας ἐξέβαλε μετὰ τοσαύτης ἀταραξίας καὶ ἀφοβίας μεθ'
ὅσης ἂν ποιμὴν πρόβατον ψώρας ἐμπεπλησμένον καὶ νενο-
σηκὸς τῆς ποίμνης ἀπείρξειε κωλύων εἰς τὰ λοιπὰ διαβῆναι
20 τὴν νόσον τοῦ κάμνοντος.

31. Καὶ ταῦτα ἔπραττεν ἔργῳ τὸν τοῦ Σωτῆρος λόγον
βεβαιῶν ὅτι μόνος δοῦλός ἐστιν ὁ τὴν ἁμαρτίαν ποιῶν[a],
κἂν μυρίους ἐπὶ τῆς κεφαλῆς ἔχῃ στεφάνους, κἂν ἁπάντων
δοκῇ τῶν ἐπὶ τῆς γῆς ἀνθρώπων κρατεῖν· ὁ δὲ οὐδὲν
5 ἑαυτῷ συνειδὼς πονηρὸν κἂν ἐν τῇ τῶν ὑπηκόων καταλέ-
γηται τάξει πάντων ἐστὶ βασιλέων βασιλικώτερος. Αὐτίκα
γοῦν τὸν ἄρχοντα διέταττεν ὁ ἀρχόμενος καὶ τῷ κρατοῦντι
πάντων ἔκρινεν ὁ ὑπήκοος καὶ τὴν καταδικάζουσαν αὐτὸν
ψῆφον ἔφερε. Σὺ δὲ ταῦτα ἀκούων μὴ παρέλθῃς τὸ λεχθέν.
10 Ἱκανὸν μὲν γὰρ καὶ αὐτὸ καθ' ἑαυτὸ τοῦτο ἀπαγγελθὲν ὅτι
τὸν βασιλέα τῶν τῆς ἐκκλησίας προθύρων ἐξήλασε τῶν ὑπὸ
542   τὴν ἀρχὴν ὄντων τις τὴν αὐτοῦ διαναστῆσαι | καὶ ἐκπλῆξαι
τὴν τῶν ἀκουόντων ψυχήν.

32. Εἰ δὲ βούλει τὸ θαῦμα ἅπαν καταμαθεῖν ἀκριβῶς μὴ
ψιλῷ τῷ ῥήματι πρόσεχε ἀλλ' ὑπόγραψον τοὺς δορυφόρους,
τοὺς ὑπασπιστάς, τοὺς στρατηγούς, τοὺς ἄρχοντας, τοὺς ἐν

30, 16 ἄξιον + λόγου F UXO dm ‖ 17 ἀταραχίας B² ‖ 19 ἀπείρξοι F
UXO ‖ διαβῆναι : pr. μὴ UXO
31, 1 σωτῆρος : θεοῦ F UXO d ‖ 7 τὸν κρατοῦντα F UXO
‖ 9 παρέλθῃς + ἁπλῶς X ‖ 12 τὴν² : τῶν B UX ‖ 13 τὴν ... ψυχήν : τὰς ...
ψυχάς F

---

31. a. cf. Jn 8, 34

---

1. Une légère modification du texte de Jean a permis de le rapprocher
du paradoxe stoïcien : «Seul le sage est libre, tout insensé est esclave»

lui, cet homicide, qui possédait des peuples nombreux, des villes nombreuses et une armée immense, redouté en tous lieux à cause de la grandeur de son empire et de la brutalité de ses mœurs, c'est lui que, comme un vil esclave et un homme de rien, il chassa de l'église avec aussi peu de trouble et de crainte qu'un berger écarterait du troupeau une brebis pleine de gale et malade, pour empêcher la maladie de la brebis atteinte de se transmettre au reste (du troupeau).

31. En agissant ainsi, il confirmait, par son action, la parole du Sauveur : seul est esclave celui qui commet le péché[a1], aurait-il des milliers de couronnes sur la tête et parût-il être maître de tous les hommes de la terre; mais celui qui n'a aucune faute à se reprocher, fût-il compté au rang des sujets, est plus royal que tous les rois. En la circonstance, donc, celui qui obéissait donnait un ordre à celui qui commandait, le sujet jugeait le maître de l'univers et portait sur lui une sentence de condamnation. Pour toi qui entends cela, ne prends pas à la légère ce qui vient d'être dit; certes, il suffit par lui-même, ce récit qui montre l'empereur chassé du vestibule de l'église par un de ceux qui étaient soumis à son autorité, il suffit à ranimer et à frapper l'âme des auditeurs.

32. Mais si tu veux te faire une idée exacte de ce prodige dans son ensemble, ne t'arrête pas aux simples mots, mais représente-toi[2] les porteurs de lances et de boucliers, les généraux, les magistrats, les officiers du palais impérial, les

(CICÉRON, *Parad.*, 5 ; PHILON, *Quod omnis probus*; ORIGÈNE, *Comm. sur Jn*, II, XVI, 112, avec la note de C. Blanc dans *SC* 120, p. 36; JEAN CHRYS., *Sermons sur Lazare*, VI, 6-7; *Hom. sur Matth.*, LVIII, 3.5. Voir aussi la note de G. Bardy sur «L'esclavage des méchants» dans *BA* 33, p. 800.

2. Exemple d'une de ces descriptions évocatrices chères aux écoles de rhétorique. Cf. W.A. MAAT, *A rhetorical study of St John Chrysostom's «De sacerdotio»*, Washington 1944, p. 72-80, qui cite d'autres exemples.

ταῖς βασιλικαῖς αὐλαῖς στρεφομένους, τοὺς ἐπὶ τῶν πόλεων
5 τεταγμένους, τὸν τῦφον τῶν προηγουμένων, τῶν ἑπομένων
τῶν σοβούντων τὸ πλῆθος, τὴν ἄλλην θεραπείαν ἅπασαν ·
εἶτα αὐτὸν ἐν τῷ μέσῳ μετὰ πολλοῦ μὲν ἐπιβαίνοντα τοῦ
φρονήματος σεμνότερον δὲ ἀπὸ τῶν ἱματίων φαινόμενον καὶ
τῆς ἁλουργίδος καὶ τῶν λίθων πανταχοῦ διεσπαρμένων
10 κατὰ τὴν δεξιάν, κατὰ τὴν συμβολὴν τῆς χλανίδος, τῶν
ἀπὸ τοῦ διαδήματος ἐξ αὐτῆς ἀστραπτόντων τῆς κεφαλῆς.

33. Καὶ μηδὲ μέχρι τούτου στήσῃς τὴν εἰκόνα, ἀλλ᾽
ἔκτεινον αὐτὴν καὶ ἐπὶ τὸν τοῦ Θεοῦ δοῦλον τὸν μακάριον
Βαβύλαν καὶ τὸ σχῆμα τὸ ταπεινὸν καὶ ἐπὶ τὴν στολὴν τὴν
ἰδιωτικὴν καὶ τὴν συντετριμμένην ψυχὴν καὶ τὸ θράσους
5 ἀπηλλαγμένον φρόνημα καὶ οὕτως ἀμφοτέρους διαγράψας
καὶ ἀντιθεὶς τότε γνώσῃ τὸ θαῦμα καλῶς μᾶλλον δὲ οὐδὲ
οὕτως ἐπιλήψῃ τῆς ἀκριβείας αὐτῆς. Τὴν γὰρ παρρησίαν
ἐκείνην λόγος μὲν οὐδεὶς οὐδὲ ὄψις παραστῆσαι δύναιτ᾽ ἂν
ἡ πεῖρα δὲ μόνη καὶ ἡ χρῆσις αὐτῆς. Καὶ τὸ παράστημα
10 τῆς τοῦ γενναίου ψυχῆς μόνος ἐκεῖνος δύναιτ᾽ ἂν εἰδέναι
καλῶς ὁ δυνηθεὶς εἰς τὴν αὐτὴν αὐτῷ τῆς παρρησίας
φθάσαι κορυφήν. Πῶς γὰρ προσῆλθεν ὁ γέρων; Πῶς
τοὺς δορυφόρους διέκοψε; Πῶς τὸ στόμα διῆρε; Πῶς
ἐφθέγξατο; Πῶς ἐπετίμησε; Πῶς τὴν δεξιὰν εἰς τὸ στῆθος
15 ἀπήρεισε τὸ φλεγμαῖνον ἔτι τῷ θυμῷ καὶ ζέον τῷ φόνῳ;
Πῶς ἀπώσατο τὸν ἀνδροφόνον; Οὐδὲν αὐτὸν τῶν δρωμένων
κατέπληξε καὶ τῆς προθέσεως ἐξέκρουσεν. Ὦ ψυχῆς ἀκα-
ταπλήκτου καὶ διανοίας ὑψηλῆς. Ὦ φρενῶν οὐρανίων καὶ
παραστήματος ἀγγελικοῦ. Ὥσπερ γὰρ ἐν τοίχῳ γεγραμ-
20 μένην ἅπασαν τὴν φαντασίαν ἐκείνην ὁρῶν οὕτως ἀταράχως
ἅπαντα ἔπραττεν ὁ γενναῖος ἀνήρ.

32, 4 στρεφομένους codd. (ρ s.l. F) : τρεφομένους m ‖ 5 τὸν : τῶν B ‖
11 ἀπαστραπτόντων UX
33, 3 ἐπὶ > Fᵖᶜ? UXO ‖ 4 καὶ¹ > UXO ‖ 7 τὴν + μὲν F ‖
8 παραστῆσαι > Bᵃᶜ ‖ 9 παράστημα + δὲ Fᵖᶜ UXO dm ‖ 11 τῆς > UX
‖ 15 ἔτι : ἐπὶ A XO ‖ ζέοντι O ‖ 17 ἐξέκρουεν Bᵃᶜ (σ suppl. Bᵖᶜ)

gouverneurs des cités, l'orgueil des gens qui ouvraient la marche, la foule de ceux qui suivaient fièrement et tout le cortège des courtisans; puis, lui-même au milieu, s'avançant d'un air altier et paraissant plus auguste du fait de ses vêtements, sa robe de pourpre, les pierres précieuses disséminées partout sur sa main, à la fermeture de son manteau, celles de son diadème qui étincelaient sur sa tête.

33. Et ne limite pas à cela le tableau, étends-le aussi au serviteur de Dieu, le bienheureux Babylas, à son maintien modeste, à ses habits communs, à son âme remplie de componction, à son cœur exempt de toute arrogance; en les dépeignant ainsi tous les deux et en les opposant l'un à l'autre, tu comprendras parfaitement ce prodige, ou plutôt, même alors tu n'en saisiras pas la nature exacte. Car ce franc-parler, aucune parole ni aucune vision ne pourraient le reproduire. Seules le peuvent l'expérience et la pratique. La fermeté d'âme de cet homme généreux, celui-là seul pourrait bien la percevoir qui pourrait parvenir au même sommet de franc-parler que lui. Comment s'approcha le vieillard? Comment il se fraya un passage à travers les gardes du corps? Comment il ouvrit la bouche? Comment il s'exprima? Comment il fit entendre ses reproches? Comment il posa la main droite sur la poitrine encore embrasée de colère et bouillonnante du meurtre, comment il repoussa l'homicide? Rien de ce qui se passait ne l'effraya et ne le détourna de son dessein. Âme inébranlable! pensée sublime! cœur céleste! fermeté angélique! On eût dit qu'il voyait toute cette scène dessinée sur un mur, tant manifestait d'impassibilité dans tous ses actes cet homme généreux[1].

---

1. L'idée de la fresque revient dans un *Sermon sur Lazare* (IV, 2): «Voyant un pauvre et un riche comme dessinés sur un mur.»

34. Καὶ γὰρ ἦν πεπαιδευμένος ἀπὸ τῶν θείων δογμάτων ὅτι σκιὰ καὶ ὄναρ καὶ τούτων οὐδαμινώτερα ἅπαντα τὰ τοῦ κόσμου πράγματα. Διὰ τοῦτο οὐδὲν αὐτὸν τούτων καταπτῆξαι ἐποίησεν ἀλλὰ καὶ μᾶλλον ἐθάρρυνεν. Ἡ γὰρ
5 ὄψις ἐκείνη τῶν ὁρωμένων τὴν διάνοιαν παρέπεμπεν ἐπὶ τὸν ἄνω βασιλέα τὸν καθήμενον ἐπὶ τῶν Χερουβὶμ καὶ βλέποντα ἀβύσσους, ἐπὶ τὸν θρόνον τὸν ἔνδοξον καὶ ὑψηλόν, ἐπὶ τὴν στρατιὰν τὴν οὐράνιον, ἐπὶ τὰς μυριάδας τῶν ἀγγέλων, ἐπὶ τὰς χιλιάδας τῶν ἀρχαγγέλων, ἐπὶ τὸ βῆμα
10 τὸ φοβερόν, ἐπὶ τὸ κριτήριον τὸ ἀδέκαστον, ἐπὶ τὸν τοῦ πυρὸς ποταμόν, ἐπὶ τὸν κριτὴν αὐτόν. Διά τοι τοῦτο ὅλον ἑαυτὸν μεταστήσας ἀπὸ τῆς γῆς εἰς τὸν οὐρανὸν ὡς ἐκείνῳ τῷ δικαστῇ παρεστὼς καὶ αὐτοῦ κελεύοντος ἀκούων τὸν ἐναγῆ καὶ μιαρὸν τῆς ἱερᾶς ἀγέλης ἐξωθεῖν, οὕτως ἐξέ-
15 βαλλε καὶ τῶν λοιπῶν προβάτων ἀφώριζε καὶ πρὸς οὐδὲν ἐπεστρέφετο τῶν ὁρωμένων καὶ δοκούντων εἶναι φοβερῶν ἀλλ' ἀνδρείως αὐτὸν μάλα καὶ γενναίως ἀπωσάμενος παρέστη τυραννουμένοις τοῖς τοῦ Θεοῦ νόμοις.

35. Καίτοι πόσῃ περὶ τοὺς λοιποὺς αὐτὸν παρρησίᾳ κεχρῆσθαι εἰκός; Ὁ γὰρ τῷ κρατοῦντι μετὰ τοσαύτης ἐξουσίας προσενεχθεὶς τίνα τῶν λοιπῶν ἔδεισεν ἄν; Ἐγὼ τὸν ἄνδρα ἐκεῖνον στοχάζομαι μᾶλλον δὲ οὐ στοχάζομαι
5 ἀλλὰ πιστεύω μὴ πρὸς χάριν, μὴ πρὸς ἀπέχθειαν μήτε πρᾶξαι μήτε εἰπεῖν τί ποτε ἀλλὰ καὶ πρὸς φόβον καὶ πρὸς τὴν τούτου δυνατωτέραν κολακείαν καὶ πρὸς τὰ ἄλλα τὰ τοιαῦτα — πολλὰ δὲ τὰ ἀνθρώπινα — γενναίως στῆναι καὶ ἀνδρείως καὶ μηδὲ μικρόν τι τῆς ὀρθῆς διαφθεῖραι κρίσεως.
10 Εἰ γὰρ «στολισμὸς ἀνδρὸς καὶ γέλος ὀδόντων καὶ βῆμα

34, 5 ἐκείνων X ‖ 9 ἐπὶ — ἀρχαγγέλων > Fᵃᶜ ‖ 14 ἐξέβαλε F UXO m ‖ 15 ἀφώρισε O ‖ 16 ἐπέστρεφε Fᵃᶜ ‖ 18 προέστη O
35, 4 οὐ : οὐδὲ O ‖ 7 τὰ² > O ‖ 10 γέλως AC X

---

1. Cf. PINDARE, Pyth., VIII, 95 : «L'homme est le songe d'une ombre.» La même idée revient chez JEAN CHRYS., Virginité, LVIII, 1;

**b) Liberté
et franc-parler
de Babylas**

34. Il avait, en effet, été formé par les préceptes divins à considérer comme ombre, songe[1] et moins encore, toutes les choses du monde. C'est pourquoi rien de cela ne lui causa de la frayeur mais lui inspirait au contraire, plus de hardiesse. La vue de ce qu'il avait sous les yeux guidait sa pensée jusqu'au roi d'en haut, assis sur les chérubins, et qui contemple les abîmes, jusqu'au trône glorieux et élevé, à l'armée céleste, aux myriades d'anges, aux milliers d'archanges, à la tribune redoutable, au tribunal incorruptible, au fleuve de feu, à l'Arbitre lui-même. Voilà pourquoi, se transportant tout entier de la terre au ciel[2], comme s'il se tenait auprès de ce juge et l'entendait ordonner de rejeter le scélérat, le misérable, hors du troupeau sacré, il le chassa, le sépara des autres brebis et ne fit aucun cas de ce qu'il avait sous les yeux et qui paraissait redoutable, mais avec beaucoup de courage et de noblesse il le repoussa, portant assistance aux lois de Dieu qui étaient violées.

35. Assurément, de quel franc-parler a-t-il dû user envers les autres? Celui qui avec le souverain s'était comporté avec une telle liberté, qui d'autre aurait-il craint? Quant à moi, j'imagine que cet homme, ou plutôt, je ne l'imagine pas, je crois qu'il n'a jamais rien fait ni rien dit ni par complaisance ni par haine, mais aussi qu'il a résisté noblement et courageusement à la peur, à la flatterie, qui est plus puissante que la peur, et aux autres passions de ce genre — et elles sont nombreuses, les passions humaines —, et qu'il n'a jamais altéré, même en peu de chose, la rectitude de son jugement. Car si «l'habit d'un homme, le

---

Hom. sur Matth., XXXIII, 4; *Contre les détracteurs de la vie monastique*, II, 9.
2. Voir aussi *Cat. bapt.*, VII, 17-20 : «Les martyrs détournent les yeux de la terre pour les fixer sur le ciel» (cf. *IV Macc.* 6, 5-6; *Act.* 7, 55-56).

ποδὸς ἀπαγγέλλει τὰ περὶ αὐτοῦ[a]», πολλῷ μᾶλλον τὰ
τοσαῦτα κατορθώματα πᾶσαν ἡμῖν ἱκανὰ τοῦ λοιποῦ βίου
παραδεῖξαι τὴν ἀρετήν. Οὐδὲ γὰρ ἐπὶ τῇ παρρησίᾳ μόνον
αὐτὸν θαυμάζειν χρὴ ἀλλὰ καὶ ἐπὶ τῷ μέχρι τοσούτου τὴν
15 παρρησίαν ἐκτεῖναι καὶ ἐπὶ τῷ πάλιν μηδὲν προσθεῖναι
πλέον αὐτῇ. |

543 VII 36. Τοιαύτη γὰρ ἡ τοῦ Χριστοῦ σοφία μήτε ἐλλιπῶς
μήτε περιττῶς ἀγωνίζεσθαι συγχωροῦσα ἀλλὰ πανταχοῦ
τὴν συμμετρίαν φυλάττουσα. Καίτοι γε ἐνῆν εἴπερ ἐβούλετο
καὶ περαιτέρω προελθεῖν. Τῷ γὰρ ἀπαγορεύσαντι τὸ ζῆν
5 – οὐδ᾽ ἂν τὴν ἀρχὴν προσῆλθεν εἰ μὴ τοιούτοις αὐτὸν
ὥπλισε λογισμοῖς – μετ᾽ ἐξουσίας ἅπαντα πράττειν ἐξῆν
καὶ ὕβρεσι πλῦναι τὸν βασιλέα καὶ τὸ διάδημα καθελεῖν τῆς
κεφαλῆς καὶ πληγὰς εἰς τὸ πρόσωπον ἐντεῖναι ὅτε τὴν
δεξιὰν εἰς τὸ στῆθος ἀπήρεισεν. Ἀλλ᾽ οὐδὲν τούτων
10 ἐποίησε· τῷ γὰρ ἅλατι τῷ πνευματικῷ τὴν ψυχὴν ἠρτυ-
μένος ἦν[a], δι᾽ ὅπερ οὐδὲν ἔπραττεν εἰκῆ καὶ μάτην, ἀλλὰ
πάντα κρίσει λογισμῶν ὀρθῇ καὶ μετὰ καταστάσεως ὑγιοῦς.

37. Οὐ καθάπερ οἱ παρ᾽ Ἕλλησι σοφοὶ οἳ συμμέτρως
μὲν οὐδέποτε πανταχοῦ δὲ ὡς εἰπεῖν ἢ πλέον ἢ ἔλαττον τοῦ
δέοντος παρρησιάζονται ἵνα ἀνδρείας μὲν οὐδαμοῦ, παθῶν
δὲ ἀλογίστων δόξαν λάβωσι πανταχοῦ, ἐν οἷς μὲν ὑστέ-
5 ρησαν δειλίας ἐν οἷς δὲ ὑπερέβησαν ἀλαζονείας καὶ φιλοδο-
ξίας παρὰ πᾶσιν ἁλισκόμενοι – ἀλλ᾽ οὐχ ὁ μακάριος
ἐκεῖνος, οὐ γὰρ ἁπλῶς τὸ ἐπελθὸν ἔπραττεν ἀλλὰ πάντα

35, 11 ἑαυτοῦ F ‖ 12 πᾶσιν B ‖ 13 παραδεῖξαι : παραστῆσαι F ‖
15 μηδὲν + γὰρ Μ
36, 1 χριστοῦ : θεοῦ AF d ‖ 4 καὶ > Ο ‖ τῷ : μὴ Ο ‖ τὸ : τοῦ Χ ‖
5 προσῆλθεν : προσελθεῖν F UX προσελθεῖν ἦν οὐδ᾽ Ο ‖ αὐτὸν d : αὐτὸν Β
m ἑαυτὸν F UXO ‖ 6 μετ᾽ : pr. ὥστε F² UXO ‖ πράττειν + punctum F
UXO ‖ 7 τῆς : pr. ἐκ F ‖ 11 διόπερ F UXO
37, 3 δέοντος : εἰκότος Ο ‖ 4 ἀλογίστων + δὲ ἀλογίστων Β^ac +
ἀλόγιστον P F ‖ 7 οὐ γὰρ — ἔπραττεν > Ο

rire de ses dents, sa démarche font connaître ce qu'il est[a]»,
à plus forte raison de si belles actions sont-elles capables de
nous représenter la qualité du reste de sa vie! Il ne faut
donc pas seulement l'admirer pour son franc-parler, mais
aussi pour avoir étendu ce franc-parler jusqu'à ce point
seulement, et pour n'y avoir rien ajouté de plus.

36. Telle est, en effet, la sagesse du Christ : elle n'auto-
rise dans le combat ni insuffisance ni excès, mais elle garde
en tout la mesure. Assurément il aurait pu, s'il l'avait
voulu, aller plus loin encore. Car un homme qui avait
renoncé à vivre – et il ne se serait pas approché du tout s'il
ne s'était armé de tels raisonnements – pouvait se permettre de faire n'importe quoi : inonder d'outrages l'empereur, arracher le diadème de sa tête et asséner des coups sur
son visage au moment où il posa la main droite sur sa
poitrine. Mais il ne fit rien de cela : il avait l'âme assai-
sonnée du sel de l'Esprit[a], aussi ne faisait-il rien à la légère
et sans raison, mais tout selon un jugement droit dans ses
raisonnements[1] et avec des vues saines.

37. Ce n'est pas comme les sages des Grecs, qui ne
s'expriment jamais avec mesure, mais en toute occasion,
pour ainsi dire, avec trop ou pas assez de franchise, de sorte
qu'ils n'acquièrent nulle part une réputation de courage,
mais partout une réputation de passions insensées; quand
ils restent en deçà des bornes, ils sont convaincus aux yeux
de tous de lâcheté et, quand ils les dépassent, de forfanterie
et de vanité. Mais pas ce bienheureux, car il n'exécutait pas
au hasard ce qui lui venait à l'esprit; non, il examinait tout

---

35. a. Sir. 19, 30
36. a. cf. Col. 4, 6

---

1. Dans le *Panégyrique de Mélétios*, 3, la formule est inversée : un
raisonnement procédant d'un jugement droit (κρίσεως ὀρθῆς λογισμός).

βασανίζων ἀκριβῶς καὶ πρὸς τοὺς θείους νόμους τοὺς
λογισμοὺς ἁρμόζων τοὺς ἑαυτοῦ οὕτως ἐπὶ τὸ πράττειν
10 ἐξήγαγεν αὐτούς. Διὰ τοῦτο καὶ τὴν τομὴν οὔτε ἐπιπόλαιον
ἔδωκεν ὥστε μὴ πλέον τοῦ νενοσηκότος ἐναπομεῖναι μέρος
οὔτε βαθυτέραν τοῦ δέοντος ὥστε μὴ τῷ περιττῷ τῆς
πληγῆς λυμήνασθαι τὴν ὑγείαν πάλιν, ἀλλὰ συμμετρήσας
τῷ νοσήματι τὴν πληγὴν οὕτω τὴν ἀρίστην ἰατρείαν
15 εἰργάσατο. Ἐντεῦθεν αὐτὸν καὶ θυμοῦ καὶ δειλίας καὶ
ἀλαζονείας καὶ δοξομανίας καὶ ἀπεχθείας καὶ φόβων καὶ
κολακείας θαρρούντως ἀπεφηνάμην εἶναι καθαρόν.

38. Εἰ δὲ δεῖ τι καὶ παράδοξον εἰπεῖν, οὐχ οὕτω
θαυμάζω τοῦ μακαρίου τὸ κατατολμῆσαι τῆς τοῦ κρατοῦντος μανίας ὡς τὸ συνιδεῖν μέχρι τίνος τοῦτο ποιῆσαι
ἐχρῆν, καὶ μηδὲν περαιτέρω μήτε πρᾶξαι μήτε εἰπεῖν. Καὶ
5 ὅτι τοῦτο ἐκείνου θαυμαστότερον πολλοὺς ἂν εὕροι τις
τούτου μὲν περιγεγονότας ὑπ' ἐκείνου δὲ ἡττηθέντας. Τὸ
μὲν γὰρ ἁπλῶς παρρησιάσασθαι καὶ τῶν τυχόντων πολλοῖς
ἐστι, τὸ δὲ εἰς δέον καὶ καιρῷ τῷ προσήκοντι καὶ μετὰ τῆς
ἁρμοζούσης συμμετρίας καὶ συνέσεως τῷ πράγματι χρή-
10 σασθαι μεγάλης λίαν καὶ θαυμαστῆς δεῖται ψυχῆς. Ἐπεὶ
καὶ τὸν μακάριον Δαυὶδ μετὰ πολλῆς τῆς ἐξουσίας ὕβρισεν
ὁ Σεμεὶ καὶ «ἄνδρα αἱμάτων[a]» ἐκάλεσεν — ἀλλ' οὐκ ἂν
εἴποιμι τοῦτο παρρησίαν ἐγὼ ἀλλὰ γλώττης ἀκολασίαν καὶ
θρασύτητα διανοίας καὶ ἀναγωγίαν καὶ ἀπόνοιαν καὶ πάντα
15 μᾶλλον ἢ παρρησίαν. Δεῖ γὰρ οἶμαι τὸν μέλλοντα εἶναι
ἐλεγκτικὸν θρασύτητος μάλιστα καὶ ἀπονοίας ὡς πορρωτάτω τὴν ἑαυτοῦ ψυχὴν ἀπαγαγεῖν καὶ τὸ δραστήριον ἐν τῇ
φύσει τῶν ῥημάτων καὶ τῶν πραγμάτων ἐπιδείκνυσθαι
μόνον.

37, 10 ἐξῆγεν Fᵖᶜ UXO ‖ ἐπιπολαίως F UXO ‖ 11 ὥστε — μέρος > O
‖ 13 ὑγίειαν F dm
38, 7 πολλοῖς : πολλάκις F UXO dm ‖ 10 λίαν > UXO ‖ 12 σεμεεὶ

avec soin et harmonisait ses propres raisonnements avec les
lois divines, avant de passer à leur exécution. Aussi
l'incision qu'il pratiqua ne fut-elle ni superficielle, pour
éviter que la plus grande partie du mal ne subsistât, ni plus
profonde que nécessaire, pour ne pas compromettre à
nouveau la santé par l'importance excessive de la plaie;
proportionnant la plaie à la maladie, il procura ainsi le
meilleur traitement. C'est pour ce motif que j'ai déclaré
hardiment qu'il était exempt de colère, de lâcheté, de
forfanterie, de vanité, de haine, de peur et de flatterie.

38. S'il faut dire aussi quelque chose de paradoxal, je
n'admire pas tant le bienheureux de s'être audacieusement
opposé à la folie du souverain que d'avoir reconnu jusqu'à
quel point il devait aller, sans rien faire et sans rien dire
au-delà. Et parce que ceci est plus admirable que cela, on
peut trouver beaucoup de gens vainqueurs de la première
difficulté, mais vaincus par la seconde. Car le simple
franc-parler est souvent le fait des premiers venus, mais en
user pour ce qu'il faut, au temps voulu, avec la mesure
et l'intelligence appropriées, cela requiert une âme très
grande et admirable. Quand Semeï insulta le bienheureux
David lui-même avec beaucoup de liberté et l'appela
«homme de sang[a]», je ne dirais pas que c'était franc-parler,
mais intempérance de langue, arrogance de pensée, dérè-
glement, déraison, tout plutôt que franc-parler. Car il faut,
je pense, quand on veut être convaincant, écarter avant
tout son âme le plus loin possible de l'arrogance et de la
déraison, et manifester son savoir-faire dans la qualité de
ses paroles et de ses actes seulement.

F^{pc} UXO ‖ 13 ἔγωγε F ‖ 17-18 καὶ τὸ δραστήριον τῶν ῥημάτων ἐν τῇ
φύσει τῶν πραγμάτων ἐπιδείκνυσθαι coni. d

38. a. II Sam. 16, 7

39. Καὶ γὰρ ἰατρῶν παῖδες ὅταν τέμνειν τὰ σεσηπότα δέῃ τῶν μελῶν ἢ τὰ φλεγμαίνοντα καταστέλλειν οὐκ ὀργῆς πρότερον γεμίσαντες ἑαυτοὺς οὕτως ἐπὶ τὴν ἰατρείαν ἔρχονται, ἀλλὰ τότε μάλιστα ἐν καταστάσει τῇ προσηκούσῃ σπουδάζουσι φυλάττειν τὸν λογισμὸν ὥστε μὴ τῇ τέχνῃ λυμήνασθαι τὴν ἐκείνου ταραχήν. Εἰ δὲ σῶμά τις θεραπεύειν | μέλλων τοσαύτης δεῖται γαλήνης, τὸν ψυχὰς ἰατρεύοντα ποῦ τάξομεν, εἰπέ μοι, καὶ πόσην ἀπαιτήσομεν φιλοσοφίαν; Πολλῷ μείζονα δῆλον ὅτι καὶ τοσαύτην ὅσην ὁ ἀγαθὸς ἐκεῖνος ἐπεδείξατο μάρτυς. Καθάπερ γάρ τινας ὅρους καὶ κανόνας ἡμῖν τιθεὶς ἵν' ἐξ ἐκείνων τὰ μέτρα καὶ ἐπὶ τῶν λοιπῶν κατὰ τὴν ἀναλογίαν λαμβάνωμεν, οὕτω τὸν δείλαιον ἐκεῖνον ἀπὸ τῶν ἱερῶν περιβόλων ἀπώσατο.

40. Καὶ δοκεῖ μὲν ἓν κατόρθωμα εἶναι τὸ γεγονός · εἰ δέ τις αὐτὸ διασκέψαιτο καὶ ἀναπτύξας πάντοθεν κατοπτεύσειεν ἀκριβῶς, καὶ δεύτερον καὶ τρίτον συμπεφυκὸς εὑρήσει καλὸν καὶ πολὺν τῆς ὠφελείας τὸν θησαυρόν. Ὁ μὲν γὰρ ἀπελαυνόμενος τότε εἷς μόνος ἦν, οἱ δὲ δι' ἐκείνου κερδαίνοντες πολλοί. Τῆς γὰρ ἀρχῆς τῆς ὑπὸ τῷ τυράννῳ κειμένης — αὕτη δὲ ἦν τὸ πλεῖστον τῆς οἰκουμένης μέρος — ὅσοιπερ ἂν ἦσαν ἄπιστοι κατεπλάγησαν καὶ ἐθαύμασαν μαθόντες ὅσης τοῖς ἑαυτοῦ δούλοις ὁ Χριστὸς τῆς παρρησίας μετέδωκε, κατεγέλασαν τῆς παρ' αὐτοῖς δουλοπρεπείας καὶ ἀνελευθερίας καὶ ταπεινότητος, εἶδον ὅσον τῆς Χριστιανῶν εὐγενείας πρὸς τὴν Ἑλλήνων αἰσχύνην τὸ μέσον.

39, 5 τὴν τέχνην UO ‖ 7 μέλλων : θέλων UXO ‖ 11 τιθεὶς ἵν' F UXO dm : τίθησιν B

40, 2 αὐτὸ > O ‖ 7-8 μέρος τῆς οἰκουμένης ~ O ‖ 9 μαθόντες : pr. καὶ O^{mg} ‖ 10 αὐτοῖς scripsi : αὐτοῖς codd. dm

---

1. Rapprocher de *Panég. de S. Paul*, V, 16 : «Il nous a tracé une limite (ὅρον) et une règle (κανόνα)... pour toute situation, nous trouvons chez lui la juste mesure (μέτρα).»

2. L'auteur considère les § 40-50 comme une digression; il écrit, en

39. Les médecins, lorsqu'il faut couper les membres gangrenés ou décongestionner ceux qui sont tuméfiés, ne se remplissent pas d'abord de colère avant de procéder à l'opération, mais ils s'emploient au contraire, en ce moment surtout, à maintenir leur esprit dans la tranquillité requise, afin que son trouble ne nuise pas à leur art. Si pour soigner un corps on a besoin d'un tel calme, le médecin des âmes, où allons-nous le mettre, dis-moi, et quelle sagesse réclamerons-nous de lui? une bien plus grande, c'est évident, et semblable à celle dont fit preuve ce bienheureux martyr. Il a en quelque sorte établi pour nous des limites et des règles, pour que nous y puisions les mesures[1] à appliquer aussi par analogie dans les autres circonstances, lorsqu'il a chassé ce malheureux de l'enceinte sacrée.

c) Comparaison avec les philosophes païens[2]

40. A première vue il n'y a dans cet événement qu'une seule belle action; mais, si on l'examine à fond et qu'on le détaille[3] pour le considérer avec précision en tous sens, on lui trouvera associés un second et un troisième mérite, ainsi qu'un important trésor d'utilité. En effet, celui que l'on chassait alors était seul, mais ceux qui en tirèrent profit furent nombreux. Car, dans l'empire gouverné par ce tyran – c'était la plus grande partie du monde habité –, tous ceux qui étaient incroyants furent frappés de stupeur et d'étonnement en apprenant quel franc-parler le Christ a donné en partage à ses serviteurs; ils se sont ri de la servilité, de la pusillanimité et de la bassesse qui régnaient chez eux, ils ont vu toute la distance qu'il y a entre la noblesse des chrétiens et l'infâmie des Grecs.

effet, au début du § 50 : «Revenons au point d'où nous sommmes partis pour faire cette digression.»

3. Littéralement «le déroule» ou «le déploie» : une image qui revient dans le *Panégyrique de S. Ignace*, 2.

41. Οἱ μὲν γὰρ παρ᾽ αὐτοῖς τὴν τῶν ἱερῶν ἐπιμέλειαν ἐγκεχειρισμένοι μᾶλλον δεσποτῶν καὶ τῶν εἰδώλων δὲ αὐτῶν τοὺς βασιλεῖς θεραπεύουσι, καὶ διὰ τὸν ἐκείνων φόβον καὶ τοῖς ξοάνοις αὐτοῖς παρεδρεύουσιν ὡς τοὺς
5 πονηροὺς δαίμονας τοῖς βασιλεῦσι χάριν ἔχειν τῆς εἰς αὐτοὺς τιμῆς. Αὐτίκα γοῦν ὅταν τινὰ συμϐῇ μὴ τὰ ἐκείνων φρονοῦντα ἐπὶ ταύτην ἐλθεῖν τὴν ἀρχήν, εἰσιών τις εἰς τοὺς τῶν εἰδώλων ναοὺς πανταχοῦ τῶν τοίχων ὄψεται διατεταμένα τὰ τῶν ἀραχνίων ὑφάσματα καὶ τοσαύτην ἐπι-
10 κειμένην τῷ ξοάνῳ τὴν κόνιν[a] ὡς μήτε ῥῖνα μήτε ὀφθαλμὸν μήτε ἄλλο τι τοῦ προσώπου φαίνεσθαι μέρος· τῶν δὲ βωμῶν τῶν μὲν τὰ λείψανα μόνον ἔστηκε τοῦ πλείονος ἀποθραυσθέντος μέρους τοὺς δὲ οὕτω βαθεῖα πάντοθεν περιβάλλει πόα ὡς τὸν ἀγνοοῦντα κοπρίας τινὸς σωρείαν
15 εἶναι νομίζειν τὸ φαινόμενον. Τὸ δὲ αἴτιον ὅτι πάλαι μὲν αὐτοῖς κλέπτειν ἐξῆν ὅσα ἐβούλοντο καὶ γαστρίζεσθαι διὰ τῆς τῶν ξοάνων θεραπείας· νῦν δὲ ὑπὲρ τίνος ἑαυτοὺς κόψουσι; Προσεδρεύοντες γὰρ καὶ δαπανώμενοι παρ᾽ ἐκείνων μὲν οὐδεμίαν προσδοκῶσιν ἀμοιϐήν, καὶ γάρ εἰσι
20 ξύλα καὶ λίθοι· τὸ δὲ πεῖθον αὐτοὺς ὑποκρίνεσθαι τὴν θεραπείαν ἡ παρὰ τῶν κρατούντων τιμή, καὶ αὕτη ἀνήρηται τῶν βασιλευόντων γενομένων συνετῶν καὶ τὸν τοῦ Θεοῦ προσκυνούντων Υἱόν.

VIII   42. ᾽Αλλ᾽ οὐ τά γε ἡμέτερα τοιαῦτα ἀλλὰ πᾶν τοὐναντίον· ὅταν μέν τις ὁμολογῶν ἡμῖν ἐν τῇ περὶ τοῦ θείου δόξῃ ἐπὶ τὸν βασιλικὸν ἀναϐῇ θρόνον, ῥαθυμότερα

41, 6 γοῦν : οὖν F ‖ 9 ἀραχνῶν F^pc UXO ‖ 11 ἄλλο τι : ἄλλοτε U ἄλλο X ‖ 12 μόνα O ‖ 13 ἀποθραυσθέντα O ‖ 14 σωρείαν F UXO B^mg : σωτήριον B^ac ‖ 18 προεδρεύοντες O
42, 2 τις : pr. γάρ F^pc UXO dm ‖ περὶ > O ‖ 3 θείου : θεοῦ F UXO ‖ ἀναϐῇ θρόνον : ἀναϐῆναι θρόνον τύχῃ F UO

---

41. a. cf. Ép. Jér. 11.16

41. Ceux qui chez eux, en effet, ont été investis du soin des temples honorent les empereurs plus que des maîtres et plus que leurs idoles même[1], et c'est par crainte des empereurs qu'ils donnent leurs soins aux statues elles-mêmes, de sorte que les mauvais démons sont reconnaissants envers les empereurs de l'honneur qui leur est rendu. En tout cas, chaque fois qu'accède d'aventure à ce pouvoir un homme qui ne partage pas leurs idées, si l'on entre dans les temples des idoles, on verra partout sur les murs les toiles d'araignées tendues[2] et, sur la statue, une couche de poussière[a] telle qu'il n'en paraît plus nez, ni œil, ni aucune autre partie du visage; quant aux autels, seules les ruines des uns demeurent, car la plus grande partie en a été brisée, et les autres sont entourés de toutes parts d'une herbe si épaisse que, si on l'ignore, on prend ce qu'on voit pour un tas de fumier. La raison, c'est qu'autrefois il leur était possible de voler ce qu'ils voulaient et de se remplir le ventre[3] grâce au culte des statues; mais maintenant, pourquoi vont-ils se fatiguer? Pour prix de leur assiduité, en effet, et de leurs dépenses, ils n'attendent de ces idoles aucune récompense, car elles ne sont que bois et pierre; ce qui les persuade de jouer la comédie du culte, c'est l'honneur que leur accordent les souverains, mais cet honneur a disparu puisque les empereurs sont devenus intelligents et adorent le Fils de Dieu.

42. Telle n'est pas notre situation, c'est tout le contraire. Lorsque monte sur le trône impérial un homme qui partage notre opinion sur la gloire de Dieu, les affaires des

---

1. Les *Homélies pseudo-clémentines* (X, 7, 1) font des idoles les maîtres (δεσπόται) des païens.

2. Image traditionnelle de l'impuissance des idoles : cf. *Hom. ps.-clém.*, X, 22, 2; MINUCIUS FÉLIX, *Octavius*, XXIV, 9. Voir J. GEFFCKEN, *Zwei griechische Apologeten*, Leipzig-Berlin 1907, p. 276 et 279.

3. Le § 43 associe festins et beuveries au culte des idoles. Voir TERTULLIEN, *De idololatria*, I, 4.

γίνεται τὰ Χριστιανῶν· τοσοῦτον ἀπέχει ταῖς ἀνθρωπίναις
5 ὀρθοῦσθαι τιμαῖς· ὅταν δέ τις κρατήσῃ δυσσεβὴς καὶ
πάντοθεν ἡμᾶς ἐλαύνων καὶ μυρίοις περιβάλλων κακοῖς
τότε εὐδοκιμεῖ καὶ λαμπρότερα γίνεται τὰ καθ' ἡμᾶς, τότε
ἀριστείων καὶ τροπαίων καιρός, τότε στεφάνων καὶ ἀναρρή-
σεων καὶ πάσης ἀνδραγαθίας ἀφορμή.

43. Εἰ δὲ λέγοι τις ὅτι καὶ νῦν εἰσι πόλεις τὴν ἴσην
δεισιδαιμονίαν ἐπιδεικνύμεναι περὶ τὴν τῶν εἰδώλων μανίαν,
πρῶτον μὲν εὐαριθμήτους καὶ ὀλίγας ἐρεῖς, πλὴν ἀλλ' οὐδὲ
οὕτω τὸν ἡμέτερον βλάψει λόγον. Ἡ γὰρ ὑπόθεσις ἡ αὐτὴ
5 καὶ ἀντὶ τοῦ κρατοῦντος τοὺς τὴν πόλιν οἰκοῦντας ἔχουσι
τὴν ἴσην αὐτοῖς παρεχομένους τιμήν. Καὶ τοῦτο αἴτιον τῆς
θεραπείας· αἱ κραιπάλαι καὶ οἱ κῶμοι οἱ μεθ' ἡμέραν, οἱ
διὰ πάσης νυκτός, οἱ αὐλοὶ καὶ τὰ τύμπανα, τὸ μετὰ πάσης
ἀναισχυντίας αἰσχρὰ μὲν εἰπεῖν πρᾶξαι δὲ αἰσχρότερα· τὸ
10 διαρραγῆναι μὲν ὑπὸ τῆς ἀδηφαγίας ἐκβακχευθῆναι δὲ ὑπὸ
τῆς μέθης καὶ εἰς τὴν αἰσχίστην μανίαν ἐκπεσεῖν. Αὗται αἱ
ἀσχήμονες δαπάναι συνέχουσιν ἔτι καὶ διακρατοῦσι διαπίπτουσαν τὴν πλάνην· οἱ γὰρ εὐπορώτεροι τοὺς διὰ τὴν
545 ἀργίαν ὑπὸ | τοῦ λιμοῦ φθειρομένους ἐκλέγοντες ἐν τάξει
15 παρασίτων καὶ τῶν περὶ τὰς τραπέζας τρεφομένων ἔχουσι
κυνῶν, τοῖς λειψάνοις τοῖς ἀπὸ τῶν παρανόμων δείπνων

43, 2 ἐπιδεικνύμεναι ... μανίαν : μανίαν ... ἐπιδεικνύμεναι F UXO ‖
3 ἐρεῖ F UXO dm ‖ 5 διοικοῦντας d scd. Boisium ‖ 15 στρεφομένων Fᵖᶜ
UXO d

---

1. Cf. JEAN CHRYS., *Contre les détracteurs de la vie monastique*, II, 9 : «Il
n'en est pas de notre condition comme de la condition des Gentils; elle
ne dépend pas des opinions des princes; elle repose sur la force que nous
portons en nous; elle est brillante, surtout quand nous sommes le plus
combattus; ainsi le soldat, qui est considéré en temps de paix, aura plus
de renom quand la guerre aura éclaté» (trad. Legrand). Voir encore
Hom. sur II Cor., XXVI, 4. Cf. CLÉMENT D'ALEX., *Strom.*, VI, 167, 4;
ORIGÈNE, *Hom. sur Jér.*, IV, 3. D'après EUSÈBE (*Dém. év.*, III, 7, 3), la

chrétiens deviennent plus languissantes tant elles sont loin de devoir leur prospérité aux honneurs humains! En revanche, lorsqu'un impie gouverne, nous chassant de partout et nous frappant de maux innombrables, alors notre cause acquiert du renom et brille davantage, alors c'est le temps des récompenses et des trophées, alors c'est l'occasion des couronnes, des proclamations et de toute sorte d'héroïsme[1].

43. Si l'on objecte qu'il y a maintenant encore des cités qui font voir la même superstition concernant la folie des idoles, tu répondras d'abord qu'elles sont faciles à compter et en petit nombre – mais, même par là, on ne portera pas atteinte à notre raisonnement. Le postulat reste le même, seulement, au lieu du souverain, ils[2] ont les habitants de la cité qui leur rendent le même honneur. Et voici le motif du culte : les saoûleries et les orgies, celles du jour et celles qui durent toute la nuit, les flûtes et les tambourins, les propos honteux que l'on tient avec une totale impudence et les actes plus honteux encore : s'éclater le ventre sous l'empire de la gloutonnerie, délirer sous celui de l'ivresse et tomber dans la folie la plus honteuse. Ces dépenses indécentes soutiennent encore et maintiennent l'erreur[3] qui s'effondre : les plus aisés, en effet, choisissent ceux que leur paresse fait mourir de faim et les gardent comme des parasites et des chiens nourris autour des tables; avec les

persécution doit démontrer que l'existence du christianisme ne dépend pas de la bonne volonté des empereurs.

2. Les prêtres des idoles ou les démons.

3. Cf. CONSTANTIN, *A l'assemblée des saints*, 11 (dans Eusebius Werke, *GCS* 7, p. 167) : «Allez, impies... aux immolations, aux banquets, aux fêtes et aux ivresses de vos cérémonies religieuses, prétextant la piété et vous adonnant aux plaisirs et à la débauche, feignant de célébrer des sacrifices, mais asservis aux plaisirs de vos sens.»

διασπῶντες τὰς γαστέρας τὰς ἀναιδεῖς καὶ πρὸς ὅπερ ἂν θέλωσιν αὐταῖς χρώμενοι.

44. Ἡμεῖς δὲ καθάπαξ τὴν ὑμετέραν ἀλογίαν καὶ παρανομίαν μισήσαντες τοὺς μὲν ἀργοῦντας καὶ διὰ τοῦτο πεινῆν ἀναγκαζομένους οὐ τρέφομεν ἀλλ' ἐργαζομένους καὶ αὐτοῖς καὶ ἑτέροις ἀρκεῖν πείθομεν, τοὺς δὲ ἀναπήρους τῷ
5 σώματι γενομένους παρὰ τῶν ἐχόντων τῆς ἀναγκαίας μόνον συγχωροῦμεν ἀπολαύειν τροφῆς. Κῶμοι δὲ καὶ μέθαι καὶ πᾶσα ἡ λοιπὴ μανία καὶ αἰσχρότης ἐκβέβληται ἀντεισῆκται δὲ ἀντὶ τούτων «ὅσα σεμνά, ὅσα ἁγνά, ὅσα δίκαια, ὅσα εὔφημα εἴ τις ἀρετὴ καὶ εἴ τις ἔπαινος[a]».

45. Καὶ τὰ ἄλλα δὲ ἃ ὑπὲρ τῶν παρ' αὐτοῖς φιλοσοφησάντων κομπάζουσιν ἀπέδειξε κενοδοξίαν καὶ θρασύτητα καὶ παιδικῆς ἔργα διανοίας. Οὐ γὰρ πίθον ἐκεῖ λαβὼν κατέκλεισεν ἑαυτὸν οὐδὲ ῥάκη περιβαλλόμενος οὕτω περιῄει
5 κατὰ τὴν ἀγοράν. Ταῦτα γὰρ δοκεῖ μέν τινα εἶναι θαυμαστὰ καὶ πόνον ἔχειν πολὺν καὶ τὴν ἐσχάτην ταλαιπωρίαν, ἐπαίνου δὲ παντὸς ἀπεστέρηται. Καὶ τοῦτο δὲ τῆς τοῦ διαβόλου κακουργίας τοὺς δουλεύοντας αὐτῷ τοιούτοις παραδιδόναι πόνοις οἳ καὶ διασπάσονται τοὺς ἠπατημένους

43, 18 ἐθέλωσιν O
44, 4 αὐτοῖς B : αὐτοῖς A d ἑαυτοῖς F UXO m ‖ ἐπαρκεῖν F UXO dm
‖ 7 ἐπεισῆκται O
45, 2 καινοδοξίαν X M ‖ 3 πίθον: pr. ὡς ὁ O^mg ‖ ἐκεῖ: ἐκεῖνος O ‖
4 ῥάκη : pr. ὡς ὁ O^mg

44. a. Phil. 4, 8

1. Cf. *Hom. sur Matth.*, XLVIII, 7, adressée à de riches chrétiens.
2. ORIGÈNE (*C. Celse*, VII, 7) écrit de même que, comparée à celle des prophètes juifs, la fermeté d'Antisthène, de Cratès et de Diogène n'est que jeu d'enfant.
3. Allusion à Diogène, que Jean Chrysostome s'apprête à attaquer (49) comme le plus représentatif des philosophes grecs; les cyniques étaient en effet pour lui des rivaux qu'il fallait discréditer. Il comparera

restes de leurs repas iniques ils bourrent ces ventres sans pudeur et en font tout ce qu'ils veulent[1].

44. Nous, au contraire, haïssant, une fois pour toutes votre déraison et votre iniquité, nous ne nourrissons pas ceux que leur paresse a contraints à souffrir de la faim, mais nous les persuadons de travailler pour subvenir à leurs besoins et à ceux d'autrui ; quant à ceux qui sont physiquement infirmes, nous permettons qu'ils reçoivent de la nourriture de la part de ceux qui en ont, mais seulement le strict nécessaire. Orgies, beuveries, toutes les autres folies et turpitudes ont été bannies et on a introduit à leur place «tout ce qui est noble, pur, juste, honorable, tout ce qui est vertu et digne de louange[a]».

45. Quant à toutes leurs vantardises à propos de leurs philosophes, il (Babylas) a montré qu'elles sont vaine gloire et arrogance, œuvres d'une mentalité infantile[2]. Car il n'a pas pris alors un tonneau pour s'y enfermer et ne s'est pas vêtu de guenilles pour se promener ainsi sur l'agora[3]. Si cette conduite peut paraître admirable, comporter de gros efforts et une extrême misère, elle ne mérite pourtant aucune louange. C'est bien là le propre de la malice du diable, de livrer ses serviteurs à de tels efforts, qui seront une torture pour ceux qu'il a trompés et les feront paraître

encore Diogène à Jean-Baptiste (*Hom. sur Matth.*, X, 4) et à Paul : «Ce n'est pas comme le fameux philosophe de Sinope qui, en étant revêtu de haillons et en demeurant sans motif dans un tonneau, frappait la foule d'étonnement et n'était utile à personne. Paul ne faisait rien de tout cela ; il était, au contraire, couvert de vêtements d'une façon parfaitement décente, demeurait constamment dans une maison et apportait le plus grand soin aux autres formes de la vertu – celles que le cynique méprisait, en menant une vie dissolue, en manquant aux convenances en public, entraîné par la folie de la gloire. Car, si l'on demande pour quel motif il demeurait dans un tonneau, on n'en trouvera pas d'autre que la vaine gloire et elle seule» (*Hom. sur I Cor.*, XXXV, 4). En 362, JULIEN avait entrepris de défendre Diogène contre l'accusation de vaine gloire (*Discours*, IX, [6]).

10 καὶ μάλιστα πάντων καταγελάστους ἀποφανοῦσιν αὐτούς.
Πόνος γὰρ οὐδὲν κέρδος ἔχων ἐγκωμίου παντὸς ἀπεστέρηται. Καὶ γὰρ ἔτι καὶ νῦν εἰσιν ἄνθρωποι φθόροι καὶ
μυρίων γέμοντες κακῶν τοῦ φιλοσόφου πολλῷ μείζονα
ἐπιδεικνύμενοι· οἱ μὲν γὰρ ἥλους ὀξεῖς καὶ ἠκονημένους
15 ἔφαγον, οἱ δὲ ὑποδήματα διεμασήσαντο καὶ κατέπιον, οἱ δὲ
πρὸς ἕτερα πολλῷ τούτων παρεβουλεύσαντο μοχθηρότερα.
Καίτοι τὰ τοιαῦτα πολλῷ τοῦ πίθου καὶ τῶν ῥακίων
θαυμαστότερα, ἀλλ' οὐκ ἀποδεχόμεθα αὐτὰ ὥσπερ οὖν οὐδὲ
ἐκεῖνα ἀλλ' ἐξ ἴσης τῷ φιλοσόφῳ κακίζομεν καὶ δακρύομεν
20 καὶ τούτους καὶ πάντας ὁμοίως τοὺς τὰ τοιαῦτα τερατευο-
μένους εἰκῇ.

46. Ἀλλὰ καὶ παρρησίαν ἐπεδείξατο πρὸς βασιλέα
πολλήν. Ἴδωμεν οὖν καὶ τὴν πολλὴν παρρησίαν μή ποτε
καὶ αὕτη τῆς τοῦ πίθου τερατείας ματαιοτέρα οὖσα τύχοι.
Τίς οὖν ἡ παρρησία; Ἐλαύνοντι τῷ Μακεδόνι ποτὲ ἐπὶ τὸν
5 Πέρσην ἐπιστάντι τε αὐτῷ καὶ ἀπαγγεῖλαι προτρέψαντι εἴ
τινος δέοιτο, οὐδενὸς ἔφη πλὴν τοῦ μὴ ἐπισκοτεῖν αὐτῷ τὸν
βασιλέα· καὶ γὰρ ἔτυχε τότε ἡλίῳ θερόμενος ὁ φιλόσοφος.
Οὐ καταδύσεσθε; Οὐκ ἐγκαλύψεσθε; Οὐκ ἀπελθόντες ἑαυτούς που κατορύξετε ἐπὶ τούτοις μέγα φρονοῦντες ἐφ' οἷς
10 αἰσχύνεσθαι ἐχρῆν; Πόσῳ γὰρ βέλτιον ἦν ἱμάτιον ἐνδύντα

45, 12 φθόροι BF^{pc} UXO d : φθοροὶ A φθορεῖς P m ‖ 15 κατέφαγον O
‖ κατεμασήσαντο F UXO ‖ 17 τὰ τοιαῦτα : ταῦτα O ‖ 18 αὐτὰ > O ‖
οὖν > O ‖ 20 τὰ > O ‖ 21 εἰκῇ + ἀντίθεσις ad prox. cap. spectans O
46, 1 ἐπεδείξαντο O ‖ ἐπεδείξατο + φησι F^{pc} UXO ‖ βασιλέα + τὸν F
‖ 5 ἐπιτρέψαντι F UXO d ‖ 7 ἡλίῳ P F UXO dm : ἤδη B ‖ θερμαινόμενος
O m ‖ 9 που : ποτε F ‖ μεγαλοφρονοῦντες P F^{ac} (ut uidetur) d

---

1. Diogène enseignait que l'acquisition de la vertu est pénible (voir
H. KUSCH, art. «Diogenes von Sinope», RLAC 3, c. 1064). Pour Jean
Chrysostome la peine doit servir à quelque chose : «Voilà les vaines
élucubrations des philosophes grecs; ils ont montré une vie austère,
mais gratuitement, sans viser un but utile, mais seulement la vaine gloire

aussi absolument ridicules. Un effort qui ne comporte pas de fruits ne mérite, en effet, aucun éloge[1]. Et il y a maintenant encore des hommes dépravés, pleins de défauts innombrables, qui font voir des choses beaucoup plus extraordinaires que le philosophe. Les uns mangent des clous pointus et aiguisés, les autres mâchent et avalent des sandales, d'autres se risquent à des pratiques beaucoup plus détestables encore que celles-là. Assurément, de tels comportements sont beaucoup plus étonnants que le tonneau et les guenilles, nous ne les approuvons pas cependant, pas plus que les premiers, mais nous blâmons ces gens à l'égal du philosophe et nous pleurons de la même façon sur eux et sur tous ceux qui exécutent de semblables jongleries inutiles.

46. – Mais (ce philosophe) fit preuve aussi d'un grand franc-parler[2] à l'égard d'un roi. – Voyons donc aussi ce grand franc-parler, si par hasard il ne serait pas plus vain encore que la prodigieuse histoire du tonneau. Quel fut donc ce franc-parler? Un jour que le Macédonien, en route contre le roi de Perse, s'était arrêté près de lui, en l'invitant à déclarer s'il désirait quelque chose, "rien, répondit-il, si ce n'est que le prince ne lui fasse pas d'ombre", – car le philosophe était alors en train de se chauffer au soleil[3]. Ne rentrerez-vous pas sous terre? Ne vous cacherez-vous pas de honte? N'irez-vous pas vous terrer quelque part, pour vous enorgueillir de ce dont il faudrait rougir? Combien il aurait mieux valu, revêtu d'un manteau épais, être au

---

et l'estime de la foule» (*Hom. sur Éphés.*, XII, 1). JULIEN s'était efforcé de démontrer l'utilité de la philosophie cynique (*Discours*, IX [6], 17-18).

2. La παρρησία (une liberté totale de langage) joue un grand rôle dans la vie de Diogène : voir H. KUSCH, *art. cit.*, et A.-J. FESTUGIÈRE, *Antioche païenne et chrétienne*, Paris 1959, p. 274-276.

3. Anecdote fréquemment citée : DIOGÈNE LAËRCE, VI, 38 ; PLUTARQUE, *Alex.*, 14 ; JULIEN EMP., *Discours*, IX (6), 20 ; JEAN CHRYS., *Contre les détracteurs de la vie monastique*, II, 4-5.

ἁδρόν, ἐνεργὸν εἶναι καί τι τῶν χρησίμων τὸν βασιλεύοντα
τότε αἰτεῖν ἢ καθῆσθαι μετὰ τῶν ῥακίων θερμαινόμενον
κατὰ τὰ μικρὰ καὶ ὑπομάζια τῶν παιδίων ἅπερ αἱ τίτθαι
μετὰ τὸ λοῦσαι καὶ ἀλεῖψαι προτιθέασιν εἰς τοῦτο εἰς ὅπερ
15 ὁ φιλόσοφος τότε ἐκάθητο γραϊδίου δυστήνου χάριν αἰτῶν;

47. Ἀλλ' ἡ παρρησία ἴσως θαυμαστή. Ἀλλὰ ταύτης
οὐδὲν τερατωδέστερον. Τὸν γὰρ ἀγαθὸν ἄνδρα πρὸς τὸ
κοινωφελὲς ἅπαντα πράττειν χρὴ καὶ τὸν τῶν ἄλλων βίον
546 κατορθοῦν[a], τὸ | δὲ ἀξιῶσαι μὴ ἐπισκοτεῖν ποίαν πόλιν,
5 ποίαν οἰκίαν, τίνα ἄνδρα, ποίαν γυναῖκα διέσωσεν; Εἰπὲ
τῆς παρρησίας τὸ κέδρος. Τὸ γὰρ τοῦ μάρτυρος ἡμεῖς
ἐπεδείξαμεν καὶ προιόντες δὲ αὐτὸ σαφέστερον ἐκκαλύ-
IX ψομεν. | Τέως δὲ τὸν ὑβριστὴν ἐκόλασε καὶ ταύτῃ ᾗ τὸν
ἱερέα κολάζειν θέμις ἐστί, τὰ τῶν ἀρχόντων κατέστειλε
10 φρονήματα, τοῖς τοῦ Θεοῦ νόμοις κινουμένοις ἤμυνε, τιμωρίαν ὑπὲρ τοῦ κακῶς σφαγέντος ἀπήτησε τὴν πασῶν
τιμωριῶν χαλεπωτέραν τοῖς γε νοῦν ἔχουσι. Μέμνησθε
δήπου πάντως ὅτε περὶ τοῦ φόνου διελεγόμην πῶς ἕκαστος
διεθερμαίνετο τῶν ἀκροατῶν καὶ τὸν αὐθέντην λαβεῖν εἰς
15 χεῖρας ἐπεθύμει καὶ φανῆναί ποθεν τὸν ἐκδικήσοντα
τὸν φόνον ηὔχετο; Τοῦτο τοίνυν ὁ μακάριος ἐκεῖνος
ἐποίησε καὶ δίκην ἐπέθηκεν αὐτῷ τε πρέπουσαν κἀκεῖνον

46, 12 ῥακίων + τότε O

47, 7 αὐτὸ σαφέστερον : σαφέστερον F σαφέστερον αὐτὸ UXO ‖
10 ἐπήμυνε B[pc]F UXO dm ‖ 13 πάντες O ‖ 17-19 τε πρέπουσαν —
θερομένῳ αὐτῷ > m ‖ 17 τε : τὴν F UXO

---

47. a. cf. I Cor. 10, 33

---

1. Cf. J. GEFFCKEN («Kaiser Julianus und die Streitschriften seiner
Gegner», *Neue Jahrbücher für das klassiche Altertum* 21, 1908, p. 187) :
«On voit que la vie pratique passe avant la vie contemplative ou plutôt
que le philosophe antique n'est plus compris.»
2. Cf. *Hom. sur I Cor.*, XXV, 3 : «La recherche du bien commun,
c'est la règle du christianisme parfait, c'est son but précis, c'est son plus

travail et demander alors au prince quelque chose d'utile, plutôt qu'être assis en guenilles à se chauffer, à l'exemple des petits enfants à la mamelle, que les nourrices, après les avoir baignés et frottés d'huile, exposent ainsi pour la même raison qu'invoquait alors le philosophe, assis, quand il demandait cette faveur digne d'une pauvre vieille femme[1].

47. – Mais le franc-parler, n'est-ce pas, est admirable. – Mais il n'est rien de plus extravagant que le sien! L'homme de bien doit tout faire en vue de l'intérêt commun et réformer la vie des autres[a2]; or, en réclamant qu'on ne lui fasse pas d'ombre, quelle cité, quelle maison, quel homme, quelle femme a-t-il sauvés? Dis-moi les fruits de son franc-parler? Car nous avons montré, nous, ceux du martyr et, dans la suite, nous les découvrirons plus clairement. En attendant, il a châtié l'insolent, et de la manière dont un prêtre a le droit de châtier : il a abaissé la fierté des gouvernants, défendu les lois de Dieu ébranlées, réclamé vengeance pour celui qui avait été misérablement massacré, et la pire de toutes les vengeances pour les gens sensés. Vous vous rappelez parfaitement, je pense, quand je parlais du meurtre, l'indignation de chacun des auditeurs, son désir de mettre la main sur le criminel et ses vœux pour que surgisse de quelque part l'homme qui vengerait ce meurtre. Voilà justement ce que fit ce bienheureux, il lui infligea la punition convenable, capable de le

haut sommet»; *Hom. sur Matth.*, LXXVIII, 6 : «Si, dans les affaires ordinaires de la vie, nul ne vit pour lui-même, mais si l'artisan, le soldat, le paysan, le commerçant, si tous concourent à l'intérêt commun et à l'utilité du prochain, à combien plus forte raison faut-il agir ainsi pour le spirituel, car c'est avant tout là qu'est la vie...»; *Hom. sur Jn*, XV, 3 : «Comment, dira-t-on, peut-on devenir imitateur du Christ? En faisant tout en vue du bien commun, sans rechercher son propre avantage.» Cf. J.-M. LEROUX «Monachisme et communauté chrétienne d'après S. Jean Chrysostome», dans *Théologie de la vie monastique*, Paris 1961, p. 143-190, en particulier les p. 170-172 et 182.

ἐπιστρέψαι ἱκανὴν εἰ μὴ λίαν ἀναίσθητος ἔτυχεν ὤν,
οὐχὶ θερομένῳ αὐτῷ τὸν βασιλέα ἐπισκοτοῦντα ἀποστῆναι
20 ἀξιῶν, ἀλλ' ἀναιδῶς τοῖς ἱεροῖς ἐπιπηδῶντα περιβόλοις καὶ
πάντα συγχέοντα καθάπερ τινὰ κύνα καὶ οἰκέτην ἀγνώμονα
τῶν δεσποτικῶν ἀπείργων αὐλῶν. Ὁρᾶς ὡς οὐ κομπάζων
ἔλεγον ὅτι παιδικῆς ἔργα διανοίας τὰ τῶν παρ' ὑμῖν
φιλοσόφων ἀπέδειξε θαύματα.

48. Ἀλλὰ καὶ ἐσωφρόνησεν ὁ Σινωπεὺς ἐκεῖνος καὶ ἐν
ἐγκρατείᾳ διήγαγε καὶ τῶν κατὰ νόμον οὐκ ἀνεχόμενος
γάμων. Ἀλλὰ πῶς καὶ τίνι τρόπῳ προστίθει. Ἀλλ' οὐ
προσθήσεις ἀλλ' ἥδιον τῶν τῆς σωφροσύνης ἐγκωμίων
5 ἀποστερήσεις αὐτὸν ἢ τὸν τρόπον τῆς σωφροσύνης ἐρεῖς ·
οὕτως αἰσχρὸς καὶ πολλῆς γέμων αἰσχύνης.

49. Ἐπῆλθον δ' ἂν καὶ τὸν τῶν ἄλλων λῆρον καὶ τὴν
ματαιοπονίαν καὶ τὴν αἰσχρότητα. Ποῦ γὰρ εἰπέ μοι
χρήσιμον γονῆς ἀπογεύεσθαι ἀνθρωπίνης ὅπερ ὁ Σταγει-
ρίτης ἐποίει; Ποῖον δὲ ὄφελος μίγνυσθαι μητράσι καὶ
5 ἀδελφαῖς ὅπερ ὁ τῆς Στοᾶς προεστὼς φιλόσοφος ἐνομο-
θέτει; Καὶ τὸν τῆς Ἀκαδημίας δὲ ἄρξαντα καὶ τὸν ἐκείνου

47, 19 οὐχ F UXO ‖ θερομένῳ : pr. ἡλίῳ F UXO ‖ ἀποστῆσαι B ‖
21 καὶ : ἢ O ‖ 23 ἔργον F
48, 1 ἐσωφρόνησεν dm : ἐσωφρόνισεν BF UX ἐσωφρόνει (-ει in ras.) O
‖ ὁ : pr. φησιν O ‖ (σιν)οπηλεὺς O^mg ‖ ἐν (s.l. O) > F UX ‖ 2 διήγε UXO
‖ καὶ > F UXO d ‖ νόμον : pr. τὸν UX ‖ 6 αἰσχύνης + ἢν F UXO dm
49, 3 iuxta στ. in mg ponit ut glossam ὁ ἀριστοτέλης O ‖ 6 iuxta ακ.
in mg ponit ut glossam πλάτων O

1. Cf. DIOGÈNE LAËRCE, VI, 69 (sur Diogène le cynique) : «Il avait
coutume de tout faire en public, les œuvres de Déméter comme celles
d'Aphrodite.» Souvent Jean Chrysostome s'en prend au manque de
pudeur en pleine agora : Hom. sur Matth., XXXIII, 4; Hom. sur I Cor.,
XXXV, 4. JULIEN avait pris la défense de Diogène (Discours, IX [6],
19).
2. P. ALBERT (S. Jean Chrysostome considéré comme orateur populaire,
Paris 1858, p. 204) interprète : «A quoi servent les expériences d'histoire
naturelle d'Aristote?». Jean Chrysostome avait été formé à l'école de

convertir, s'il n'avait pas été tout à fait insensible; il ne demanda pas à l'empereur de s'éloigner alors qu'il se chauffait au soleil et de ne pas lui faire de l'ombre, mais, au moment où celui-ci franchissait impudemment l'enceinte sacrée et jetait partout la confusion, comme un chien et un esclave stupide, il l'écarta de la cour du Maître. Tu le vois, je ne me vantais pas quand je disais qu'il fit apparaître comme des œuvres d'une mentalité infantile les merveilleux exploits de vos philosophes.

48. – Mais l'homme de Sinope a aussi été chaste et a vécu dans la continence, refusant même le mariage légitime. – Oui, mais comment et de quelle manière? ajoute-le. Mais tu ne l'ajouteras pas et tu préféreras le priver d'éloges pour sa chasteté plutôt que de dire la manière dont il observait la chasteté, tant elle était honteuse et pleine d'infâmie[1].

49. Je pourrais aussi passer à la sottise, aux vains efforts et à la turpitude des autres. Où est, dis-moi, l'utilité de goûter à la semence humaine, ce que faisait le Stagirite[2]? Quel avantage y a-t-il à s'unir à sa mère et à ses sœurs, ce dont le philosophe à la tête du Portique faisait une loi[3]? Quant au chef de l'Académie, à son maître[4], et à ceux

---

Diodore où l'on étudiait et critiquait Aristote (voir J. QUASTEN, *Initiation aux Pères de l'Église*, trad. J. Laporte, Paris 1963, t. 3, p. 563). Le PSEUDO-JUSTIN (*Cohortatio ad gentiles*, 36) avait tourné en dérision l'intérêt d'Aristote pour les sciences naturelles et affirmé qu'il était mort de chagrin en constatant son incapacité à découvrir la nature de l'Euripe, une affirmation qui sera reprise par GRÉGOIRE DE NAZ., *Discours*, IV, 72.

3. Zénon. Les principaux stoïciens ne voyaient aucun inconvénient aux mariages consanguins : THÉOPHILE D'ANTIOCHE, *A Autolycus*, III, 6; *Hom. ps.-clémentines*, V, 18, 5. Cf. J STELZENBERGER, *Die Beziehungen der früchristlichen Sittenlehre zur Ethik der Stoa*, Munich 1933, p. 416.

4. Socrate.

διδάσκαλον καὶ τοὺς ἔτι τούτων μᾶλλον θαυμαζομένους
τούτων αἰσχροτέρους ἀνέδειξα ἄν, καὶ τὴν παιδεραστίαν ἣν
σεμνὸν εἶναι τίθενται καὶ φιλοσοφίας μέρος ἐξεκάλυψα
10 πάσης ἀπαμφιάσας τῆς ἀλληγορίας εἰ μὴ εἰς μακρὸν ὁ
λόγος ἡμῖν ἐξετείνετο μῆκος καὶ πρὸς ἕτερον ἠπείγετο
μέρος καὶ ἱκανῶς καὶ διὰ τοῦ ἑνὸς τὸν γέλωτα πάντων
διήλεγξεν. Ὅταν γὰρ ὁ κρατῶν κατὰ τὸ δοκοῦν αὐστηρό-
τερον εἶναι τῆς φιλοσοφίας μέρος καὶ παρρησίας καὶ
15 ἐγκρατείας ἕνεκεν οὕτως αἰσχρὸς καὶ ἄτοπος καὶ περιττὸς
ἀποφαίνηται — καὶ γὰρ καὶ ἀνθρώπων ἀπογεύεσθαι ἔλεγεν
ἀδίαφορον εἶναι — τίς ἡμῖν πρὸς τοὺς ἄλλους λόγος ἔσται
λοιπὸν τοῦ κατὰ τὴν κορυφὴν τοῦ ἐπιτηδεύματος ὑπὲρ τοὺς
ἄλλους λάμψαντος οὕτω καταγελάστου καὶ μειρακιώδους
20 καὶ ἀνοήτου δειχθέντος ἅπασι;

50. Δι' ὅπερ ἐπανίωμεν ὅθεν ταῦτα εἰπεῖν ἐξέβημεν.
Τοὺς μὲν οὖν ἀπίστους οὕτω συνέστειλεν ὁ μακάριος τοὺς
δὲ πιστοὺς εὐλαβεστέρους κατέστησεν οὐκ ἰδιώτας μόνον
ἀλλὰ καὶ στρατιώτας καὶ στρατηγοὺς καὶ ὑπάρχους δείξας
5 ὅτι ὁ βασιλεὺς καὶ ὁ πάντων ἔσχατος παρὰ Χριστιανοῖς
ὀνόματα μόνον ἐστὶ καὶ τῶν ἐλαχίστων ὁ τὸ διάδημα ἔχων
οὐδὲν ἔσται σεμνότερος ὅταν κολάζεσθαι καὶ τιμᾶσθαι δέῃ.
Πρὸς δὲ τούτοις τοὺς βουλομένους ἀναισχυντεῖν καὶ κόμπον

49, 7 τούτων μᾶλλον : τούτους μ. F^{mg} U μ. τούτους X ‖ 8 ἀπέδειξα F
UXO ‖ 9 σεμνὴν UXO ‖ 10-11 ἡμῖν ὁ λόγος ~ UO ‖ ὁ λόγος > X ‖
15 οὗτος F^{pc} UXO ‖ περιττῶς U ‖ 16 ἀνθρώπων : pr. τὸ F^{s.l.} UXO m ‖
17 ἔσται λόγος (+ ποτέ F^{s.l.}) ~ F UXO d
50, 1 διόπερ F UXO d ‖ 5 ὁ^1 > O ‖ 7 ἐπιτιμᾶσθαι F UXO

---

1. Cf. GRÉGOIRE DE NAZ., Discours, IV, 72 (à propos de Socrate);
Ps.-LUCIEN, Anores, 24. LUCIEN a souvent accusé Socrate, Platon et
d'autres de pédérastie : De domo, 4; Verae historiae, II, 19; Vitarum auctio,
15; Eunuch., 9. Voir TERTULLIEN, Apol., XLVI, 10; EUSÈBE, Prép. év.,
XIII, 20. Dans Les cohabitations suspectes,2, Jean Chrysostome approuve

qu'on admire encore plus qu'eux, je pourrais démontrer qu'ils sont plus infâmes que les précédents, et la pédérastie, dont ils font une chose respectable et une partie de la philosophie[1], je pourrais la dépouiller des voiles de toute son allégorie, si notre discours n'avait déjà pris une extension considérable et n'avait hâte d'aborder un autre chapitre, après avoir suffisamment confondu le ridicule de tous par celui d'un seul. Car, lorsque l'homme qui l'emporte par son franc-parler et sa continence dans la partie de la philosophie qui passe pour la plus austère, se révèle aussi ignoble, absurde et excessif – il allait jusqu'à dire qu'il est indifférent de goûter à la chair humaine[2] –, que me reste-t-il à dire contre les autres, puisque celui qui a brillé au-dessus des autres, au sommet de ce mode de vie, apparaît à ce point ridicule, puéril et insensé aux yeux de tous?

50. Par conséquent, revenons au point d'où nous sommes partis pour faire cette digression. Le bienheureux a donc rabaissé de cette manière les incroyants et rendu les croyants plus fervents, non seulement de simples particuliers, mais aussi des soldats, des généraux et des gouverneurs; il a montré que, chez les chrétiens, l'empereur et le dernier de tous ne sont que des noms et que celui qui porte le diadème ne sera en rien plus respectable que les plus petits[3], lorsqu'il devra être châtié et puni. En outre, il a

la remarque que fait Socrate à la vue d'un de ses disciples qui embrassait un beau jeune homme (XÉNOPHON, *Mém.*, I, 3, 8-13).

2. Cf. DIOGÈNE LAËRCE, VI, 73; E. ZELLER, *Die philosophie der Griechen in ihrer geschchtlichen Entwicklung*, t. II, 1, Leipzig 1922[5], p. 319.

3. Bien que, à la suite d'Eusèbe, les chrétiens se soient accoutumés à voir en l'empereur l'image de la loi céleste, Jean Chrysostome a su garder une attitude critique (cf. J. STRAUB, «Die Himmelfahrt des Julianus apostata», *Gymnasium* 69, 1962 p. 470 et 473) et parle du «théâtre» et des «jeux d'enfants» de la cour impériale (*Hom. sur II Cor.*, XXVI, 5).

547 τινὰ πεπλασμένον τὰ παρ' ἡμῶν | εἶναι λέγοντας ἐπεστόμισε,
10 [τὴν τῶν ἀποστόλων παρρησίαν] διὰ τῶν ἔργων ἐπιδείξας
ὅτι καὶ πάλαι τοιούτους ἄνδρας γενέσθαι εἰκὸς ἦν ὅτε καὶ
πλείονα ἡ τῶν σημείων ἐπίδειξις παρεῖχε τὴν ἐξουσίαν
αὐτοῖς.

51. Ἔστι τι καὶ τρίτον κατόρθωμα οὐ τὸ τυχόν · τῶν
γὰρ μετὰ ταῦτα ἱερᾶσθαι καὶ βασιλεύειν μελλόντων τὰ
φρονήματα τῶν μὲν κατέστειλε τῶν δὲ ἐπῆρεν ἀποφήνας
ὅτι τῆς γῆς καὶ τῶν ἐν τῇ γῇ πραττομένων κυριώτερος
5 ἐπίτροπος ὁ τὴν ἱερωσύνην λαχὼν τοῦ τὴν ἁλουργίδα
ἔχοντός ἐστι καὶ χρὴ τῆς ἐξουσίας ταύτης τὸ μέγεθος μὴ
ἐλαττοῦν ἀλλὰ τῆς ψυχῆς ἐξίστασθαι πρότερον ἢ τῆς
αὐθεντίας ἣν ὁ Θεὸς ἄνωθεν ταύτῃ συνεκλήρωσε τῇ ἀρχῇ.
Ὁ μὲν γὰρ οὕτως ἀποθανὼν καὶ μετὰ τὴν τελευτὴν δύναιτ'
10 ἂν ἅπαντας ὠφελεῖν, ὁ δὲ ταύτην τὴν τάξιν λιπὼν οὐ μόνον
μετὰ τὸν θάνατον οὐδένα ὤνησεν ἀλλὰ καὶ ζῶν τῶν ὑπ'
αὐτῷ ταττομένων τοὺς πλείονας μαλακωτέρους εἰργάσατο
καὶ παρὰ τοῖς ἔξωθεν ἐπονείδιστος καὶ καταγέλαστος
γίνεται. Καὶ ἀπελθὼν δὲ ἐντεῦθεν μετὰ πολλῆς αἰσχύνης
15 καὶ κατηφείας παραστήσεται τῷ βήματι τοῦ Χριστοῦ
ἐκεῖθέν τε αὐτὸν πάλιν εἰς τὴν κάμινον ἀπάξουσιν ἕλκουσαι
αἱ πρὸς τοῦτο ταχθεῖσαι δυνάμεις. Διά τοι τοῦτο σοφός τις
παραινεῖ λόγος · «Μὴ λάβῃς πρόσωπον κατὰ τῆς ψυχῆς
σου[a].» Εἰ δὲ ἀνδρὸς ἀδικουμένου οὐκ ἀσφαλὲς ὑποκρί-

50, 9 ἡμῖν F UXO dm ‖ 10 τὴν — παρρησίαν (ante ἐπεστόμισε B   post
ἐπεσ. F UXO dm) ut glossam intrusam seclusi ‖ ἐπιδείξας (ἀπο-   O) +
καὶ διδάξας F^mg UXO dm

51, 2 γὰρ > O ‖ μελλόντων : λαχόντων F UXO d ‖ 11 τὸν > O ‖ ζῶν
τῶν AC : ζώντων τῶν B   ζῶν τῶν τε P dm   ζῶν τῶν τότε F UXO ‖
12 ταττομένων : τεταγμένων UXO ‖ 16 πάλιν αὐτὸν ∼ F^mg ‖ 18 λόγος :
λέγων F

---

51. a. Sir. 4, 22

fermé la bouche à ceux qui voulaient faire les impudents et disaient que notre doctrine n'est que vantardise forgée de toutes pièces, car, par ses actes, il a enseigné qu'autrefois aussi il a dû y avoir de pareils hommes, à une époque où la manifestation des miracles leur procurait encore plus d'autorité.

d) Babylas a exalté la dignité du sacerdoce chrétien

51. Il y a aussi un troisième résultat heureux qui n'est pas insignifiant; il concerne ceux qui vont exercer par la suite le sacerdoce ou la royauté : Babylas a abaissé la fierté des uns, élevé celle des autres, car il a démontré que l'homme investi du sacerdoce est un gardien de la terre et de ce qui s'y fait plus efficace que l'homme revêtu de la pourpre[1], et qu'il faut non pas amoindrir l'étendue de cette autorité, mais renoncer à la vie plutôt qu'au pouvoir absolu que Dieu a, d'en haut, attribué à cette charge. Car quiconque meurt ainsi, même après sa mort, peut rendre service à tous, mais celui qui a abandonné ce poste, non seulement n'est utile à personne après sa mort, mais de son vivant encore, il augmente la mollesse de la plupart de ses subordonnés et s'attire le blâme et les moqueries des païens. Et, quand il partira d'ici-bas, c'est plein de honte et de confusion qu'il se tiendra devant le tribunal du Christ et, de là, les puissances établies à cet office le tireront en arrière pour l'emmener dans la fournaise. C'est pourquoi une parole sage recommande : «Ne fais acception de personne au détriment de ton âme[a].» S'il n'est pas sans danger de se dérober quand un homme est victime d'une

----

1. Affirmation qui revient souvent chez Jean Chrysostome. Cf. F. Dvornik, *Early Christian and Byzantine Political Philosophy*, t. 2, Washington 1966, p. 698-699.

20 νεσθαι, τῶν θείων νόμων ὑβριζομένων ὁ σιγήσας καὶ
παριδὼν τίνος οὐκ ἔσται κολάσεως ἄξιος;

52. Μετὰ δὲ τούτων καὶ ἕτερόν τι τούτων οὐχ ἧττον
ἐδίδαξε καλόν· ὅτι τὰ αὐτοῦ ποιεῖν ἕκαστον χρὴ κἂν
μηδεὶς ὁ δεχόμενος ᾖ τῶν γινομένων τὸ κέρδος. Οὐδὲ γὰρ
αὐτός τι τότε τῆς παρρησίας εἰς τὴν ὠφέλειαν ἀπώνατο
5 τοῦ βασιλέως, ἀλλ' ὅμως τὸ αὐτοῦ πᾶν ἐπλήρωσε καὶ
ἐνέλιπεν οὐδέν. Ὁ δὲ κάμνων διὰ τῆς οἰκείας ἀπονοίας
ἐλυμήνατο τοῦ τεχνίτου τὴν ἐπιστήμην μετὰ πολλοῦ τοῦ
θυμοῦ τὸ φάρμακον ἀπὸ τοῦ τραύματος ἀφελών. Ὥσπερ
γὰρ οὐκ ἀρκοῦν εἰς ἀσέβειαν τὸ φονεῦσαι καὶ ἀναισχύντως
10 ἐπιπηδῆσαι τῷ ναῷ τοῦ Θεοῦ, προσετίθει φόνῳ φόνον
ἕτερον καὶ καθάπερ φιλονεικῶν ὁμοῦ καὶ νικῆσαι τοῖς
δευτέροις τὰ πρότερα καὶ τὰ τῶν φθασάντων πάθη μὴ
ἀμαυρῶσαι τῇ τῶν ὑστέρων ὑπερβολῇ – τοιαύτη γὰρ ἡ τοῦ
διαβόλου μανία τὰ ἐναντία κατασκευάζειν ἅμα –, οὕτως
15 ἀμφοτέραις ταῖς σφαγαῖς ἔχειν τι κατάλληλον ἐξαίρετον
ἔδωκεν. Καὶ ἦν ἡ μὲν προτέρα ἐλεεινοτέρα τῆς δευτέρας ἡ
τοῦ παιδός, ἡ δὲ δευτέρα ἐναγεστέρα τῆς προτέρας ἡ τοῦ
μακαρίου Βαβύλα.

53. Ψυχὴ γὰρ ἅπαξ ἁμαρτίας γευσαμένη καὶ ἀναλγήτως
διατεθεῖσα πολλὴν παρέχει τῷ νοσήματι τὴν προσθήκην.
Καὶ οἷον εἰς ὕλην ἄφατον σπινθὴρ ἐμπεσὼν καίει μὲν
εὐθέως τὸ προστυγχάνον οὐχ ἵσταται δὲ μέχρις ἐκείνου
5 μόνον ἀλλὰ πᾶν ἐπινέμεται τὸ λοιπόν, καὶ ὅσῳ ἂν πλείονα
λάβῃ τῇ φλογὶ τοσούτῳ πλείονα προσλαμβάνει τὴν ἰσχὺν
πρὸς τὴν τῶν λοιπῶν ἀπώλειαν, καὶ γίνεται τῶν ἁλόντων

52, 1 καὶ — τούτων > m ‖ 2 καλόν : pr. τι Β ‖ αὐτοῦ m : αὐτοῦ codd.
d ‖ 4 τι > Β‖ ‖ 5 αὐτοῦ m : αὐτοῦ codd. d ‖ 10 φόνῳ > O ‖ 11 καὶ¹ >
UXO del. Fᵖᶜ ‖ 12 μὴ > O dm ‖ 14 τὰ – ἅμα > F ‖ 15 κατ' ἀλλήλων
d ‖ 17 ἐναργεστέρα (ρ eras.) Β
53, 1 ψυχὴ γὰρ : ἡ γὰρ ἐπιρρεπὴς πρὸς κακίαν ψυχὴ UXO ‖ 3 ἄφατον
σπινθὴρ ἐμπεσών : πῦρ ἄφατον ἐμπεσὸν O ‖ 5 ὅσωπερ X

injustice, celui qui se tait et fait semblant de ne rien voir quand les lois divines sont outragées, quel châtiment n'aura-t-il pas mérité ?

52. Avec cette leçon, il en a donné une autre qui n'est pas moins belle, à savoir que chacun doit accomplir son devoir, même s'il n'y a personne pour récolter le fruit de l'événement[1]. Lui-même, en effet, n'a rien retiré alors de profitable pour l'empereur de son franc-parler, et cependant il a rempli tout son devoir et n'a rien négligé.

e) Pouvoir grandissant du péché sur ses victimes

C'est le malade qui, dans sa propre déraison, a réduit à néant la science de l'homme de l'art, en enlevant avec une grande colère, le remède appliqué à sa blessure. Comme s'il ne suffisait pas à son impiété d'avoir commis un meurtre et assailli impudemment le temple de Dieu, il ajoutait à un meurtre un autre meurtre et, comme s'il ambitionnait tout à la fois de surpasser les premiers crimes par de nouveaux et de ne pas effacer les souffrances des précédents par l'excès des suivants — telle est, en effet, la folie du diable : unir les contraires —, il établit ainsi entre les deux meurtres une affinité remarquable : le premier, celui de l'enfant, était plus pitoyable que le second ; le second, celui du bienheureux Babylas, plus sacrilège que le premier.

53. Car une âme qui a une fois goûté au péché et qui est devenue insensible offre à la maladie une grande possibilité de développement. Tout comme une étincelle, tombant sur une vaste forêt, embrase immédiatement ce qu'elle rencontre et ne s'en tient pas à cela seulement, mais consume tout le reste ; plus elle happe de sa flamme, plus elle acquiert de force pour la destruction du reste, et la quantité

---

1. Cf. *Contre les détracteurs de la vie monastique*, III, 21.

ξύλων τὸ πλῆθος τοῖς ἁλίσκεσθαι μέλλουσιν ἐπιβουλή, τοῖς
ληφθεῖσι κατὰ τῶν μενόντων ὁπλιζομένης ἀεὶ τῆς φλογός,
10 οὕτω καὶ ἡ τῆς ἁμαρτίας φύσις ἐπειδάν τινος λάβηται τῶν
τῆς ψυχῆς λογισμῶν καὶ μηδεὶς ὁ σβεννύων ᾖ τὸ κακὸν
προιοῦσα περαιτέρω χαλεπωτέρα γίνεται καὶ δυσχείρωτος.
Καὶ διὰ τοῦτο τὰ μετὰ ταῦτα πολλάκις τῶν προτέρων
ἰσχυρότερα γέγονεν ἁμαρτήματα τῆς ψυχῆς ἀεὶ τῇ τῶν
15 δευτέρων προσθήκῃ πρὸς μείζονα ἀπόνοιαν καὶ καταφρό-
548 νησιν αἱρομένης | καὶ διὰ τούτων τὴν μὲν οἰκείαν δια-
λυούσης δύναμιν τὴν δὲ τῆς ἁμαρτίας τρεφούσης. Οὕτω
γοῦν πολλοὶ εἰς πᾶν εἶδος ἁμαρτημάτων ἐλθόντες ἔλαθον
ἐπειδὴ τὴν φλόγα ἀρχομένην οὐκ ἔσβεσαν · οὕτω καὶ ὁ
20 δείλαιος ἐκεῖνος χαλεπώτερα τοῖς προτέροις προσετίθει τὰ
δεύτερα.

54. Ἐπειδὴ γὰρ τὸν νέον ἐκεῖνον ἀπώλεσεν ἀπὸ τοῦ
φόνου πρὸς τὴν ὕβριν τὴν εἰς τὸν νεὼν ὥρμησε καὶ πάλιν
ἐκ ταύτης ὁδῷ προβαίνων εἰς τὴν κατὰ τῆς ἱερωσύνης
ἀπόνοιαν ἐπαπεδύσατο, καὶ τὸν ἅγιον σιδήρῳ δήσας καὶ εἰς
5 δεσμωτήριον ἐμβαλὼν οὕτω τέως ἐκόλαζε δίκην αὐτὸν
τῆς εὐεργεσίας ἀπαιτῶν καὶ ὑπὲρ ὧν θαυμάζειν ἔδει
καὶ στεφανοῦν καὶ τῶν γεγεννηκότων μᾶλλον τιμᾶν ὑπὲρ
τούτων τὰ τῶν κακούργων ὑπομένειν ἠνάγκαζε δεσμὰ καὶ
τὴν ἀπὸ τῶν δεσμῶν ταλαιπωρίαν περιθείς.

53, 9 μενόντων : μελλόντων D dm ‖ 16-17 δύναμιν διαλυούσης ~ O
54, 4 ἀπόνοιαν > UX ‖ ἐπαπεδύσατο + οὐχ ἵσταται δὲ μέχρις ἐκείνης ·
ἀλλὰ O

---

1. Dans ses *Homélies sur : Les démons ne gouvernent pas le monde*, I, 4,
Jean Chrysostome reprend l'image du «feu du péché». Dans ses

des bois déjà saisis (par le feu) devient un danger pour ceux qui vont l'être, car la flamme ne cesse de se faire une arme de ceux qu'elle a pris contre ceux qui restent. Telle est aussi la nature du péché[1] : lorsqu'il s'est emparé d'une des pensées de l'âme et qu'il n'est personne pour éteindre le sinistre, au fur et à mesure qu'il gagne du terrain, il devient plus redoutable et plus difficile à maîtriser. C'est pourquoi les péchés ultérieurs sont souvent plus graves que les premiers, car, avec les seconds péchés qui s'ajoutent, l'âme est sans cesse entraînée à plus de démence et de présomption ; par là, elle sape sa propre force et nourrit celle du péché. En tout cas, c'est ainsi que beaucoup sont tombés à leur insu dans toutes sortes de péchés pour n'avoir pas éteint la flamme à ses débuts, et c'est ainsi que ce malheureux ajoutait à ses premiers forfaits d'autres plus graves.

D. ARRESTATION DE BABYLAS

54. Après avoir fait périr ce jeune garçon, il se précipita du meurtre à l'outrage contre le temple, et encore après cet outrage, poursuivant sa route, il se prépara à sa folie contre le sacerdoce. Il mit le saint aux fers et le jeta en prison ; il le châtiait ainsi en attendant, tirant vengeance de son bienfait, et ce qui aurait dû être pour lui un motif de l'admirer, de le couronner, de l'honorer plus que père et mère, cela fut le motif pour lequel il l'obligeait à endurer les chaînes des malfaiteurs – car il lui infligea aussi le supplice des chaînes[2].

Panégyriques de S. Paul (IV, 18 et VII, 10), il fait du feu le symbole de la parole de Paul renversant les usages des païens.

2. Voir les *Passions de Babylas* (Introd. p. 49-52) : *Passion*, 5 (éd. Papadopoulos-Kerameus) ; *ASS*, janvier III, p. 186.

X   55. Οὕτως ὅπερ ἔφην ἀρχὴν ἁμαρτία λαβοῦσα καὶ
μηδένα εἰς τὸ πρόσω προβῆναι κωλύοντα ἔχουσα δυσα-
νάσχετος καὶ ἀκάθεκτος γίνεται κατὰ τοὺς μεμηνότας
τῶν ἵππων οἵ, ἐπειδὰν τὸν χαλινὸν ἀπὸ τοῦ στόματος
5 ἐκβαλόντες καὶ τὸν ἐπιβάτην ῥίψαντες ἀπὸ τῶν νώτων
ὕπτιον τοῖς ἀπαντῶσιν ἀφόρητοι γένωνται, μηδενὸς αὐτοὺς
κωλύοντος ὑπὸ τῆς ἀτάκτου ῥύμης φέροντες ἑαυτοὺς
κατεκρήμνισαν. Διά τοι τοῦτο εἰς μανίαν τὰς τοιαύτας
ἐκφέρει ψυχὰς ὁ τῆς σωτηρίας ἡμῶν ἐχθρὸς ἵνα αὐτὰς
10 ἐν ἐρημίᾳ τῶν θεραπευσόντων ἀπολαβὼν κατακόψῃ καὶ
μυρίοις περιβάλῃ κακοῖς. Καὶ γὰρ οἱ τὰ σώματα
ἀρρωστοῦντες ἕως μὲν ἂν προσίωνται τοὺς θεραπεύοντας
πολλὴν τὴν ἐλπίδα τῆς ὑγείας ἔχουσιν, ἐπειδὰν δὲ εἰς
φρενῖτιν ἐκπεσόντες λακτίζωσι καὶ δάκνωσι τοὺς βουλομέ-
15 νους ἀπαλλάξαι τῆς ἀρρωστίας αὐτοὺς τότε νοσοῦσιν ἀνίατα
οὐ διὰ τὴν τῆς νόσου φύσιν ἀλλὰ διὰ τὴν ἐρημίαν τῶν
ἀπαλλάξαι δυναμένων τῆς μανίας αὐτούς, εἰς ἣν καὶ οὗτος
ἑαυτὸν κατέστησε.

        56. Λαβὼν γὰρ τὸν ἰατρὸν τέμνοντα ἔτι τὸ τραῦμα
ἀπήλασεν εὐθέως καὶ ὡς πορρωτάτω τῆς οἰκίας ἀπήγαγε.
Καὶ ἦν τὸ Ἡρώδου δρᾶμα[a] μηκέτι μόνον ἀκοῇ μανθάνειν
ἀλλὰ καὶ ὄψει μετὰ πλείονος τῆς περιπετείας θεωρεῖν,
5 ἐπειδὴ καὶ μετὰ πλείονος αὐτὸ τῆς ἐπιδείξεως καὶ
παρασκευῆς ὁ διάβολος πάλιν εἰς τὸ τοῦ βίου θέατρον
εἰσήγαγεν ἀντὶ τετράρχου βασιλέα κατασκευάσας καὶ ἀντὶ
μιᾶς αἰτίας διπλῆν ὑπόθεσιν τῷ πράγματι δοὺς καὶ πολὺ
τῆς προτέρας μιαρωτέραν, ὡς μὴ τῷ ἀριθμῷ μόνον ἀλλὰ

55, 2 μηδένα + τὸν P[s.l.] dm ‖ προβῆναι > X ‖ 5 ἐκβαλόντες ... ῥίψαντες :
ἐκβάλωσι ... ῥίψωσι F[pc] UXO ‖ 6 γίνονται F UXO ‖ μηδενὸς αὐτοὺς : καὶ
μηδενὸς αὐτοὺς λοιπὸν F[pc] καὶ μηδενὸς λοιπὸν αὐτοὺς UXO ‖ 12 ἂν > X
‖ προσίονται X προσιόντας m ‖ θεραπεύοντας + ἀνέχωνται m ‖
13 ὑγιείας P dm ‖ 14 ἐμπεσόντες F UXO
56, 2 τῆς : τοῖς O ‖ 5 αὐτῷ B ‖ 7 ἀντεισήγαγεν O ‖ καταστήσας O m

56. a. cf. Matth. 14, 1-12

55. Ainsi, comme je l'ai dit, lorsque le péché commence et n'a personne pour l'empêcher de progresser davantage, il devient pénible à supporter, incontrôlable, comme il arrive aux chevaux furieux[1] qui, en rejetant le mors de leur bouche et en projetant de leur dos leur cavalier à bas, deviennent indomptables à quiconque se porte au devant; et si personne ne les arrête, emportés par leur impétuosité désordonnée, ils se jettent d'eux-mêmes dans les précipices. C'est pour cela que l'ennemi de notre salut porte de telles âmes à la folie, afin de les récupérer en l'absence de gens pour les soigner, et de les détruire en les précipitant dans des maux innombrables. Les gens qui ont une maladie corporelle, tant qu'ils acceptent la visite des médecins, ont un grand espoir de guérison; mais lorsqu'ils tombent dans la frénésie et se mettent à donner des coups de pied à ceux qui veulent les délivrer de leur faiblesse et à les mordre, alors leur maladie devient incurable, non à cause de la nature de la maladie, mais par l'absence d'hommes capables de les délivrer de leur folie; c'est dans cette folie que s'est également jeté cet homme-là.

56. Saisissant, en effet, son médecin en train d'opérer encore la blessure, il le chassa aussitôt et l'écarta le plus loin possible de sa demeure. C'était le drame d'Hérode[a] qu'on pouvait non plus seulement entendre raconter, mais encore regarder de ses yeux avec une péripétie plus importante, car le diable l'avait ramené sur le théâtre de la vie avec une ostentation et une mise en scène plus importantes, en présentant, au lieu d'un tétraque, un empereur et en donnant à l'action, au lieu d'un seul sujet, une double intrigue[2], et bien plus abominable que la précédente; de la

---

1. L'image des chevaux furieux revient souvent chez Jean Chrysostome : ci-dessous § 60; *Hom. sur Ozias*, V, 1; *Hom. sur I Cor.*, XVII, 4. Voir aussi CLÉMENT D'ALEX., *Quis dives*, 42, 6.

2. C'est-à-dire le meurtre de l'enfant et celui de Babylas.

10 καὶ αὐτῇ τῶν πραγμάτων τῇ φύσει λαμπροτέραν ταύτην
γενέσθαι τὴν τραγῳδίαν. Οὐ γὰρ γάμος ἐνταῦθα ὑβρίζετο
καθάπερ ἐκεῖ οὐδὲ ἀπὸ παρανόμου μίξεως ἀλλ᾽ ἀπὸ
μολυσμοῦ παιδοκτονίας ἐναγεστέρου καὶ τυραννίδος ἀπη-
νεστάτης καὶ παρανομίας οὐκ εἰς γυναῖκα γενομένης ἀλλ᾽
15 εἰς αὐτὴν τὴν ἁγιστείαν ταύτην τὴν ἱστορίαν ἔπλεξεν ὁ
πονηρός.

57. Ἐμβληθεὶς τοίνυν εἰς τὸ δεσμωτήριον ὁ μακάριος
ἔχαιρε μὲν ἐπὶ τοῖς δεσμοῖς, ἤλγει δὲ ἐπὶ τῇ τοῦ δήσαντος
ἀπωλείᾳ. Οὔτε γὰρ πατὴρ οὐδὲ παιδοτρίβης ὅταν ὁ μὲν ἐκ
τῆς τοῦ παιδὸς ὁ δὲ ἐκ τῆς τοῦ μαθητοῦ μοχθηρίας καὶ
5 δυσπραγίας λαμπρότεροι γίνωνται, καθαρὰν ἀθυμίας τὴν ἐκ
τῆς εὐδοκιμήσεως ἔχουσιν ἡδονήν. Διὰ τοῦτο καὶ ὁ μακάριος Παῦλος Κορινθίοις ἔλεγεν· «Εὐχόμεθα δὲ μηδὲν
κακὸν ποιῆσαι ὑμᾶς, οὐχ ἵνα ἡμεῖς δόκιμοι φανῶμεν, ἀλλ᾽
ἵνα ὑμεῖς τὸ καλὸν ποιῆτε, ἡμεῖς δὲ ὡς ἀδόκιμοι ὦμεν[a].»
549 10 Οὕτω γοῦν καὶ | ἐκείνῳ τῷ θαυμαστῷ τότε ποθεινότερον ἦν
τῶν ἀπὸ τοῦ δεσμωτηρίου μισθῶν ἡ τοῦ μαθητοῦ σωτηρία
καὶ τὸ σωφρονήσαντα ἀποστερῆσαι τούτων τῶν ἐπαίνων
αὐτόν, μᾶλλον δὲ τὸ μηδὲ τὴν ἀρχὴν εἰς ταύτην αὐτὸν τὴν
διαστροφὴν ἐμπεσεῖν.

58. Οἱ γὰρ ἅγιοι τοὺς στεφάνους αὐτοῖς οὐκ ἀπὸ τῶν
ἀλλοτρίων βούλονται πλέκεσθαι συμφορῶν· εἰ δὲ ἀπὸ τῶν
ἀλλοτρίων οὐ βούλονται πολλῷ μᾶλλον ἀπὸ τῶν τοῖς
οἰκείοις συμβαινόντων κακῶν. Τούτου χάριν καὶ ὁ μακάριος
5 Δαυὶδ μετὰ τὰ τρόπαια καὶ τὴν νίκην ἐπένθει καὶ ἐδάκρυεν
ἐπειδὴ μετὰ τῆς τοῦ παιδὸς συμφορᾶς αὕτη γέγονε, καὶ
τοῖς τε ἐξιοῦσι στρατηγοῖς ἐπέσκηπτεν ὑπὲρ τοῦ τυράννου

56, 10 τῇ τῶν πραγμάτων ~ F O ‖ 11 ὑβρίζεται O ‖ 15-16 ταύτην —
πονηρός eras. F > UXO
57, 3 οὐδὲ : οὔτε X ‖ 4-5 καὶ δυσπραγίας > O ‖ 12 τὸ : τὸν Bᵃᶜ τοῦ P
‖ σωφρονίσαντα (sic) + τοῦτον P
58, 1 αὐτοῖς scripsi : αὐτοῖς codd. dm ‖ 5 τὰ Bᵖᶜ ‖ 7 τε : τότε O

sorte, cette tragédie devenait plus spectaculaire non seulement par le nombre des événements, mais par leur nature
même. Car il ne s'agissait pas ici, comme là, d'un mariage
outragé, et ce n'est pas à partir d'une union illégitime, mais
de la souillure plus exécrable d'un infanticide, de la plus
cruelle des tyrannies et d'une iniquité commise non contre
une femme mais contre la sainteté elle-même que le malin a
ourdi cette histoire.

57. Une fois donc jeté en prison, le bienheureux se
réjouissait de ses chaînes, mais souffrait de la perte de celui
qui l'avait enchaîné. En effet, ni un père ni un pédotribe,
lorsqu'il voit croître sa notoriété à cause de la méchanceté
et de l'infortune, l'un de son enfant, l'autre de son
élève, ne jouit sans un mélange de tristesse du plaisir
de la renommée. C'est pour cela aussi que le bienheureux
Paul disait aux Corinthiens : «Nous prions pour que vous
ne fassiez rien de mal, non pour paraître nous-mêmes
considérés, mais afin que vous, vous fassiez le bien, et que
nous, nous soyons comme déconsidérés[a].» De même aussi,
ce que cet homme admirable désirait alors, plus que le
salaire de son emprisonnement, c'était le salut de son
disciple, c'était que ce disciple, en recouvrant son bon sens,
le privât de ces louanges, ou plutôt, qu'il ne fût jamais
tombé dans cette aberration.

58. Car les saints ne veulent pas que leurs couronnes
soient tressées au prix des malheurs d'autrui, à plus forte
raison au prix des maux qui frappent leurs proches. Voilà
pourquoi aussi le bienheureux David, après les trophées et
après la victoire, était dans le deuil et pleurait, car cette
victoire était accompagnée de la mort de son fils; aux
généraux qui partaient en guerre il faisait beaucoup de

57. a. II Cor. 13, 7

πολλὰ καὶ ἀνελεῖν αὐτὸν ἐπειγομένους ἐπεῖχε λέγων · «Φεί-
σασθε τοῦ παιδαρίου Ἀβεσσαλώμ[a]»· καὶ πεσόντα ἐπένθει
10 καὶ ἀνεκάλει τὸν ἐχθρὸν μετὰ οἰμωγῶν καὶ δακρύων
πικρῶν. Εἰ δὲ ὁ φυσικὸς πατὴρ οὕτω φιλόστοργος πολλῷ
μᾶλλον ὁ πνευματικός. Ὅτι γὰρ τῶν κατὰ σάρκα οἱ
κατὰ πνεῦμα γονεῖς κηδεμονικώτεροι τοῦ Παύλου λέγοντος
ἄκουε · «Τίς ἀσθενεῖ καὶ οὐκ ἀσθενῶ; Τίς σκανδαλίζεται
15 καὶ οὐκ ἐγὼ πυροῦμαι[b];»

59. Ἀλλὰ τοῦτο μὲν τὴν ἰσότητα παρίστησιν ἡμῖν
– καίτοι γε μόλις ἂν πατέρες ταύτην ἀφεῖησαν τὴν
φωνήν, ἀλλ' ὅμως συγχωρείσθω καὶ μέχρι τοσούτου φθάνειν αὐτούς · δεῖ δὲ τὸ πλέον ἐπιδεῖξαι λοιπόν. Πόθεν οὖν
5 τοῦτο ἐπιδείξομεν; Ἀπὸ τῶν αὐτῶν σπλάγχνων πάλιν καὶ
ἀπὸ τῶν τοῦ νομοθέτου ῥημάτων. Τί δὲ ἐκεῖνός φησιν; «Εἰ
μὲν ἀφίεις αὐτοῖς τὴν ἁμαρτίαν, ἄφες, εἰ δὲ μὴ κἀμὲ
ἐξάλειψον ἐκ τῆς βίβλου ἧς ἔγραψας[a].» Οὐδεὶς δὲ ἂν ἕλοιτο
πατὴρ παρὸν μυρίων ἀπολαύειν ἀγαθῶν μετὰ τῶν τέκνων
10 κολάζεσθαι · ὁ δὲ ἀπόστολος ἅτε ἐν τῇ χάριτι πολιτευσά-
μενος καὶ ταύτης ἐπίτασιν πεποίηται τῆς φιλοστοργίας διὰ
τὸν Χριστόν. Οὐ γὰρ μετ' ἐκείνων κολάζεσθαι εἵλετο
καθάπερ ἐκεῖνος, ἀλλ' ἵνα ἑτέροις εὖ γένηται αὐτὸς ἀπολέσθαι ηὔχετο λέγων · «Ηὐχόμην ἀνάθεμα εἶναι ἀπὸ τοῦ Χριστοῦ
15 ὑπὲρ τῶν συγγενῶν μου τῶν ἀδελφῶν μου κατὰ σάρκα[b].»

58, 9 ἀβεσαλώμ BF[ac] ‖ 10 ἀνεκαλεῖτο F UXO dm ‖ 11 φιλόστοργος :
φιλότεκνος O ‖ 14 ἄκουσον F
59, 2 ἀφεῖησαν scripsi : ἀφήσειαν B d ἀφήσαιεν F[ac] m φήσαιεν F[pc]
UX ἂν φήσαιεν O ‖ 3 τοσούτου : τούτου F[mg] O d ‖ φθάνειν (ν² B[s.l.])
codd. : φθάσαι dm ‖ 7 ἀφίεις B : ἀφῇς F UXO ἀφίης d ἀφίης m ‖ αὐτοῖς
ἀφίεις ~ O ‖ 8 δὲ > O ‖ 12 τὸν > F UXO ‖ 13 εὖ γένηται (υ in ras.) B :
σωθῆναι ἐκγένηται (ἐγγ- O) F UXO dm ‖ 14 εὐχόμην F UXO ‖ 15 τῶν
ἀδελφῶν μου τῶν συγγενῶν μου ~ F UXO dm ‖ κατὰ : pr. τῶν UXO dm

58. a. II Sam. 18, 5 ‖ b. II Cor. 11, 29
59. a. Ex. 32, 32 ‖ b. Rom. 9, 3

recommandations en faveur du rebelle ; alors qu'ils avaient hâte de le faire périr, il les retenait, en disant : «Épargnez mon enfant Absalom[a]», et, lorsqu'il fut tombé, David était dans le deuil et appelait son ennemi par son nom au milieu des gémissements et des larmes amères. Si donc le père charnel est plein d'une telle tendresse, à plus forte raison le père selon l'esprit[1]. Car les parents selon l'esprit ont plus de sollicitude que les parents selon la chair ; entends Paul le dire : «Qui est faible, sans que je sois faible ? Qui tombe, sans qu'un feu me brûle[b] ?»

59. Mais cela nous montre leur égalité — en vérité, c'est à peine si des pères (charnels) tiendraient ce langage, mais admettons cependant qu'ils en arrivent jusque là — ; il faut maintenant montrer où est la supériorité. Comment la montrerons-nous donc ? d'après les mêmes entrailles (de Paul) et d'après les paroles du législateur. Que dit le législateur ? «Si tu veux leur pardonner leur péché, pardonne ; sinon, efface-moi aussi du livre que tu as écrit[a][2].» Aucun père ne choisirait, alors qu'il lui est possible de jouir de biens innombrables, d'être châtié avec ses enfants ; mais l'Apôtre, parce que la grâce a dirigé sa vie, a poussé encore plus loin cette tendresse, à cause du Christ. Car il n'a pas choisi, comme Moïse, d'être châtié avec eux ; mais pour permettre aux autres d'être sauvés, il a souhaité périr lui-même : «Je souhaiterais, dit-il, être anathème, séparé du Christ, pour mes frères, mes parents selon la chair[b].»

1. Cf. *Panég. de S. Julien*, 5 : «Alors que, dans la parenté charnelle, nous ne nous sentons nullement concernés les uns par les autres, la parenté spirituelle nous a rendus plus aimants que des pères.»

2. Jean Chrysostome aime faire allusion à cet épisode, qui est pour lui «le sommet et la couronne» de Moïse : *Panég. de S. Paul*, I, 13 ; cf. *A Stagyre*, III, 3 ; *Panég. de S. Barlaam*, 1.

Τοσαύτη εὐσπλαγχνία καὶ φειδὼ παρὰ ταῖς τῶν ἁγίων ψυχαῖς.

60. Ὅθεν καὶ οὗτος μειζόνως διεκόπτετο τὰ σπλάγχνα τὴν ἀπώλειαν τοῦ βασιλέως περαιτέρω προιοῦσαν ὁρῶν. Οὐδὲ γὰρ μόνον ὑπὲρ τοῦ νεὼ δακνόμενος ἔπραττεν ἅπερ ἔπραττεν ἀλλὰ καὶ ὑπὸ τῆς πρὸς ἐκεῖνον εὐνοίας ἐπι-
5 καμπτόμενος. Ὁ μὲν γὰρ εἰς τὴν τοῦ Θεοῦ λειτουργίαν ὑβρίζων ἐκείνην μὲν ἔβλαψεν οὐδέν, ἑαυτὸν δὲ μυρίοις
XI περιέπειρε κακοῖς. | Διόπερ ὁ φιλόπαις πατὴρ θεωρῶν κατὰ κρημνῶν ὠθούμενον τῷ θυμῷ τὸν ὑβριστὴν ἀνέχειν τὴν ἄλογον φορὰν ἐσπούδαζεν ὥσπερ τινὰ δυσήνιον ἵππον
10 εἰς τοὐπίσω διὰ τῆς ἐπιπλήξεως ἀνακρούσασθαι σπεύδων αὐτόν. Ἀλλ᾽ οὐκ εἴασεν ἐκεῖνος ὁ δείλαιος ἀλλὰ τὸν χαλινὸν ἐνδάκνων καὶ ἀντιτείνας καὶ θυμῷ καὶ μανίᾳ ἀντὶ τῶν ὀρθῶν λογισμῶν ἑαυτὸν ἐκδοὺς εἰς τὰ βάραθρα τῆς ἐσχάτης ἀπωλείας ἐνέβαλε, καὶ τὸν ἅγιον τοῦ δεσμωτηρίου
15 ἐξαγαγὼν τὴν ἐπὶ θανάτῳ ἀπαχθῆναι δεδεμένον ἐκέλευσε.

61. Καὶ ἦν ἐναντία τῶν ὁρωμένων τὰ δρώμενα. Ὁ μὲν δεδεμένος πάντων ὁμοῦ τῶν δεσμῶν ἐλύετο καὶ τῶν ἀπὸ τοῦ σιδήρου καὶ τῶν ἔτι σφοδροτέρων — φροντίδων λέγω καὶ πόνων καὶ τῶν ἄλλων ἁπάντων τῶν διὰ τὸν ἐπίκηρον
5 βίον περιισταμένων ἡμᾶς. Ὁ δὲ λελύσθαι δοκῶν καὶ
550 σιδήρου καὶ ἀδάμαντος | ἑτέροις χαλεπωτέροις περιεβάλλετο δεσμοῖς ταῖς σειραῖς τῶν ἁμαρτιῶν ἐπισφιγγόμενος[a]. Μέλλων τοίνυν ὁ μακάριος ἀποσφάττεσθαι ἐκεῖνος μετὰ τοῦ σιδήρου τὸ σῶμα ταφῆναι ἐπέσκηψε δεικνὺς ὅτι
10 τὰ δοκοῦντα ἐπονείδιστα εἶναι ταῦτα ὅταν διὰ τὸν Χριστὸν γίνωνται σεμνά τέ ἐστι καὶ λαμπρὰ καὶ οὐ μόνον οὐκ

Telles sont la compassion et la miséricorde dans les âmes des saints.

60. C'est pourquoi lui aussi (Babylas) avait ses entrailles plus déchirées en voyant l'empereur s'avancer peu à peu vers sa perte. Car il agissait comme il le faisait non seulement par colère à propos du temple, mais aussi parce qu'il était ému de bienveillance envers cet homme. Car celui qui outrage le culte de Dieu ne lui cause aucun tort, mais se jette lui-même dans des maux innombrables. Aussi le tendre père, considérant l'insolent entraîné par sa colère dans un précipice, s'employait à arrêter son élan insensé et, comme pour un cheval indocile aux rênes, s'efforçait par sa réprimande de le tirer en arrière. Mais le malheureux ne le laissa pas faire ; prenant, au contraire, le mors aux dents, tirant en sens opposé, et s'abandonnant à la colère et à la folie plutôt qu'à la droite raison, il s'élança dans le gouffre de l'extrême perdition et, faisant sortir le saint de la prison, il ordonna de l'emmener, enchaîné, à la mort.

61. Ce qui se passait était tout le contraire de ce qu'on voyait. L'homme enchaîné était délié de toutes les chaînes à la fois, celles de fer et celles qui sont plus dures encore – je veux dire soucis, peines et tout ce qui nous menace pendant la vie périssable. Quant à celui qui paraissait délié du fer et de l'acier, il était chargé d'autres chaînes plus pénibles, enserré dans les liens du péché[a]. Sur le point d'être immolé, ce bienheureux recommanda d'enterrer son corps avec ses fers, montrant (par là) que les choses qui paraissent ignominieuses, lorsqu'elles ont lieu à cause du Christ, sont respectables et brillantes et que celui qui les

O ‖ ἐπέσκηπτε F ‖ 10 τὸν > O ‖ 11 γίνηται P dm γένηται F UO ἐστὶ X ‖ τέ > O

61. a. cf. Prov. 5, 22

ἐγκαλύπτεσθαι ἀλλὰ καὶ σεμνύνεσθαι ἐπ' αὐτοῖς χρὴ τὸν
πάσχοντα, κἂν τούτῳ τὸν μακάριον Παῦλον μιμούμενος ὃς
ἄνω καὶ κάτω τὰ στίγματα[b], τὰ δεσμά[c], τὴν ἄλυσιν[d]
15 ἔστρεφε καυχώμενος καὶ μέγα φρονῶν ἐφ' οἷς ἠσχύνοντο
ἕτεροι.

62. Ὅτι γὰρ ἠσχύνοντο δῆλον ἡμῖν αὐτὸς ἐποίησε διὰ
τῆς πρὸς τὸν Ἀγρίππαν γενομένης ἀπολογίας αὐτῷ.
Λέγοντος γὰρ ἐκείνου · Κινδυνεύεις με «ἐν ὀλίγῳ ποιῆσαι
Χριστιανόν», «Ηὐξάμην ἂν τῷ Θεῷ, φησίν, καὶ ἐν ὀλίγῳ
5 καὶ ἐν πολλῷ οὐ μόνον σὲ ἀλλὰ καὶ τοὺς περιεστῶτας
πάντας γενέσθαι Χριστιανοὺς χωρὶς τῶν δεσμῶν τούτων[a]» ·
οὐκ ἂν τοῦτο προσθεὶς εἰ μὴ τὸ πρᾶγμα ἐπονείδιστον εἶναι
ἐδόκει τοῖς πολλοῖς. Φιλοδέσποτοι γὰρ ὄντες οἱ ἅγιοι τὰ
ὑπὲρ τοῦ Δεσπότου πάθη μετὰ πολλῆς ἐδέχοντο τῆς
10 προθυμίας καὶ φαιδρότεροι τούτοις ἐγίνοντο. Καὶ ὁ μέν
φησι · «Χαίρω ἐν τοῖς παθήμασί μου[b]», ὁ δὲ Λουκᾶς περὶ
τοῦ λοιποῦ τῶν ἀποστόλων χοροῦ τὰ αὐτὰ δὴ ταῦτα
φθέγγεται · μετὰ γὰρ τὰς πολλὰς μάστιγας ἀνεχώρουν
«χαίροντες ὅτι κατηξιώθησαν ὑπὲρ τοῦ ὀνόματος ἀτι-
15 μασθῆναι[c]».

63. Ἵν' οὖν μή τις τῶν ἀπίστων ἀνάγκης εἶναι νομίσῃ
τοὺς ἄθλους καὶ κατηφείας αὐτὰ τῶν ἄθλων τὰ σύμβολα
συνταφῆναι κελεύει τῷ σώματι δεικνὺς ὅτι λίαν αὐτὰ
ἠσπάζετο καὶ ἐφίλει διὰ τὸ λίαν ἐκκρεμᾶσθαι τῆς ἀγάπης

61, 12 ἀλλὰ καὶ σεμνύνεσθαι > O ǁ 13 πάσχοντα + ἀλλὰ καὶ ἐγκαλλω-
πίζεσθαι καὶ μέγα φρονεῖν O ǁ μιμούμενος παῦλον ∼ O
62, 3-4 κινδυνεύεις — χριστιανόν : ἐν ὀλίγῳ με πείθεις χριστιανὸν
γενέσθαι F UXO m ǁ 4 χριστιανόν + παῦλος εἶπεν F UX m + εἶπεν ὁ
παῦλος O + ὁ παῦλος d ǁ εὐξαίμην F UXO ǁ φησίν > O m ǁ 6 χωρὶς :
ἄνευ F ǁ 13 ἀνεχώρουν + φησὶ F UXO dm ǁ 14 ὀνόματος + τοῦ χριστοῦ
B² dm + χριστοῦ P + αὐτοῦ F UXO
63, 1 ἀνάγκην B ǁ 2 τοὺς ἄθλους > X ǁ 4 λίαν : σφόδρα F ǁ ἐκκρέ-
μασθαι F UXO d

61. b. cf. Gal. 6, 17 ǁ c. cf. Col. 4, 18; Philém. 10 ǁ d. cf. Éphés.
6, 20; Act. 28, 20; II Tim. 1,16

endure, loin de s'en cacher, doit s'en glorifier; il imitait en cela le bienheureux Paul qui parlait à tout propos de ses stigmates[b], de ses chaînes[c], de ses liens[d], se vantant et s'enorgueillissant de ce dont les autres avaient honte.

62. Car ils en avaient honte, Paul lui-même nous l'a montré à l'évidence dans sa défense devant Agrippa. Celui-ci lui disant : Tu risques «pour un peu de me faire chrétien», «Plaise à Dieu, répondit-il, pour un peu ou pour beaucoup, que non seulement toi, mais encore tous ceux qui nous entourent, vous deveniez chrétiens, à l'exception de ces chaînes[a].» Ce qu'il n'aurait pas ajouté, si la chose n'avait paru ignominieuse au grand nombre. Parce qu'ils aimaient le Maître, les saints accueillaient, en effet, avec beaucoup d'empressement les souffrances pour le Maître et ils en devenaient plus joyeux. L'un dit : «Je me réjouis dans mes souffrances[b]», et Luc fait entendre la même affirmation au sujet des autres membres du chœur des apôtres : après les nombreux coups de fouet, ils s'en retournaient, dit-il, «dans la joie d'avoir été jugés dignes de subir des opprobres pour le Nom[c]».

63. Afin qu'aucun incroyant ne mette ses luttes au compte de la nécessité et de l'humiliation, il ordonne d'ensevelir avec son corps les signes mêmes de ses luttes[1], montrant ainsi qu'il les affectionnait et les aimait extrême- ment parce qu'il était extrêmement attaché à l'amour du

---

62. a. Act. 26, 28-29 ‖ b. Col. 1, 24 ‖ c. Act. 5, 41

---

1. Cf. *Hom. sur Éphés.*, IX, 2 : «A sa mort, il ordonna de déposer ses chaînes avec son corps et d'ensevelir son corps enchaîné; et maintenant encore ses entraves sont conservées avec sa cendre. Tel était son amour pour des chaînes subies à cause du Christ.» Voir P. ALLARD, *Histoire des persécutions*, t. 2, Paris 1919, p. 457, n. 4.

5 τοῦ Χριστοῦ. Καὶ κεῖνται νῦν μετὰ τῆς τέφρας αἱ πέδαι
πᾶσι παραινοῦσαι τοῖς τῶν ἐκκλησιῶν προεστῶσι κἂν
δεθῆναι δέῃ, κἂν σφαγῆναι, κἂν ὁτιοῦν παθεῖν πάντα
προθύμως καὶ μετὰ πολλῆς ὑπομένειν τῆς ἡδονῆς ὥστε τῆς
ἐμπιστευθείσης ἡμῖν ἐλευθερίας μηδὲ τὸ τυχὸν προδοῦναι
10 καὶ καταισχῦναι μέρος.

64. Καὶ ὁ μὲν μακάριος ἐκεῖνος οὕτω λαμπρῶς τὸν βίον
κατέλυσε, τάχα δέ τις καὶ ἡμᾶς οἴεται ἐνταῦθα καταλύσειν
τὸν λόγον· μετὰ γὰρ τὴν τοῦ βίου τελευτὴν οὐκ εἶναι
κατορθωμάτων οὐδὲ ἀνδραγαθίας ἀφορμὰς ὥσπερ οὐδὲ τοῖς
5 ἀθληταῖς μετὰ τὸ παρελθεῖν τοὺς ἀγῶνας στεφάνους πλέκεσθαι δυνατόν. Ἀλλ' Ἕλληνες μὲν εἰκότως ταῦτα νομί-
ζουσιν ἐπειδὴ καὶ μέχρι τοῦ παρόντος βίου τὴν ἐλπίδα
συνέκλεισαν τὴν αὑτῶν, ἡμεῖς δὲ οἷς ἑτέρας ζωῆς φαιδρο-
τέρας ἀρχὴ ἡ ἐνθάδε γίνεται τελευτὴ ταύτης ἀφεστήκαμεν
10 τῆς ὑπονοίας καὶ δόξης. Καὶ ὅτι δικαίως σαφέστερον μὲν
καὶ ἐν ἑτέρῳ δείξομεν λόγῳ, τέως δὲ καὶ τὰ μετὰ τὴν
τελευτὴν τοῦ γενναίου κατορθώματα Βαβύλα ἱκανὰ πίστιν
μεγάλην τῷ λόγῳ παρασχεῖν.

63, 7 δέοι F
64, 3 τοὺς λόγους F UXO ‖ εἶναι + λοιπὸν P F dm ‖ 6 νομίζουσι ταῦτα
~ F ‖ 8 αὐτῶν scripsi : αὑτῶν codd. dm ‖ 11 καὶ τὰ : τὰ καὶ F UX τὰ O
‖ τὴν > O ‖ 12 τοῦ γενναίου κατορθώματα βαβύλα B : τῷ γενναίῳ
κατορθωθέντα βαβύλα F UXO dm ‖ 13 μεγίστην F UXO

1. Voir GRÉGOIRE DE NYSSE, *Éloge de Théodore* (PG 46, 740 C) : « Car
un grand nombre, préférant à toute autre chose, le ventre, la vaine gloire
et le fumier d'ici-bas, ne font aucun cas de l'avenir ; ils croient qu'à la fin
de l'existence tout est terminé » ; par la suite, il veut prouver la vie future
par les honneurs rendus aux martyrs.
2. Jean Chrysostome associe souvent la vision chrétienne de la mort
comme début d'une vie nouvelle au témoignage des martyrs : voir
ci-dessus, § 1 ; *Panég. de S. Romain*, I, 2 ; *Panég. de S. Ignace*, 4-5 ; *Hom.*

Christ. Et ces entraves reposent maintenant avec sa cendre, exhortant tous ceux qui sont à la tête des Églises – leur fallût-il être enchaînés, égorgés ou souffrir quoi que ce soit – à tout endurer avec empressement et avec grande joie, pour ne pas céder et ternir de honte la moindre part de liberté qui nous a été confiée.

E. LE SAINT DEMEURE VIVANT ET ACTIF

64. C'est dans tout cet éclat que ce bienheureux acheva sa vie ; et l'on pense peut-être que nous allons, nous aussi, achever ici notre discours, car, après la fin de la vie, il n'y a plus aucun moyen d'accomplir ni belles actions ni actes de courage, de même qu'il n'est pas possible non plus, quand le temps des jeux est passé, de tresser des couronnes aux athlètes. Mais s'il est normal que les Grecs pensent cela, puisqu'ils ont enfermé leur espérance dans la vie présente[1], nous pour qui la mort ici-bas est le début d'une autre existence plus lumineuse[2], nous sommes loin de cette idée et de cette croyance. Et c'est avec raison. Nous le montrerons plus clairement dans un autre discours[3] ; pour le moment les belles actions accomplies par le généreux Babylas après sa mort suffisent à fournir à notre discours une grande garantie.

---

prononcée en présence de l'empereur, 1 (PG 63, 473). Selon le symbolisme traditionnel, la vie nouvelle est caractérisée par la lumière : «Ne sais-tu pas que, de même qu'un soleil sans tache se lève à l'horizon, de même l'âme qui quitte son corps avec une conscience sans tache brille avec éclat ?» (Hom. sur les Actes des apôtres, XXI, 4 ; cf. A une jeune veuve, 3 ; Hom. sur Jn, LXXXIII, 2.

3. Le traité annoncé ne se trouve pas parmi les œuvres de Jean Chrysostome parvenues jusqu'à nous. Il ne doit sans doute pas être identifié avec le Petit livre pour consoler de la mort (PG 56, 293-306) qui n'a survécu qu'en latin et où reviennent un grand nombre d'arguments du Sermon sur la résurrection des morts. Le sujet est effleuré dans l'écrit A une jeune veuve, 3.

65. Ἐπειδὴ γὰρ ἕως θανάτου περὶ τῆς ἀληθείας ἠγωνίσατο καὶ μέχρις αἵματος ἀντικατέστη πρὸς τὴν ἁμαρτίαν μαχόμενος καὶ ὥστε μὴ ἀφεῖναι τὴν τάξιν ἣν ἔταξεν αὐτὸς ὁ μέγας βασιλεὺς[a] ἀφῆκε τὴν ψυχὴν καὶ παντὸς ἀριστέως
5 λαμπρότερον ἐτελεύτησεν, αὐτὸν μὲν εἶχε λοιπὸν ὁ οὐρανός, τὸ δὲ σῶμα τὸ πρὸς τὴν ἀριστείαν διακονησάμενον ἡ γῆ καὶ διενείματο ἡ κτίσις τὸν ἀθλητήν[b]. Καίτοι γε ἐνῆν καὶ μετατεθῆναι αὐτὸν κατὰ τὸν Ἐνὼχ[c] καὶ ἁρπαγῆναι κατὰ τὸν Ἠλίαν[d] οὓς ἐζήλωσεν. Ἀλλ' ὁ Θεὸς φιλάνθρωπος ὢν
10 καὶ μυρίας ἡμῖν τοῦ σώζεσθαι προφάσεις διδοὺς καὶ ταύτην μετὰ τῶν ἄλλων διέτεμεν ἡμῖν τὴν ὁδὸν ἱκανὴν παρακαλέσαι πρὸς ἀρετὴν τὰ τῶν ἁγίων λείψανα παρ' ἡμῖν τέως
551 ἀφείς. Μετὰ γὰρ τὴν διὰ τοῦ λόγου δύναμιν | δευτέραν ἔχουσι τάξιν οἱ τῶν ἁγίων τάφοι πρὸς τὸ διεγείρειν εἰς τὸν
15 τῶν ἴσων ζῆλον τὰς τῶν θεωμένων αὐτοὺς ψυχάς · καὶ εἴ πού τις ἐπέστη θήκη τοιαύτη καὶ τῆς ἐνεργείας εὐθέως ταύτης σαφῆ λαμβάνει τὴν αἴσθησιν. Ἡ γὰρ ὄψις τῆς λάρνακος εἰς τὴν ψυχὴν ἐμπίπτουσα καταπλήττει τε αὐτὴν καὶ διανίστησι καὶ ὡς αὐτοῦ τοῦ κειμένου συνευχομένου
20 καὶ παρεστῶτος καὶ ὁρωμένου οὕτως αὐτὴν διακεῖσθαι ποιεῖ. Εἶτα προθυμίας πολλῆς ὁ τοῦτο παθὼν πληρωθεὶς καὶ ἕτερος ἀνθ' ἑτέρου γενόμενος οὕτως ἐκεῖθεν ἀνέρχεται.

65, 3 αὐτὸν F UXO dm ‖ 11 διέτεμεν ἡμῖν : ἔτεμεν ἡμῖν F[pc] UX ἡμῖν ἔτεμεν O ‖ 15 τῶν ἴσων codex Savilii[mg] : τῶν ἴσον B ἴσον F[pc] UXO dm ‖ 16 ἐπιστῇ F UXO m ἐπισταίη d ‖ 19 συνεισερχομένου F[pc] UXO ‖ 20 αὐτὸν F ‖ 22 ἀπέρχεται F UXO m

---

65. a. cf. Ps. 46, 3 ; 47, 3 ; 94, 3 ; Mal. 1, 14 ; Matth. 5, 35 ‖ b. cf. Eccl. 12, 7 ‖ c. cf. Gen. 5, 24 ‖ d. cf. IV Rois 2, 11

---

1. Comme au § 51, il s'agit du ministère épiscopal. On retrouve ce symbolisme militaire dans le libelle A Théodore, 1, et très souvent, tant chez les païens que chez les chrétiens.

2. Voir Panég. de S. Julien, 4 : «Dieu a partagé les martyrs avec nous;

65. « Puisqu'il avait lutté jusqu'à la mort pour la vérité et qu'en combattant le péché il avait résisté jusqu'au sang, puisque, pour ne pas abandonner le poste que le grand roi[a] lui-même lui avait assigné[1], il avait rendu l'âme et qu'il était mort avec plus d'éclat que les plus braves, lui-même alors était désormais dans le ciel, et son corps, qui avait été l'instrument de sa vaillance, dans la terre : ainsi la création s'est partagé l'athlète[b][2]. Et certes il aurait pu être transporté comme Énoch[c], enlevé comme Élie[d], eux dont il avait été l'émule. Mais Dieu, dans son amour pour les hommes, nous accorde d'innombrables moyens de salut et il nous a frayé, en plus des autres, cette voie capable de nous inviter à la vertu : il a laissé les reliques des saints chez nous jusqu'à ce jour[3]. Après le talent oratoire[4], les tombeaux des saints occupent, en effet, le second rang pour inciter à la même ferveur les âmes de ceux qui les contemplent, et si quelqu'un s'approche d'une tombe de ce genre, il a aussitôt la claire perception de cette force active. Car la vue du cercueil, en pénétrant dans l'âme, la frappe, la stimule et lui donne les mêmes dispositions que si le mort priait avec elle, se tenait près d'elle et sous son regard. Alors, l'homme qui a éprouvé cela quitte ces lieux rempli d'une grande ardeur et devenu tout autre qu'il n'était.

prenant les âmes pour lui, ils nous a laissé leurs corps »; *Cat. bapt.*, VII, 1.

3. « Jusqu'au moment de la résurrection », précise le *Panégyrique de S. Julien*, 4; cf. *Panég. des saints martyrs*, 2. La vénération des reliques est un aspect de l'ordre providentiel qui a pour but le salut des hommes : *Cat. bapt.*, VII, 1.

4. C'est-à-dire : l'enseignement par la parole; cf. *Dial. sur le sacerdoce*, IV, 3. Jean Chrysostome pense peut-être aux éloges des martyrs prononcés chaque année sur leur tombe. Ici la parole paraît supérieure aux reliques. Ailleurs, considérant que les actes valent plus que les mots, il affirme que la voix silencieuse des martyrs est plus puissante que celle du prédicateur; cf. *Panég. des saints martyrs*, 1-2; *Panég. de S. Julien*, 2-3; *Cat. bapt.*, VII, 2.

66. Μάθοι δ' ἄν τις καλῶς ὡς ἡ φαντασία τῶν
ἀπελθόντων ἀπὸ τῶν τόπων ἐγγίνεται ταῖς τῶν ζώντων
ψυχαῖς εἰς νοῦν τοὺς πενθοῦντας λαβών· οἳ ἅμα τοῖς τῶν
τεθνηκότων τάφοις ἐφίστανται καὶ ὥσπερ ἀντὶ τῆς θήκης
5 τοὺς ἐν τῇ θήκῃ κειμένους ἑστῶτας ἰδόντες οὕτως αὐτοὺς
ἀπὸ τῶν προθύρων εὐθέως ἀνακαλοῦσι. Πολλοὶ δὲ τῶν
ἀφορήτως πρὸς τὰ πάθη διατεθέντων παρὰ τοῖς μνήμασι
τῶν ἀπελθόντων τὸν ἅπαντα κατῴκισαν ἑαυτοὺς χρόνον,
οὐκ ἂν τοῦτο ποιήσαντες εἰ μή τινα παραμυθίαν ἀπὸ τῆς
10 τῶν τόπων ἐλάμβανον ὄψεως. Καὶ τί λέγω τόπον καὶ
τάφον; Καὶ γὰρ ἱμάτιον μόνον πολλάκις τῶν ἀπελθόντων
ὀφθὲν καὶ ῥῆμα εἰς διάνοιαν ἐλθὸν διήγειρε τὴν ψυχὴν καὶ
τὴν μνήμην ἀνέστησε διαπίπτουσαν. Διὰ ταῦτα ἡμῖν τὰ
λείψανα τῶν ἁγίων ἀφῆκεν ὁ Θεός.

66, 3 ἅμα + τε F²ˢ·ˡ· UXO dm ‖ 4 τῆς > B (suppl. B¹ᵐᵍ) ‖ 9 ὑπὸ dm
‖ 11 τῶν ἀπελθόντων πολλάκις ~ XM

66. On peut bien comprendre comment la vision des disparus, sous l'influence des lieux, devient présente aux âmes des vivants : que l'on songe aux gens en deuil qui, à peine arrivés près des tombeaux des morts, comme s'ils voyaient non la tombe mais, debout, ceux qui reposent dans la tombe, les interpellent dès le vestibule. Beaucoup de ceux qui n'ont pu supporter leur douleur se sont établis pour toujours près des monuments des disparus[1] : ils ne l'auraient pas fait s'ils ne retiraient une consolation de la vue de ces lieux. Et pourquoi parler de lieu et de tombeau ? Souvent, en effet, la vue d'un seul vêtement, la venue à l'esprit d'une parole des disparus a réveillé l'âme et ranimé la mémoire défaillante. Voilà pourquoi Dieu nous a laissé les reliques des saints.

1. Cf. *Hom. sur Matth.*, XXXIV, 4 : «Beaucoup d'amoureux restent constamment assis près des tombeaux»; *A Démétrius sur la contrition*, 1, 9 : «J'en sais beaucoup qui, après la perte des êtres chers... se sont fait construire une maison près des tombeaux des disparus et y ont vécu jusqu'à leur mort.»

XII   67. Καὶ ὅτι οὐχ ἁπλῶς κομπάζων ταῦτα λέγω νῦν ἀλλὰ
        πρὸς ὠφέλειαν τὴν ἡμετέραν τοῦτο γεγένηται ἱκανὰ μὲν τὸν
        λόγον πιστώσασθαι καὶ τὰ καθ' ἑκάστην ἡμέραν ὑπὸ τῶν
        μαρτύρων γινόμενα θαύματα καὶ τὸ πλῆθος τῶν οὕτως
     5 ἐπιστρεφόντων ἀνδρῶν, οὐχ ἧττον δὲ ἐκείνων καὶ τὰ τοῦ
        μακαρίου τούτου κατορθώματα μετὰ τὴν τελευτήν. Ἐπειδὴ
        γὰρ ἐτάφη καθὼς ἐπέσκηψε καὶ χρόνος παρῆλθε μακρὸς
        μετὰ τὴν ταφὴν ὡς ὀστᾶ λείπεσθαι μόνον καὶ κόνιν ἐν τῇ
        σορῷ ἔδοξέ τινι τῶν μετὰ ταῦτα βασιλευσάντων εἰς τὸ
    10 προάστειον τουτὶ τὴν Δάφνην ἀπενεχθῆναι τὴν λάρνακα,
        ἔδοξε δὲ τοῦ Θεοῦ πρὸς τοῦτο κινήσαντος τὴν τοῦ βασι-
        λέως ψυχήν. Ὡς γὰρ εἶδε τὸ χωρίον ὑπὸ τῆς τῶν νέων
        ἀσελγείας τυραννούμενον καὶ κινδυνεῦον ἄβατον εἶναι τοῖς
        σεμνοτέροις καὶ ἐπιεικῶς βουλομένοις βιοῦν ἐλεήσας αὐτὸ
    15 τῆς ἐπηρείας ἔπεμψε τὸν ἀμυνοῦντα τὴν ὕβριν.

        68. Ὁ γὰρ Θεὸς αὐτὸ καλόν τε καὶ ἐπέραστον εἰργά-
        σατο καὶ τῇ τῶν ὑδάτων ἀφθονίᾳ [καὶ ὥρᾳ] καὶ τῇ φύσει

67, 2 γίνεται F UXO ‖ 4 καὶ τὸ πλῆθος : μετὰ καὶ τοῦ πλήθους P ‖
5 ἐπιτρεχόντων Fᵖᶜ UXO m ‖ τοῦ : pr. ὑπὸ F ‖ 6 μετὰ : pr. τὰ F UXO
dm ‖ 9 τινι : τῷ γάλῳ Oᵐᵍ ‖ 10 τοῦτο F m
68, 1 γὰρ : pr. μὲν Fᵖᶜ UXO dm ‖ αὐτὸν X ‖ 2 καὶ ὥρᾳ seclusi, cf.
Libanius, Or. XI, 242.

---

1. C'est peut-être parce qu'il s'adresse à des païens que Jean Chrysostome qualifie de «prodiges» les bienfaits obtenus grâce aux reliques des
saints. Dans ses homélies adressées aux fidèles il parle de la puissance des
reliques pour chasser les démons, guérir les maux physiques et moraux,

III. HISTOIRE RÉCENTE DE BABYLAS

A. TRANSLATION DES RELIQUES A DAPHNÉ

67. Et ce n'est pas par simple vantardise que je dis cela maintenant, mais c'est arrivé pour notre bien; il suffit pour le prouver et des prodiges[1] accomplis chaque jour par les martyrs, et de la foule des hommes qui se convertissent ainsi, et, plus que tout cela encore, des belles actions de ce bienheureux après sa mort. Lorsqu'il eut été enseveli comme il l'avait recommandé, et qu'un temps considérable se fut écoulé depuis sa sépulture, de sorte qu'il ne restait dans la bière que des os et de la poussière, il fut décidé par un des empereurs qui régnèrent par la suite de faire porter le cercueil dans ce faubourg de Daphné[2]; ce fut décidé parce que Dieu y poussait l'âme de l'empereur. Car, lorsqu'il vit cet endroit tombé au pouvoir de jeunes débauchés et dans le risque d'être inaccessible aux hommes respectables et désireux de mener une vie honnête, il le prit en pitié pour l'insulte subie, et y envoya quelqu'un pour écarter l'outrage.

68. Car Dieu avait rendu le lieu beau et aimable par l'abondance [et le charme] des eaux, la nature du sol,

---

assurer la tranquillité de l'âme : *A Stagyre*, I, 10; *Panég. de S. Julien*, 2 et 4; *Panég. des saints martyrs*, 2; *Panég. de S. Ignace*, 5; *Cat. bapt.*, VII, 8. Il dit sa joie devant les multitudes qui visitent les tombes des martyrs (*Hom. prononcée après le transfert des reliques*).

2. L'empereur évoqué est Gallus, le demi-frère de Julien, qui demeura à Antioche avec le titre de César de 352 à 354. – Il s'agit du plus ancien exemple de transfert de reliques, mais nous en ignorons la date exacte. Cf. DOWNEY, *History*, p. 364, n. 217 et 218.

τῆς γῆς καὶ τῇ τῶν ὡρῶν εὐμοιρίᾳ οὐχ ἵνα ἁπλῶς
ἀναπαυώμεθα ἀλλ' ἵνα καὶ ὑπὲρ τούτου τὸν ἀριστοτέχνην
5 δοξάζωμεν· ὁ δὲ τῆς σωτηρίας ἡμῶν ἐχθρὸς καὶ εἰς
τοὐναντίον ἀεὶ καταχρώμενος ταῖς τοῦ Θεοῦ δωρεαῖς τῷ
πλήθει τῶν διεφθαρμένων νέων καὶ ταῖς τῶν δαιμόνων
οἰκήσεσι τὸ χωρίον προκαταλαβὼν ἐπεφήμισεν αὐτῷ τινα
καὶ μῦθον αἰσχρὸν ὥστε ἀναθεῖναι διὰ τούτου τῷ δαίμονι
10 τοῦ προαστείου τὴν χάριν. Ὁ δὲ μῦθος τοιοῦτος ἦν· τὴν
Δάφνην κόρην οὖσάν φησι καὶ θυγατέρα τοῦ Λάδωνος
ποταμοῦ — καὶ γὰρ ποταμοὺς γεννῶντας εἰσάγειν καὶ τὰ
γεννώμενα εἰς ἀναίσθητα μεταβάλλειν καὶ πολλὰ τοιαῦτα
αὐτῷ τερατεύεσθαι ἔθος ἀεί. Ταύτην οὖν κόρην εὔμορφον
15 οὖσαν, ἰδεῖν ποτε τὸν Ἀπόλλω φησὶ καὶ ἰδόντα παθεῖν τι
πρὸς αὐτὴν καὶ παθόντα διώκειν ὥστε ἑλεῖν· τὴν δὲ
φεύγειν καὶ φεύγουσαν ἐπιστῆναί τε τῷ προαστείῳ καὶ τὴν
μητέρα τὴν ὕβριν ἀμῦναι ταύτην αὐτῇ· διαστῆναί τε γὰρ
552   εὐθέως καὶ δέξασθαι τὴν παρθένον καὶ ἀντὶ τῆς | παιδὸς
20 ἀναδοῦναι φυτὸν ὁμώνυμον τῇ παιδί· τὸν δὲ ἀκόλαστον

68, 14 αὐτῷ > F UXO ‖ ἀεί + τοῖς πλανωμένοις F UXO m ‖ κόρην :
pr. τὴν F UXO dm ‖ 15 ἀπόλλωνα F UXO ‖ φασὶ F UXO m ‖ 18 ἀμῦναι
τὴν ὕβριν ~ F UXO ‖ 20 ἐπώνυμον F UXO dm

---

1. Daphné abondait en sources, qui fournissaient à Antioche la plus
grande partie de l'eau nécessaire. Cf. PHILOSTORGE, *H. E.*, VII, 8a
(*Passion d'Artemius*) : «Daphné est un faubourg d'Antioche, situé sur
des hauteurs qui entourent la ville et couvert de toutes sortes de bois
sacrés ; c'est un endroit très riche en arbres et en fruits, où pousse, parmi
toutes sortes d'essences variées, une profusion extraordinaire de cyprès
d'une beauté, d'une taille et d'une luxuriance incomparables, où coulent
aussi partout des ruisseaux d'eau potable, car à Daphné jaillissent des
sources abondantes, qui font d'Antioche une des villes les plus riches en
eaux» ; JEAN CHRYS., *Hom. sur les statues*, XVII, 2.

2. «Le démon que vous appelez Aphrodite» (ci-dessous, § 78). Cf. :
«Que sont pour eux Athéna, Apollon et Héra ? des espèces de démons
qui demeurent chez eux» (*Hom. sur les Actes des apôtres*, IV, 4). Il y avait
à Daphné des temples d'Apollon, d'Artémis, de Zeus et de Némésis

l'heureuse régularité des saisons[1], non pour que nous y
prenions simplement du repos, mais aussi pour que nous
louions à son sujet le meilleur des artisans; mais l'ennemi
de notre salut, qui détourne toujours les dons de Dieu à des
fins contraires, avait usurpé cet endroit en le livrant à la
multitude des jeunes dépravés et en y faisant la demeure
des démons[2], et il lui avait consacré encore un mythe
infâme, afin d'attribuer par ce mythe au démon le charme
du faubourg. Voici quel était le mythe[3]. Daphné, dit-il,
une jeune fille, était la fille d'un fleuve, le Ladon – car il a
coutume de toujours mettre en scène des fleuves qui
engendrent, de métamorphoser leur progéniture en objets
insensibles et d'inventer beaucoup de prodiges semblables.
Donc, cette jeune fille qui était belle, raconte-t-il, Apollon,
un jour, l'aperçut; à sa vue, il éprouva un sentiment pour
elle et ce sentiment fit qu'il la poursuivit pour l'enlever.
Elle s'enfuit et, dans sa fuite, s'arrêta dans ce faubourg; sa
mère écarta d'elle cet outrage; elle ouvrit son sein, en effet,
aussitôt, accueillit la jeune fille et, à la place de son enfant,
elle fit pousser une plante du même nom que cette enfant;

(O. Pasquato, *Gli spettacoli in S. Giovanni Crisostomo*, Rome 1976,
p. 27). Dans son *Panégyrique de S. Julien*, 4, Jean Chrysostome dit
pourquoi les chrétiens doivent parfois s'interdire de monter à Daphné :
« Je ne vous défends pas d'aller au faubourg; mais, pour demain, je le
défends. Pourquoi?... Parce que demain des chœurs d'hommes occupe-
ront le faubourg; souvent leur vue a induit ceux-là même qui voulaient
garder la tempérance à imiter leur impudicité, et surtout lorsque le
diable est au milieu d'eux; et il y est, appelé par les chants lascifs, les
propos obscènes, la pompe démoniaque.»

3. Libanius a fait allusion au mythe de Daphné dans sa *Lamentation*
(ci-dessous, § 98) et dans l'*Antiochikos* (*Discours*, XI, 94). Il en parle
ailleurs (*Discours*, XXXI, 43) comme d'un «récit fabuleux pour
enfants». Cf. Lucien, *Dial. des dieux*, II, 2; XIV, 1; XV, 2; Philostrate, *Vie d'Apollonius*, I, 16, 1. Les Pères n'ont mentionné le mythe
que pour dénigrer Apollon : Tatien, *Discours*, 8; Ps.-Justin, *Cohortatio
ad gentiles*, 2; Clément d'Alex., *Protr.*, II, 32, 3; Théodoret, *Thérap.*,
VII, 9.

ἐραστὴν ἀποτυχόντα τῶν παιδικῶν περιπλακῆναί τε τῷ
δένδρῳ καὶ οἰκειώσασθαι καὶ τὸ φυτὸν καὶ τὸν τόπον καὶ
προσεδρεύειν τῷ χωρίῳ λοιπὸν καὶ τοῦτο πάσης τῆς γῆς
μάλιστα ἀσπάζεσθαι καὶ φιλεῖν· κελεῦσαί τε τὸν βασι-
25 λεύοντα τότε νεὼν αὐτῷ δείμασθαι καὶ βωμὸν ἵν' ἔχῃ
παραμυθεῖσθαι διὰ τοῦ τόπου τὴν μανίαν ὁ δαίμων. Καὶ ὁ
μὲν μῦθος οὗτος, ἡ δὲ ἀπὸ τοῦ μύθου γινομένη βλάβη
οὐκέτι μῦθος ἦν.

69. Ἐπειδὴ γὰρ οἱ τῶν νέων ἀκόλαστοι φθάσαντες ὅπερ
ἔφην ἐξύβρισαν τὸ τοῦ προαστείου κάλλος ἐπὶ κώμοις καὶ
μέθαις τὰς ἐκεῖ ποιούμενοι διατριβάς, βουλόμενος τοῦτο
ἐπιδοθῆναι τὸ κακὸν ὁ διάβολος τόν τε μῦθον ἔπλασε καὶ
5 τὸν δαίμονα κατῴκισεν ὡς καὶ ἀσελγείας καὶ ἀσεβείας
ὑπέκκαυμα γίνεσθαι μεῖζον τὴν ἱστορίαν ταύτην αὐτοῖς.
Πρὸς δὴ τὴν λύσιν τῶν τοσούτων κακῶν εὗρε ταύτην τὴν
σοφωτάτην μηχανὴν ὁ βασιλεὺς τὸ μετοικίσαι τε τὸν ἅγιον
καὶ πέμψαι τὸν ἰατρὸν πρὸς τοὺς κάμνοντας. Διατάξει μὲν
10 οὖν καὶ αὐθεντίᾳ βασιλικῇ τὴν εἰς τὸ προάστειον ἐγκόπτειν
ὁδὸν τοῖς τὴν πόλιν οἰκοῦσιν ἐδόκει τυραννίδος ἔργον εἶναι
μᾶλλον καὶ ὠμότητος καὶ ἀγροικίας πολλῆς· εἰ δὲ προσέ-
θηκεν ὅτι οἱ μὲν ἐπιεικέστεροι καὶ μετριώτεροι ἀναβαινέ-
τωσαν οἱ δὲ ἀσελγεῖς καὶ ἀκόλαστοι κωλυέσθωσαν, ἄπορον
15 ἦν τὸ ἐπίταγμα καὶ δίκας ἐχρῆν καθ' ἑκάστην γίνεσθαι
τὴν ἡμέραν τῆς ἑκάστου κρινομένης ζωῆς. Μόνην δὲ
τῶν τοσούτων δεινῶν διέξοδον ἀρίστην τὴν τοῦ μακαρίου
γενέσθαι παρουσίαν· τήν τε γὰρ τοῦ δαίμονος διαλῦσαι

68, 26 παραμυθίαν O ‖ τῆς μανίας O ‖ 27 γενομένη F^{ac vid.} m

69, 1 ἐπεὶ UXO ‖ 2 ἐξύβρισαν + εἰς F UXO dm ‖ 5 ὡς + δὲ O ‖
ἀσεβείας καὶ ἀσελγείας ~ F O ‖ 6 γενέσθαι UXO dm ‖ 7 δὴ : δὲ O m ‖
τοιούτων F UXO ‖ 11 πόλιν : οἰκουμένην B ‖ 11-12 μᾶλλον ἔργον εἶναι ~
F ‖ 12 προέθηκεν dm ‖ 17 δεινῶν : δεσμῶν F UXO

---

1. Le plateau de Daphné est plus haut qu'Antioche : c'est pourquoi
Jean Chrysostome parle de «monter» au faubourg et de «descendre» en
ville : 70, 17; 72, 3; 76, 2; 80, 2; 87, 1; 126, 5.

quant à ce libertin d'amant, frustré de l'objet de son amour, il embrassa l'arbre, s'appropria la plante et le lieu, et s'installa désormais en cet endroit, qu'il se mit à affectionner et à aimer plus que tout autre lieu de la terre. L'empereur d'alors ordonna de lui élever un temple et un autel, afin que le démon trouvât grâce au lieu un soulagement à sa folie. Voilà le mythe, mais le dommage qui résultait du mythe n'était plus un mythe.

69. En effet, après que ces jeunes libertins, ayant pris les devants comme je l'ai dit, eurent outragé la beauté du faubourg par les séjours qu'ils y faisaient dans les orgies et les beuveries, le diable, qui voulait étendre ce fléau, forgea le mythe et installa le démon, afin que cette histoire devînt pour eux une plus vive incitation à la débauche et à l'impiété. Aussi, pour mettre fin à de si grands maux, l'empereur trouva-t-il cet expédient très habile : le transfert du saint et l'envoi du médecin aux malades. Barrer la route du faubourg aux habitants de la ville par un édit émanant du pouvoir absolu impérial aurait plutôt paru un acte de tyrannie, de cruauté et d'une grande grossièreté; mais s'il avait ajouté : "Que les hommes pondérés et modestes y montent[1] et que les débauchés et les libertins en soient écartés", cet ordre aurait été impraticable et il aurait fallu des procès chaque jour pour juger la vie de chacun. Il n'y avait qu'une issue pour sortir de si grandes difficultés, une issue excellente, la présence du bienheureux : le martyr était capable de ruiner la puissance du démon[2] et de

---

2. La même idée est fréquemment reprise par Jean Chrysostome : «Car, pour les corps des saints, il est aussi facile de bouleverser et de détruire les pièges des démons invisibles et tous les artifices du diable qu'il est facile à un homme valeureux de renverser et de jeter à terre des jeux d'enfants» (*Panég. des martyrs d'Égypte*, 1); «Prends un possédé fou furieux, fais-le entrer dans ce saint tombeau, où reposent les restes du

δύναμιν καὶ τὴν τῶν νέων ἐπιστρέψαι διάχυσιν ἱκανὸν εἶναι
20 τὸν μάρτυρα. Καὶ οὐκ ἐσφάλη τῆς ἐλπίδος.

70. Ἅμα τε γὰρ ἐφίσταταί τις τῇ Δάφνῃ καὶ τὸ
μαρτύριον εὐθέως ἀπὸ τῶν τοῦ προαστείου προθύρων ἰδὼν
συστέλλεται καθάπερ τις νέος ἐν συμποσίῳ παιδαγωγὸν
θεασάμενος ἐφεστῶτα καὶ παρακελευόμενον διὰ τῆς ὄψεως
5 ἐν τάξει τῇ προσηκούσῃ πίνειν τε καὶ ἐσθίειν καὶ φθέγγεσθαι καὶ γελᾶν, φυλαττόμενον μή που τὸ μέτρον ὑπερβὰς
τὴν δόξαν αἰσχύνῃ τὴν ἑαυτοῦ · γενόμενος δὲ ὑπὸ τῆς
ὄψεως εὐλαβέστερος καὶ τὸν μακάριον φαντασθεὶς πρὸς τὴν
λάρνακα εὐθέως ἐπείγεται, καὶ ἐλθὼν ἐκεῖ μείζονά τε
10 προσλαμβάνει φόβον καὶ πᾶσαν ὀλιγωρίαν ἐκβαλὼν καὶ
γενόμενος πτηνὸς οὕτως ἄπεισι. Καὶ τοὺς μὲν ἐκ τῆς
πόλεως ἀνιόντας δεχόμενος ἀπὸ τῆς ὁδοῦ μετὰ τοιαύτης
σωφροσύνης παραπέμπει πρὸς τὴν τῆς Δάφνης ἀνάπαυσιν
μόνον οὐκ ἐκείνην αὐτοῖς ἐπιβοῶν τὴν φωνήν · « Ἀγαλλιᾶσθε
15 τῷ Κυρίῳ ἐν τρόμῳ[a] », καὶ τὸ ἀποστολικὸν προστιθείς ·
« Εἴτε ἐσθίετε εἴτε πίνετε εἴτε τι ποιεῖτε, πάντα εἰς δόξαν
Θεοῦ ποιεῖτε[b] » · τοὺς δὲ εἰς τὴν πόλιν κατιόντας μετὰ τὴν

70, 2 προαστείου : νεὼ O ‖ 6 φυλαττόμενος F d ‖ 14 ἐπιβοῶν αὐτοῖς ∼
XM

---

70. a. Ps. 2, 11 ‖ b. I Cor. 10, 31

---

martyr, et tu verras sûrement le démon bondir loin de lui et s'enfuir»
(*Panég. de S. Julien*, 2); cf. *Cat. bapt.*, VII, 9; *Panég. des S. Macchabées*, I, 1;
Hom. sur II Cor., XXVI, 5; *Hom. prononcée après le transfert des reliques*, 1;
Hom. sur les statues, VIII, 2. Voir aussi H. DELEHAYE, *Les origines du culte
des martyrs*, Bruxelles 1933[2], p. 118-119.

1. La vue des reliques et des tombeaux des martyrs, le souvenir de
leurs hauts faits – au cours de panégyriques publics comme d'une

corriger les mœurs dissolues de la jeunesse[1]. Et le prince ne fut pas trompé dans son attente.

B. EFFETS DE LA TRANSLATION

a) Sobriété   70. Au moment où on arrive à Daphné et qu'on voit le martyrion dès l'entrée du faubourg, on se contient : ainsi un jeune homme, dans un festin, observe debout près de lui son pédagogue[2] qui l'invite du regard à boire, manger, parler et rire de façon convenable, et prend garde ainsi à ne pas dépasser la mesure ni ternir sa réputation. De même, à la vue du monument, on devient plus recueilli, on se représente le bienheureux, et on se hâte aussitôt vers son cercueil; parvenu là, on éprouve une crainte plus vive, on chasse toute indifférence et c'est avec des ailes qu'on repart. Les gens qui montent de la ville, il les accueille sur le chemin et il les envoie se reposer à Daphné avec la même tempérance; c'est tout juste s'il ne leur crie pas cette parole : «Réjouissez-vous dans le Seigneur avec tremblement[a]», et s'il n'ajoute pas le mot de l'Apôtre : «Soit que vous mangiez, soit que vous buviez, quoi que vous fassiez, faites tout pour la gloire de Dieu[b] [3]»; quant à ceux qui

méditation particulière – procurent la sobriété, la vertu, la philosophie : tel est un des principaux thèmes de la *Catéchèse baptismale* VII (1-11; 17-19). Voir, sur le même thème, *Panég. de S. Ignace*, 5; *de S. Eustache*, 1; *des saints martyrs*, 2-3; *de S. Julien*, 4; *de S. Barlaam*, 4.

2. On trouve la même image dans le *Panégyrique de S. Julien*, 4 : «La vue du martyr, sa proximité, sa présence à table ne permettent pas au plaisir de dégénérer en péché; il est semblable au meilleur des pédagogues ou des pères : dès qu'il est aperçu par les yeux de la foi, il réprime le rire, retranche les plaisirs inconvenants, supprime tous les élans de la chair.»

3. Verset commenté dans le *Sermon prononcé aux Calendes* (3-4).

τρυφήν — εἰ συμβαίη ῥαθυμότερον διατεθέντας ἀπορρῖψαι
τὸν χαλινὸν καὶ εἰς κραιπάλην καὶ εἰς ἄτοπον ἐξενεχθῆναι
20 τρυφήν — δεξάμενος πάλιν μεθύοντας εἰς τὸ αὐτοῦ καταγώγιον οὐκ ἀφίησι τὴν ἀπὸ τῆς μέθης βλάβην ἔχοντας οἴκαδε
ἀπελθεῖν, ἀλλὰ σωφρονίσας τῷ φόβῳ πρὸς τὴν αὐτὴν
ἐπανάγει νῆψιν ἣν καὶ πρὸ τοῦ τῇ μέθῃ βαπτισθῆναι
ἐφύλαττον. Καὶ γὰρ ὥσπερ τις αὔρα λεπτή[c] τοὺς ἐν τῷ
25 μαρτυρίῳ γενομένους περιπνεῖ πάντοθεν αὔρα οὐκ αἰσθητή
τις οὐδὲ σωμάτων αὐξητικὴ ἀλλ᾽ εἰς αὐτὴν ἱκανὴ διαδῦναι
τὴν ψυχήν· καὶ καταστέλλουσα πάντοθεν αὐτὴν εὐσχη-
μόνως καὶ πᾶν γήινον περικόπτουσα βάρος ἀναπαύει τε καὶ
κουφοτέραν ἐργάζεται τὴν βεβαρημένην καὶ καταπίπτουσαν. |

553 XIII 71. Καὶ τὸ μὲν τῆς Δάφνης κάλλος καὶ τοὺς ῥαθυμοτέ-
ρους ἐκκαλεῖται πρὸς ἑαυτήν, ὁ δὲ μάρτυς καθάπερ ἐν
αὐλίῳ τινὶ καθήμενος καὶ λοχῶν τοὺς εἰσιόντας κατέχει
τε αὐτούς, καὶ ῥυθμίσας πρότερον οὕτως ἀφίησιν οὐδὲ
5 ὑβριστικῶς ἀλλὰ σεμνῶς τῇ ἐρωμένῃ χρησομένους λοιπόν.
Ἐπειδὴ γὰρ τῶν ἀνθρώπων οἱ μὲν διὰ ῥαθυμίαν οἱ δὲ διὰ
φροντίδας βιωτικὰς οὐκ ἐθέλουσιν εἰς τὰς τῶν μαρτύρων
θήκας ἀπαντᾶν, ᾠκονόμησεν ὁ Θεὸς τούτῳ σαγηνεύεσθαι
τῷ τρόπῳ καὶ τῆς θεραπείας αὐτοὺς ἀπολαύειν τῆς ἐν τῇ
10 ψυχῇ. Καὶ γίνεται παρόμοιον ὥσπερ ἂν εἴ τις τὸν κάμνοντα
ὠφέλιμα φάρμακα προσίεσθαι μὴ καταδεχόμενον μεθοδεύ-
σειεν ἡδύσματι τὸ φάρμακον ἐγκατακρύψας τινί.

72. Τῷ γοῦν χρόνῳ θεραπευόμενοι εἰς τοῦτο κατέστησαν
ὡς μηκέτι τὴν τρυφὴν μόνον, ἀλλὰ καὶ τοῦ ἁγίου τὴν

70, 18 τρυφὴν F UXO m ‖ 19   εἰς[2] > O ‖ 20 εἰς τὸ αὐτοῦ καταγώγιον
μεθύοντας ~ F UXO ‖ αὐτοῦ m : αὐτοῦ codd. d ‖ 25 γινομένους F UXO ‖
28 ἀναπαύει τε : ἀναπαύεται B

71, 1 καὶ[2] > O ‖ 2 ἐκκαλεῖται : ἐκκαλεῖ τε U ‖ 3 αὐλίῳ : ἀλείᾳ B dm ‖
4 τε : τέως P[pc] F dm ‖ οὐδὲ : οὐχ F UXO d ‖ 9 αὐτοὺς > F
72, 2-3 τὴν ἐπιθυμίαν τοῦ ἁγίου ~ F   τὴν τοῦ ἁγίου ἐπιθυμίαν ~ UXO

---

70. c. cf. III Rois 19, 12

descendent à la ville après la fête, si d'aventure ils ont été trop frivoles, s'ils ont rejeté le frein et se sont laissé emporter à l'ivrognerie et à des plaisirs inconvenants, il les accueille, de nouveau, ivres, dans son refuge et ne les laisse pas rentrer chez eux tant qu'ils gardent la blessure de l'ivresse; il les assagit par la crainte et les ramène dans la même sobriété qu'ils observaient avant d'être plongés dans l'ivresse. Il y a, en effet, comme une brise légère[c 1] qui souffle de partout autour de ceux qui sont dans le martyrion, une brise insensible, qui n'ajoute rien au corps, mais qui est capable de s'insinuer dans l'âme elle-même, de la revêtir partout de décence et qui, en faisant disparaître toute pesanteur terrestre, détend et rend plus légère l'âme appesantie et abattue.

71. La beauté de Daphné attire vers elle même les plus frivoles; et le martyr, comme assis dans une grotte, tend ses pièges aux visiteurs, il les retient et ne les laisse pas partir avant de les avoir disciplinés pour qu'ils ne traitent plus désormais avec violence mais avec respect leur bien-aimée. Puisque, parmi les hommes, les uns par frivolité, les autres à cause des soucis de la vie, refusent de se rendre auprès des tombeaux des martyrs, Dieu a pourvu à ce qu'ils soient pris au filet de cette façon et qu'ils puissent bénéficier de la médecine de l'âme. C'est un peu ce qu'on fait pour le malade qui refuse de prendre des remèdes utiles : on le trompe en cachant le remède dans quelque douceur[2].

72. Avec le temps, en tout cas, ce traitement a eu pour résultat que ce n'est plus seulement les plaisirs, mais le

1. Cf. *Panég. des saints martyrs*, 2 : «Retournons au tombeau du martyr, jouissons de cette brise spirituelle.»
2. La même idée se trouve déjà chez XÉNOPHON (*Mém.*, IV, 2, 17) et a souvent été reprise par les Pères.

ἐπιθυμίαν τῆς ἐπὶ τὸ προάστειον ἀνόδου πρόφασιν γίνεσθαι
τοῖς πολλοῖς · μᾶλλον δὲ οἱ μὲν ἐπιεικέστεροι διὰ τοῦτο
5 μόνον ἐκεῖσε ἔρχονται, οἱ δὲ ἐκείνων ἐλάττους δι' ἀμφό-
τερα · οἱ δὲ ἔτι τούτων ἀτελέστερον διακείμενοι διὰ μόνην
μὲν ἀναβαίνουσι τὴν τρυφήν, ἐπειδὰν δὲ παραγένωνται
καλέσας αὐτοὺς ὁ μάρτυς καὶ ἑστιάσας τοῖς αὐτοῦ καὶ
καθοπλίσας καλῶς οὐδὲν ἀφίησι δεινὸν παθεῖν. Καὶ ἔστιν
10 ὁμοίως θαυμαστὸν τὸ ἐκεῖ γενόμενον, σωφρονῆσαί τινα τῶν
ἁβρῶν καὶ ῥαθύμων, οἷον ἐκ μέσης μανίας ἀνενεγκεῖν ἢ εἰς
κάμινον ἐμπεσόντα μηδὲν ὑπὸ τοῦ πυρὸς παθεῖν. Τῆς τε
γὰρ νεότητος καὶ τῆς τόλμης τῆς ἀλόγου καὶ τοῦ οἴνου καὶ
τῆς πλησμονῆς φλογὸς χαλεπώτερον περιισταμένων τοὺς
15 λογισμούς, ἡ παρὰ τοῦ μακαρίου δρόσος διὰ τῶν ὄψεων εἰς
τὴν τῶν ὁρώντων καταβαίνουσα ψυχὴν τήν τε φλόγα
ἐκοίμισε καὶ τὸν ἐμπρησμὸν ἔστησε καὶ πολλὴν τῆς διανοίας κατέσταξε τὴν εὐλάβειαν.

73. Καὶ τῆς μὲν ἀσελγείας τὴν τυραννίδα οὕτως ὁ
μακάριος κατέλυσε · πῶς δὲ καὶ τοῦ δαίμονος τὴν δύναμιν
ἔσβεσε; Πρῶτον μὲν τούτοις αὐτοῖς ἄπρακτον αὐτοῦ καὶ
τὴν προσεδρείαν καὶ τὴν ὑπὸ τοῦ μύθου βλάβην ἐργασά-
5 μενος ὕστερον δὲ καὶ αὐτὸν ἀπελάσας τὸν δαίμονα. Πρὶν ἢ
δὲ τὸν τρόπον τῆς διώξεως εἰπεῖν ἐκεῖνο ὑμᾶς ἐπισημή-
νασθαι ἀξιῶ, ὅτι οὐκ εὐθέως αὐτὸν ἀνελθὼν ἐξέβαλεν ἀλλὰ
μένοντα εἰργάσατο ἄπρακτον καὶ ἐπεστόμισε καὶ τῶν λίθων
ἀπέφηνεν ἀφωνότερον, τοῦ δὲ ἀπελάσαι τὸ μένοντος περι-

72, 5 ἐκείνων : τούτων UXO ‖ 7 μὲν > F ‖ 8 αὐτοῦ m : αὐτοῦ BF d
αὐτοῖς UXO ‖ 10 τὸ ἐκεῖ γενόμενον dm : τὸ γινόμενον ἐκεῖ F UXO ‖
11 οἷον : pr. καὶ Bᵖᶜ m ‖ ἀνενεγκόντα Fᵖᶜ O ἀνενεγκόντων UX ‖
12 κάμινον : pr. τὴν F
73, 3 πρῶτον : πρώτοις B ‖ 4 ὑπὸ : ἀπὸ F UXO dm ‖ 9 μένοντα F U

---

1. Pour notre auteur, l'amendement d'un débauché est un miracle
aussi étonnant que la guérison d'un fou furieux ou que tout autre

désir de voir le saint qui les incite pour la plupart à monter
au faubourg. Ou plutôt, les plus pondérés n'y vont que
pour cela, ceux qui le sont moins, pour les deux motifs, et
ceux qui sont encore plus imparfaits que ces derniers n'y
montent que pour s'adonner aux plaisirs, mais, dès qu'ils
sont là, le martyr les appelle, les régale de ses biens et les
munit d'une belle armure, pour ne les laisser subir aucun
mal. Et c'est aussi étonnant, ce qui se passe là – qu'un
homme efféminé et frivole devienne tempérant – que de
recouvrer ses esprits pour ainsi dire en pleine folie et de
tomber dans une fournaise sans souffrir du feu[1]. Car,
lorsque l'impétuosité, l'audace déraisonnable, le vin, la
goinfrerie cernent la raison avec plus de violence qu'une
flamme, la rosée du bienheureux, descendant à travers les
yeux jusqu'à l'âme de ceux qui voient, apaise la flamme,
arrête l'incendie et distille dans l'esprit un grand recueil-
lement.

**b) Silence
d'Apollon**

73. C'est ainsi que le bienheureux
mit fin à la tyrannie de la débauche ;
mais comment parvint-il aussi à
éteindre la puissance du démon ? Tout d'abord par les
moyens que j'ai dits, en rendant inefficaces et sa présence
en ce lieu et le dommage que le mythe pouvait causer, puis
en chassant aussi le démon lui-même. Mais avant de dire la
manière dont il l'expulsa, je vous demande de bien noter
ceci : il ne le chassa pas tout de suite après être monté à
Daphné, mais c'est quand il était là qu'il le rendit inefficace,
qu'il lui ferma la bouche et le fit devenir plus muet que les
pierres ; or, le dominer quand il était là, ce n'était pas chose

événement contraire aux lois de la nature. Dans la controverse avec les
païens, de telles conversions sont, d'après lui, le meilleur des arguments
en faveur de l'existence de Dieu ; cf. *Hom. sur Rom.*, XVIII, 5.

10 γενέσθαι οὐκ ἔλαττον ἦν. Καὶ ὁ πάντας πανταχοῦ πρότερον
ἀπατῶν οὐδὲ πρὸς τὴν κόνιν ἀντιβλέψαι ἐτόλμησε τοῦ
μακαρίου Βαβύλα. Τοσαύτη τῶν ἁγίων ἡ δύναμις ὧν
ζώντων μὲν οὐδὲ τὰς σκιὰς φέρουσιν οὐδὲ τὰ ἱμάτια,
τελευτησάντων δὲ καὶ τὰς λάρνακας τρέμουσιν. Ὥστε εἴ τις
15 ἀπιστεῖ τοῖς ὑπὸ τῶν ἀποστόλων γεγενημένοις τὰ παρόντα
θεωρῶν παυέσθω τῆς ἀναισχυντίας ποτέ. Ὁ γὰρ πάντα τὰ
τῶν Ἑλλήνων πάλαι νικῶν καθάπερ ὑπὸ δεσπότου τοῦ
μάρτυρος ἐπιτιμηθεὶς ἐπαύσατο τῆς ὑλακῆς καὶ οὐδὲν
ἐφθέγγετο.

74. Καὶ τὸ μὲν πρῶτον ἐδόκει διὰ τὸ μὴ μετέχειν
θυσιῶν καὶ τῆς ἄλλης θεραπείας τοῦτο ποιεῖν. Τοιοῦτος
γὰρ ὁ τῶν δαιμόνων τρόπος · ὅταν μὲν τῇ κνίσῃ καὶ τῷ
καπνῷ καὶ τοῖς αἵμασιν αὐτοὺς θεραπεύωσι καθάπερ κύνες
5 αἱμοβόροι καὶ λίχνοι παραγίνονται λάψοντες, ὅταν δὲ μηδεὶς
ὁ ταῦτα παρέχων ᾖ καθάπερ τινὶ λιμῷ διαφθείρονται. Καὶ
τῶν μὲν θυσιῶν καὶ τῶν αἰσχρῶν ἐπιτελουμένων τελετῶν
— οὐδὲν γὰρ αὐτῶν ἕτερον τὰ μυστήρια ἀλλ' ἢ ἔρωτες
554 ἄτοποι καὶ παίδων ὕβρεις καὶ γάμων | διαφθοραὶ καὶ οἰκιῶν

73, 17 νικῶν : κυκῶν F UXO d
74, 3 μὲν eras. O ‖ 8 ἕτερον αὐτῶν ∼ O

---

1. Pour les chrétiens, comme pour les Juifs, les sacrifices païens
étaient offerts aux démons (cf. JEAN CHRYS., *Exp. sur le Ps. 49,4*; *Comm.
sur Is.*, I, 5; THÉODORET, *Thérap.*, VII, 14. PORPHYRE tolère que des
sacrifices sanglants soient offerts à la divinité; il pense qu'il est contraire
à la pureté d'y toucher pour s'en nourrir et met en garde contre la
gloutonnerie inspirée par les mauvais démons (*Sur l'abstinence*, II, 2, 1-2;
31, 2; 40, 3; 42, 3-43, 1; 44, 1).

2. Citant l'*Iliade*, IV, 49 : «libation, fumet de graisse sont notre
apanage» (trad. Mazon), CLÉMENT D'ALEXANDRIE traite les «démons»
de «gloutons» (*Protr.*, II, 41, 3).

3. C'est l'allusion la plus explicite de Jean Chrysostome aux mystères
païens (les autres ont été relevées par G. FITTKAU, *Der Begriff des
Mysteriums bei Johannes Chrysostomus*, Bonn 1953, p. 146-147). Dans le
Protreptique (I, 2-3; II, 12-22.34), CLÉMENT D'ALEXANDRIE dénonce de

moindre que le chasser. Et celui qui trompait auparavant tous les hommes en tout lieu n'osa même pas regarder en face les cendres du bienheureux Babylas. Telle est la puissance des saints : vivants, (les démons) ne supportent ni leur ombre ni leurs vêtements; morts, ils tremblent même devant leurs cercueils. Si donc quelqu'un doute des œuvres accomplies par les apôtres, qu'il considère ce qui se passe aujourd'hui et mette enfin un terme à son impudence; car celui qui autrefois avait la primauté dans le monde grec, réprimandé par le martyr comme par un maître, mit un terme à ses aboiements et ne dit plus rien.

74. D'abord il parut agir ainsi parce qu'il ne recevait pas sa part des sacrifices et des autres cérémonies du culte. Tel est, en effet, le caractère des démons[1] : quand on les honore par l'odeur de la graisse, par la fumée et par le sang, ils sont présents pour laper, à la manière de chiens voraces assoiffés de sang[2]; mais, lorsqu'il n'y a personne pour leur fournir cela, ils sont en quelque sorte comme consumés par la faim. Quand sont célébrés les sacrifices et les cérémonies honteuses – leurs mystères[3] ne sont rien d'autre qu'amours anormales[4], outrages à de jeunes gar-

---

même l'inconduite des mystères païens – déjà dénoncée par HÉRACLITE, fr. 14-15, ed. Diels-Kranz –, leurs meurtres et leur charlatanisme. Les apologistes chrétiens se sont peu intéressés aux religions à mystères (cf. AUGUSTIN, *Cité de Dieu*, II, 6; VI, 7, 3, et les notes de G. Bardy dans *BA* 33, p. 785-786). Jean Chrysostome est peut-être préoccupé par le renouveau des mystères suscité par Jamblique et encouragé par Julien, qui avait été initié au culte de Mithra et peut-être aux mystères d'Éleusis (voir P. DE LABRIOLLE, *La réaction païenne*, Paris 1934, p. 381-383). C'est en tout cas le motif pour lequel GRÉGOIRE DE NAZIANZE critique les mystères (*Discours*, V, 31-32).

4. On trouve déjà chez POLYCARPE (*Ep.*, V, 3) l'expression τὰ ἄτοπα pour l'immoralité sexuelle. Jean Chrysostome écrit des rites païens qu'ils sont des «leçons de mœurs anormales» (*Exp. sur le Ps. 113*, 4) et parle des «amours anormales des Sodomites» (*Hom. sur Matth.*, IV, 2).

10 ἀνατροπαί (τῶν γὰρ φόνων τοὺς σκαιοὺς τρόπους καὶ τὰ
τῶν φόνων ἀνομώτερα δεῖπνα ἀφίημι νῦν) — ἀλλ' ὅμως
τούτων μὲν τελουμένων πάρεισι καὶ εὐφραίνονται κἂν
κακοῦργοι κἂν γόητες κἂν λοιμοὶ οἱ ταῦτα τελοῦντες
ὦσι· μᾶλλον δὲ οὐδέ εἰσιν ἕτεροί τινες οἱ ταῦτα δια-
15 κονούμενοι. Σώφρων γὰρ ἀνὴρ καὶ ἐπιεικὴς καὶ σεμνὸς
οὐκ ἂν ἀνάσχοιτο κώμου καὶ μέθης οὐδὲ ῥῆμα αἰσχρὸν
οὔτε αὐτὸς ἐκβαλεῖν οὔτε ἑτέρου τινὸς τοιαῦτα ἀσχημο-
νοῦντος ἀκοῦσαι. Καίτοι γε ἐχρῆν εἰ τῆς ἀρετῆς ἐπεμελεῖτο
τῆς ἀνθρωπίνης καὶ τῆς εὐζωίας τῶν προσκειμένων αὐτῷ
20 λόγον εἶχε βραχύν, μηδὲν πλέον βίου ζητεῖν ἀρίστου καὶ
τρόπων ὀρθότητος καὶ τὴν ἀσχήμονα πᾶσαν ἐκείνην ἀφεῖναι
θοίνην. Ἀλλ' ἐπειδὴ τῆς τῶν ἀνθρώπων ἀπωλείας αὐτοῖς
οὐδὲν προτιμότερον, τούτοις καὶ τέρπονται καὶ τιμᾶσθαι
λέγουσιν ἃ τὸν βίον ἀνατρέπειν εἴωθε τὸν ἡμέτερον καὶ
25 πάντα ἐκ βάθρων ἀνασπᾶν τὰ καλά.

XIV   75. Τὸ μὲν οὖν πρῶτον ἐδόκει καὶ οὗτος διὰ τοῦτο
σιγᾶν· ἠλέγχετο δὲ ὕστερον ἰσχυρᾷ πεπεδημένος ἀνάγκῃ.
Ὁ γὰρ ἀναγκάζων φόβος αὐτὸν ἀντὶ χαλινοῦ τινος ἐπικεί-
μενος ἐκώλυε τῇ συνήθει χρῆσθαι κατὰ τῶν ἀνθρώπων
5 ἀπάτῃ. Πόθεν τοῦτο δῆλον; Ἀλλὰ μὴ θορυβήσητε. Πρὸς
γὰρ αὐτὴν βαδιοῦμαι τὴν ἀπόδειξιν μεθ' ἣν οὐδὲ τοῖς
μεμελετηκόσιν ἀναισχυντεῖν ἐξέσται τοῦτο ποιεῖν, οὐ περὶ
τῶν παλαιῶν ἐκείνων, οὐ περὶ τῆς τοῦ μάρτυρος δυνάμεως,
οὐ περὶ τῆς τοῦ δαίμονος ἀσθενείας. Οὐδὲ γὰρ δέομαι
10 στοχασμοῖς τισι καὶ δι' εἰκότων τοῦτο ποιῆσαι φανερὸν
ἀλλ' αὐτὴν τοῦ δαίμονος τὴν ὑπὲρ τούτων παρέξομαι
μαρτυρίαν. Αὐτὸς γὰρ ὑμῖν καιρίαν ἔδωκε τὴν πληγὴν καὶ

74, 10 σκαιοὺς : καινοὺς F UXO ‖ 18 iuxta ἐπεμελεῖτο in mg. ponit ut
glossam ὁ δαίμων δῆλον F ‖ 21-22 ἀφεῖναι θοίνην ἐκείνην ∽ O
75, 5 θορυβηθῆτε F UXO dm ‖ 9 οὐδὲ : οὐ O ‖ 10 εἰκόνων F UXO

1. Jean Chrysostome s'est peut-être inspiré d'EUSÈBE (*Prép. év.*,

çons, ruine des mariages et bouleversement des foyers ! car je laisse de côté, pour l'instant, les rites sinistres de leurs meurtres et leurs repas plus criminels que les meurtres –, quand on les célèbre, cependant, ils sont là, tout heureux, quand bien même ceux qui les célèbrent sont des malfaiteurs, des charlatans, de vrais fléaux ; ou plutôt, ils ne sont pas autre chose, les ministres de cet office. Car un homme sage, pondéré et respectable ne saurait tolérer une orgie ou une beuverie, ni non plus de proférer lui-même un mot honteux ou d'entendre quelqu'un d'autre se comporter avec cette indécence. En vérité, si le démon avait le souci de la vertu humaine et s'il attachait la moindre importance à la qualité de vie de ses adeptes, il devrait ne rien rechercher davantage qu'une vie parfaite et la correction des mœurs, et bannir tous ces festins indécents. Mais, comme rien pour eux n'est plus honorable que la perte des hommes, ils se réjouissent et se disent honorés de ce qui d'habitude bouleverse notre vie et ruine de fond en comble tous les biens[1].

75. Tout d'abord donc, ce démon donna l'impression de se taire, lui aussi, pour ce motif ; mais il se révéla plus tard qu'il était entravé par une puissante contrainte. Car la peur qui le contraignait et le harcelait comme un frein l'empêchait d'user de sa fourberie habituelle à l'égard des hommes. D'où vient cette évidence ? Ne protestez pas, j'en arrive précisément à la preuve après laquelle même ceux qui se sont entraînés à parler avec impudence ne pourront plus le faire, ni sur ces événements anciens, ni sur la puissance du martyr, ni sur la faiblesse du démon. Car je n'ai même pas besoin de faire appel à la conjecture ou à la vraisemblance pour mettre cela en lumière, je vous présenterai le témoignage même du démon sur ce point. C'est lui,

IV, 16, 21.23 ; 17, 10 ; 18, 1), dont l'argumentation provient en partie de Porphyre.

τὴν παρρησίαν ὑμῶν πᾶσαν ἐξέκοψεν. Ἀλλὰ μὴ ὀργίζεσθε
αὐτῷ. Οὐ γὰρ ἑκὼν τὰ αὐτοῦ κατέβαλεν ἀλλὰ ἀναγκαζό-
15 μενος ὑπὸ μείζονος δυνάμεως τοῦτο ἔπραττε.

76. Πῶς δὲ τοῦτο γέγονε καὶ τίς ὁ τρόπος; Τοῦ
βασιλέως τελευτήσαντος τοῦ τὸν μάρτυρα ἀναγαγόντος τὸν
ἀδελφὸν τὸν ἐκείνου παρήγαγεν εἰς μέσον διαδεξόμενον τὴν
ἀρχὴν ὁ καὶ ἐκείνῳ πρότερον δοὺς τὴν τιμήν, καὶ δέχεται
5 χωρὶς τοῦ διαδήματος τὴν βασιλείαν οὗτος — τοσοῦτον γὰρ
καὶ τῆς τἀδελφοῦ τοῦ τετελευτηκότος ἐξουσίας τὸ μέτρον
ἦν. Γόης δὲ ὢν καὶ μιαρὸς τὸ μὲν πρῶτον τὰ τοῦ
Κυρίου φρονεῖν ὑπεκρίνατο διὰ τὸν τὴν ἀρχὴν αὐτῷ δεδω-
κότα · ὡς δὲ καὶ οὗτος τὸν βίον μετήλλαξε ῥίψας τὸ
10 προσωπεῖον λοιπὸν γυμνῇ τῇ κεφαλῇ ἣν πάλαι ἔχων
δεισιδαιμονίαν ἔκρυπτε ταύτην εἰς μέσον ἐξήγαγε καὶ
πᾶσιν ἐποίει φανεράν · καὶ προστάγματα πανταχοῦ τῆς
οἰκουμένης κατεπέμπετο τοὺς ναοὺς ἐπισκευάζεσθαι τῶν
εἰδώλων, τοὺς βωμοὺς ἀνίστασθαι, τὰς παλαιὰς τοῖς δαί-
15 μοσιν ἀποδίδοσθαι τιμάς, προσόδους αὐτοῖς γίνεσθαι πολλὰς
πολλαχόθεν.

75, 14 τὰ αὐτοῦ m : τὰ αὐτοῦ B d　ταῦτα F UXO ‖ ἀλλὰ : ἀλλ' F UXO
d

76, 2 ἀναγαγόντος : μεταθέντος F UXO m ‖ 2-3 supra τὸν ἀδελφὸν
add. ἀσεβ < ῆ > ἰουλιανὸν O ‖ 4 supra πρότερον add. κωνστάν < τιος > O
‖ 6 τἀδελφοῦ : τοῦ ἀδελφοῦ UXO m ‖ 8 κυρίου : χριστοῦ F UXO dm ‖
ὑπεκρίνετο F UO ‖ τὸν τ. ἀ. αὐτῷ BF^{ac} O dm : τὸ τ. ἀ. αὐτὸν F^{pc}
(+ τὸν F^{pc}) UX ‖ 9 ῥίψας + καὶ F U ‖ 10 πάλαι : παλαιὰν F UXO ‖
12 ἐποίησε F UXO m ‖ 13 ἐπισκιάζεσθαι UX

1. On trouvera un commentaire détaillé des § 75-109 et 121-123 chez
J. D'ALTON, *Selections from St John Chrysostom*, Londres 1940, p. 66-75. Il

en effet, qui vous a donné le coup mortel et a démoli toute votre assurance. Mais ne vous irritez pas contre lui. Car ce n'est pas de son plein gré qu'il a jeté son œuvre à bas : il le faisait contraint par une puissance supérieure[1].

C. JULIEN

a) Son avènement   **76.** Comment cela est-il arrivé ? et de quelle manière ? Après la mort de l'empereur[2] qui avait fait transférer le martyr (au faubourg), celui qui lui avait auparavant donné cette dignité investit publiquement le frère du mort, pour qu'il héritât de l'Empire, et celui-ci reçut le pouvoir impérial, à l'exception du diadème[3] – telles avaient été aussi les limites du pouvoir de son frère défunt. Comme c'était un charlatan et un misérable, il fit d'abord semblant de professer la religion du Christ[4], à cause de celui qui lui avait donné le pouvoir ; puis, lorsque celui-ci eut également quitté la vie, il jeta le masque et, à visage découvert désormais, il rendit publique la superstition qu'il nourrissait depuis longtemps en secret et la manifesta aux yeux de tous les hommes : il envoyait dans le monde entier des ordres pour restaurer les temples des idoles, relever les autels, rendre aux démons les anciens honneurs, leur procurer des ressources abondantes de provenance diverse.

cite SOZOMÈNE (*H. E.*, V, 20, 5), qui paraît dépendre en grande partie de Jean Chrysostome, et THÉODORET (*H. E.*, III, 11, 4).

2. Gallus, exécuté sur l'ordre de Constance en 354 (A. PIGANIOL, *L'empire chrétien (325-395)*, Paris 1972, p. 103).

3. Julien, demi-frère de Gallus ; Constance lui décerna en 355 le titre de César (*ibid.*, p. 128).

4. LIBANIUS reconnaît que Julien fut d'abord obligé de dissimuler ses sentiments (*Discours*, XVIII, 19).

77. Ἐντεῦθεν μάγοι καὶ γόητες καὶ μάντεις καὶ οἰω-
νοσκόποι καὶ μηναγύρται καὶ πάσης ἐργαστήρια μαγγανείας
πάντοθεν ἀπὸ τῆς οἰκουμένης συνέτρεχον καὶ ἦν ἰδεῖν τὰ
βασίλεια ἀνδρῶν ἀτίμων καὶ φυγάδων πληρούμενα. Οἱ μὲν
5 γὰρ ὑπὸ λιμοῦ πάλαι διαφθειρόμενοι, οἱ δὲ ἐπὶ ταῖς
φαρμακείαις καὶ ταῖς κακουργίαις δεσμωτήριά τε οἰκοῦντες
καὶ μέταλλα ἐργαζόμενοι, ἄλλοι δὲ ἐξ ἐπιτηδευμάτων
555   αἰσχρῶν μόλις δυνάμενοι | διαζῆν, ἱερεῖς καὶ ἱεροφάνται
ἀναφανέντες ἐξαίφνης ἐν πολλῇ ἦσαν τῇ τιμῇ. Καὶ ὁ
10 βασιλεὺς στρατηγοὺς μὲν καὶ ἄρχοντας παρεπέμπετο καὶ
οὐδενὸς ἠξίου λόγου, ἄνδρας δὲ ἡταιρηκότας καὶ τὰς ἀπὸ
τοῦ τέγους γυναῖκας ἀναστήσας ἀπὸ τῶν οἰκημάτων ἐν οἷς
προεστήκεσαν μεθ' ἑαυτοῦ τὴν πόλιν ἅπασαν περιῆγε καὶ
τοὺς στενωπούς. Καὶ ὁ μὲν ἵππος ὁ βασιλικὸς καὶ οἱ
15 δορυφόροι πάντες ὄπισθεν ἐκ πολλοῦ τοῦ διαστήματος
εἵποντο, πορνοβοσκοὶ δὲ ἄνδρες καὶ γυναῖκες προαγωγοὶ
καὶ πᾶς ὁ τῶν ἡταιρηκότων χορὸς τὸν βασιλέα κυκλώ-
σαντες εἶχον ἐν μέσῳ διὰ τῆς ἀγορᾶς βαδίζοντες καὶ
τοιαῦτα φθεγγόμενοι καὶ οὕτως ἀνακακχάζοντες ὡς τοὺς ἐκ
20 τῆς ἐργασίας ἐκείνης εἰκὸς ἦν.

78. Ταῦτα δὲ οἴδαμεν ὅτι τοῖς μεθ' ἡμᾶς γινομένοις
ἄπιστα εἶναι δόξει διὰ τὴν τῆς ἀτοπίας ὑπερβολήν· οὐ γὰρ
ἂν ἰδιώτην τῶν εὐτελῶς καὶ αἰσχρῶς βεβιωκότων ἑλέσθαι
τοιαῦτα δημοσίᾳ ἀσχημονεῖν. Ἀλλὰ πρὸς μὲν τοὺς ἔτι

77, 5 λιμοῦ : pr. τοῦ Pᵖᶜ F UXO dm ‖ 6 ταῖς > O ‖ κακουργίαις +
ἑάλωσαν BFᵃᶜ m + ἑαλωκότες Fᵖᶜ + ἀλόντες UXO d   quod deleui ‖
9 ἐξαίφνης : ἀθρόως F UXO ‖ 10 ἀπεπέμπετο F ‖ 12 ἀναστήσας γυναῖκας
~ F ‖ 18-19 βαδίζοντες καὶ τοιαῦτα > O ‖ 19 ἀνακαγχάζοντες P O dm ‖
ἐκ > O
78, 1 οἶδα μὲν F UXO d ‖ γενησομένοις F UXO dm ‖ 2 ἄπιστα : pr.
καὶ F UXO ‖ οὐ : οὐδὲ F UXO dm

1. «Des devins sans crainte», dit LIBANIUS (*ibid.*, 126). On retrouve
chez ÉPHREM la même accusation que chez Jean Chrysostome : *Hymne* IV, 26 (*contre Julien*).

77. Alors des magiciens, des charlatans, des devins[1], des augures, des prêtres mendiants de Cybèle, des officines où se pratiquait toute sorte de magie accoururent de toute la terre, et l'on put voir le palais impérial plein d'hommes vils et de fugitifs. Les uns épuisés depuis longtemps par la faim, les autres, pour cause d'empoisonnements et de méfaits, séjournant en prison et travaillant dans des mines, d'autres pouvant à peine survivre grâce à des occupations honteuses, (tous), proclamés soudain prêtres et hiérophantes, étaient en grand honneur. L'empereur renvoyait généraux et gouverneurs et ne leur accordait aucune attention; mais des hommes qui se prostituaient et des femmes de mauvais lieux, il les faisait sortir des maisons où ils se livraient au vice pour les emmener avec lui à travers toute la ville et les ruelles. Le cheval de l'empereur et tous ses gardes du corps suivaient par derrière à une grande distance; mais des tenanciers de maisons de passe, des entremetteuses et tout le chœur des prostitués, formant un cercle avec l'empereur au milieu, marchaient à travers l'agora, en proférant les paroles et en poussant les éclats de rire que l'on pouvait attendre de gens de cette corporation[2].

78. Nous savons bien qu'à ceux qui viendront après nous ces choses paraitront incroyables tant elles dépassent les bornes de l'absurdité; même un simple particulier qui mènerait une existence basse et honteuse ne choisirait pas de se conduire publiquement avec une telle indécence.

---

2. C'est peut-être une allusion au culte d'Aphrodite (voir § 78 fin; ÉPHREM, *Hymne* II, 6 [*contre Julien*]; GRÉGOIRE DE NAZ., *Discours*, V, 22). D'après THÉODORET (*H. E.*, III, 21, 7), Julien menaça de placer des statues de «la démone licencieuse» dans les églises. Voir le point de vue de JULIEN: *Misopogon*, 20.

5 ζῶντας οὐδενὸς δέομαι λόγου · οἱ γὰρ παρόντες καὶ θεασάμενοι ταῦτα γινόμενα οὗτοι καὶ λεγόμενα ἀκούουσι νῦν. Διὰ
γάρ τοι τοῦτο τῶν μαρτύρων ἔτι περιόντων γράφω ἵνα μή
τίς με τὰ παλαιὰ διηγούμενον ἐν οὐκ εἰδόσι μετὰ πολλῆς
ψεύδεσθαι τῆς ἐξουσίας νομίζοι. Τῶν γὰρ ταῦτα θεασα-
10 μένων ἔτι καὶ γέροντες καὶ νέοι περίεισιν οὓς ἀξιῶ
πάντας εἴ τι παρ' ἐμοῦ προστέθειται προσιέναι καὶ δι-
ελέγχειν. Ἀλλὰ προστεθέντα μὲν οὐκ ἂν ἐλέγξαιεν, ἐλλεί-
ποντα δὲ μόνον · οὐδὲ γὰρ οἷόν τε πᾶσαν αὐτοῦ τῷ
λόγῳ παραστῆσαι τῆς ἀσχημοσύνης τὴν ὑπερβολήν. Πρὸς
15 δὲ τοὺς μετὰ ταῦτα ἀπιστήσοντας ἐκεῖνο ἂν εἴποιμι ὅτι ὁ
δαίμων ὁ παρ' ὑμῖν ὃν Ἀφροδίτην καλεῖτε οὐκ αἰσχύνεται
τοιούτους ἔχων θεραπευτάς.

79. Οὐδὲν οὖν θαυμαστὸν καὶ τὸν δείλαιον ἐκεῖνον τὸν
ἅπαξ ἑαυτὸν ἐκδεδωκότα τῷ τῶν δαιμόνων γέλωτι μὴ
ἐγκαλύπτεσθαι ἐφ' οἷς οἱ παρ' αὐτῷ θεραπευόμενοι σεμνύ-
νονται θεοί. Τί ἄν τις λέγοι τὰς νεκυομαντείας, τὰς τῶν
5 παίδων σφαγάς; Αἱ γὰρ θυσίαι ἐκεῖναι αἱ πρὸ τῆς τοῦ
Χριστοῦ παρουσίας τολμώμεναι μετὰ δὲ τὴν ἐπιφάνειαν
αὐτοῦ κατασταλεῖσαι ἐτολμῶντο πάλιν φανερῶς μὲν οὐκέτι
— εἰ γὰρ καὶ βασιλεὺς ἦν καὶ μετ' ἐξουσίας ἅπαντα
ἔπραττεν ἀλλ' ὅμως ἡ τῆς τῶν δρωμένων ἀνοσιότητος
10 ὑπερβολὴ τῆς ἐξουσίας τὸ μέγεθος ἤλεγχεν — ἐτολμῶντο
δ' οὖν ὅμως.

78, 6 ταῦτα : τὰ τοιαῦτα F UXO ‖ 9 ψεύσασθαι A d ‖ νομίζῃ G dm ‖
ταῦτα : τοιαῦτα F ‖ 12 προστιθέντα O ‖ ἐλέγξειεν B ‖ 13 μόνον : μᾶλλον F
UXO ‖ 14 post ὑπερβολήν add. et eras. οὐδὲ γὰρ ἂν — ἀσχημονεῖν
(= 2-4) O ‖ 16 καλεῖται U ‖ 17 ἔχειν UX
79, 1 τὸν² > UXO ‖ 3 αὐτῶν F αὐτοῦ UXO ‖ 9 ἀνοσιότητος :
ἐναντιότητος O ‖ 11 δὲ οὖν m

1. De même GRÉGOIRE DE NAZIANZE fait appel à des témoins

Mais à ceux qui vivent encore je n'ai pas besoin de dire quoi que ce soit : ceux qui étaient présents, les spectateurs de ces événements, sont les mêmes qui les entendent aujourd'hui raconter. C'est pour cela que j'écris, quand les témoins sont encore vivants : je veux ainsi que nul ne croie qu'en racontant des histoires anciennes à des gens qui les ignorent, j'ai toute licence de mentir. Parmi les spectateurs de ces événements, il reste encore des vieillards et des jeunes gens, et je leur demande à tous, si j'ai ajouté quelque détail, de s'approcher et de me confondre[1]. Mais ils ne pourraient me convaincre d'addition, seulement d'omission, car il n'est même pas possible de représenter par la parole tout l'excès de son ignominie. Quant à ceux qui, plus tard, refuseront de croire, je leur dirai que le démon de chez vous que vous appelez Aphrodite n'a pas honte d'avoir de tels adorateurs.

79. Il n'y a donc rien d'étonnant non plus si ce malheureux dès lors qu'il s'était livré au culte ridicule des démons ne se voilait pas la face devant ce qui faisait l'orgueil des dieux qu'il honorait. Que dire des nécromancies, des immolations d'enfants[2]? Car ces sacrifices, qu'on osait offrir avant la venue du Christ et qui avaient été réprimés après son avènement, on osait à nouveau les célébrer, non plus ouvertement – quoiqu'il fût empereur et qu'il eût le pouvoir de tout se permettre, cependant l'excessive impiété de ses actes eût dénoncé l'étendue de ce pouvoir –, mais pourtant on osait les offrir.

oculaires à propos de la chute du sanctuaire des martyrs que Julien avait entrepris de construire (*Discours*, IV, 29).

2. Cf. GRÉGOIRE DE NAZ., *Discours*, IV, 92. A la nécromancie a souvent été associé le sacrifice de jeunes enfants : voir T. HOPFNER, *art.* «Nekromantie», *PW* 162, 1935, c. 2223-2224 et 2227 (JUSTIN, *I Ap.*, 18, 3; TERTULLIEN, *Apol.*, 23).

XV   80. Οὗτος δὴ οὖν ὁ βασιλεὺς εἰς τὴν Δάφνην συνεχῶς
ἀνιὼν μετὰ πολλῶν μὲν ἀναθημάτων μετὰ πολλῶν δὲ
θυσιῶν καὶ χειμάρρους αἱμάτων ἐργαζόμενος ἀπὸ τῆς τῶν
θρεμμάτων σφαγῆς ἐπέκειτο σφοδρῶς τὸν δαίμονα χρησμὸν
5 ἀπαιτῶν καὶ ἀξιῶν ἀναιρεῖν ὑπὲρ τῶν κατὰ γνώμην αὐτῷ.
Ὁ δὲ γενναῖος ἐκεῖνος,

Καὶ ψάμμου τε ἀριθμὸν εἰδὼς καὶ μέτρα θαλάσσης
Καὶ κωφοῦ συνιεὶς καὶ οὐ λαλέοντος ἀκούων

(ὥς φησι) τὸ μὲν εἰπεῖν διαρρήδην καὶ σαφῶς, ὅτι διὰ τὸν
10 ἅγιον Βαβύλαν καὶ τὴν ἐκ γειτόνων δύναμιν ἐπιστομισθεὶς
οὐ δύναμαι φθέγγεσθαι, παρῃτήσατο δεδοικὼς μὴ γέλωτα
παρὰ τοῖς θεραπευταῖς ὄφλει τοῖς αὐτοῦ · βουλόμενος δὲ
συσκιάσαι τὴν ἧτταν εἶπε πρόφασιν τῆς σιγῆς ἢ μᾶλλον
αὐτὸν καταγελαστότερον ἀπέφηνε τῆς σιγῆς. Ἐκείνῳ μὲν
15 γὰρ ἂν τὴν ἀσθένειαν μόνον ἀπεκάλυψε τὴν αὐτοῦ νυνὶ
δὲ καὶ τὴν ἀσθένειαν καὶ τὴν ἀσχημοσύνην καὶ τὴν
ἀναισχυντίαν ἔδειξε τὰ ἀσυσκίαστα συσκιάζειν ἐπιχειρῶν.

81. Τίς γὰρ ἡ πρόφασις; Νεκρῶν, φησίν, ἐστι τὸ χωρίον
ἡ Δάφνη μεστὸν καὶ τοῦτο κωλύει τὸν χρησμόν. Καὶ πόσῳ
556 βέλτιον ἦν, ὦ δείλαιε, | τοῦ μάρτυρος ὁμολογῆσαι τὴν
δύναμιν ἢ οὕτως ἀναίσχυντα προφασίζεσθαι; Καὶ ὁ μὲν

80, 1 συνεχῶς : νουνεχῶς B ‖ 2 μὲν > F ‖ 4 σφοδρὸς m ‖ 5 ἀναιρεῖν :
ἐρεῖν F UXO ‖ 7 τ' ἀριθμὸν dm ‖ 8 ξυνιείς F ‖ 11 δύναται m ‖
12 παρὰ > O ‖ ὄφλῃ Fᵖᶜ UXO m ὄφλοι coni. d ‖ αὐτοῦ scripsi : αὐτοῦ
B ἑαυτοῦ F UXO dm ‖ 14 ἐκείνως F UXO d ‖ 15 μόνον > F O ‖ αὐτοῦ
BF : αὐτοῦ UX ἑαυτοῦ O dm
81, 1 ἐστί φησι O m ‖ 2 μεστῶν X ‖ πόσον UX

1. Les contemporains ont noté la prodigalité avec laquelle Julien
offrait des animaux en sacrifice : AMMIEN MARCELLIN, XXII, 12, 6;
XIV, 3; LIBANIUS, Discours, XVIII, 127; XXIV, 35. GRÉGOIRE DE
NAZIANZE mentionne (Discours, IV, 77) son surnom de « rôtisseur »
(καυσίταυρος); voir ci-dessous, § 103, et SOCRATE H. E., III, 17.
2. Ainsi commence le premier oracle d'Apollon aux ambassadeurs de
Crésus, roi de Lydie (HÉRODOTE, I, 47). Jean Chrysostome s'inspire

**b) Il saisit
le motif du silence
d'Apollon**

80. Cet empereur, donc, montait
continuellement à Daphné avec
beaucoup d'offrandes et beaucoup de
victimes pour les sacrifices et faisait
couler, par l'immolation des bestiaux, des torrents de
sang[1]; il se montrait extrêmement pressant pour réclamer
un oracle au démon et lui demander une réponse concernant ce qu'il avait dans l'esprit. Mais ce noble personnage,

> Qui sait le nombre des grains de sable et les
> dimensions de la mer,
> Qui comprend le sourd et entend le muet[27]

– comme il dit –, refusa de dire en termes explicites et
clairs : "A cause de saint Babylas et de la puissance des
voisins j'ai la bouche fermée et ne peux pas parler", car il
craignait de s'exposer à la risée de ses adorateurs; mais,
voulant dissimuler sa défaite, il donna de son silence un
prétexte qui le fit paraître plus ridicule encore que le
silence. Par l'aveu, en effet, il n'aurait dévoilé que sa
faiblesse; mais en fait il montra à la fois sa faiblesse, son
indécence, son impudence, en s'efforçant de dissimuler ce
qui ne pouvait pas l'être.

81. Quel fut le prétexte? Cet endroit de Daphné est
plein de cadavres, dit-il, et c'est ce qui empêche l'oracle.
Ah! comme il eût mieux valu, malheureux! reconnaître la
puissance du martyr plutôt que chercher des prétextes aussi

---

peut-être d'Eusèbe, *Prép. év.*, V, 34, 2, qui cite lui-même l'ouvrage
d'Œnomaüs de Gadara, *Les charlatans démasqués*; il en est de même au
§ 88. H. Parke et D. Wormell (*The Delphic Oracle*, t. 2, Oxford 1956,
p. 23-24, § 52) ont rassemblé d'autres versions du même oracle, dont
celles de Themistius et de Libanius. A la suite de P.R. Coleman-Norton,
Downey (*History*, p. 387, n. 41) a cru que ces mots faisaient partie
de la réponse donnée à Julien. Mais il semble plutôt que, comme
Œnomaüs d'après Eusèbe, l'auteur rappelle ici par ironie les prétentions
d'Apollon. C'est au § 81 que l'on trouve la réponse donnée à Julien.

5 δαίμων ταῦτα, ὁ δὲ ἀνόητος βασιλεὺς καθάπερ ἐν σκηνῇ
παίζων καὶ δρᾶμα ὑποκρινόμενος ἐπὶ τὸν μακάριον εὐθέως
ἦλθε Βαβύλαν. Καίτοι, ὦ μιαρὲ καὶ παμμίαρε, εἰ μὴ
ἀλλήλους ἐξηπατᾶτε ἑκόντες καὶ συνυπεκρίνασθε πρὸς τὴν
τῶν λοιπῶν ἀπώλειαν, τί δήποτε σὺ μὲν λέγεις ἀνωνύμως
10 καὶ ἀδιορίστως τοὺς νεκροὺς σὺ δὲ ὡς ὀνομαστὶ καὶ μετὰ
διορισμοῦ τινος ἀκούσας τῶν ἄλλων ἀφέμενος τὸν ἅγιον
μόνον ἐκίνεις; Ἐχρῆν γὰρ κατὰ τὴν τοῦ δαίμονος ἀπόφασιν
πάσας ἀνορύττειν τὰς ἐν τῇ Δάφνῃ θήκας καὶ τὸ μορμολυ-
κεῖον τῆς τῶν θεῶν ὄψεως ἀπάγειν ὡς πορρωτάτω.

82. Ἀλλ' οὐ περὶ πάντων εἶπε τῶν νεκρῶν. Τί οὖν
τοῦτο οὐ διαρρήδην ὡμολόγησεν; Ἢ σοὶ τὸ δρᾶμα ὑποκρι-
νομένῳ τῆς πλάνης τοῦτο ἀφῆκε τὸ αἴνιγμα. Ἐγὼ μὲν γὰρ
λέγω τοὺς νεκρούς, φησίν, ὥστε μὴ δήλην γενέσθαι τὴν
5 ἧτταν καὶ ἄλλως γὰρ δέδοικα ὀνομαστὶ τὸν ἅγιον εἰπεῖν, σὺ
δὲ νόει τὸ λεχθὲν καὶ ἀντὶ πάντων κίνει τὸν μάρτυρα ·
ἐκεῖνος γὰρ ἡμᾶς ἐπεστόμισε. Τοσαύτην κατέγνω παραπλη-
ξίαν τῶν θεραπευόντων αὐτὸν ὡς οὕτω φανερὰν ἀπάτην
μὴ δυνηθῆναι συνιδεῖν. Εἰ γὰρ ἐξεστήκεσαν ἅπαντες, εἰ
10 γὰρ ἐμεμήνεσαν, οὐδ' ἂν οὕτω διέφυγε τὴν τῆς ἥττης
κατάγνωσιν — οὕτω φανερὰ πᾶσίν ἐστι καὶ σαφής. Εἰ γὰρ
μίασμά τι καὶ μύσος ἐστίν, ὡς φῄς, τὰ νεκρὰ τῶν
ἀνθρώπων σώματα, πολλῷ μᾶλλον τὰ τῶν ἀλόγων ὅσῳ καὶ
τὸ γένος ἀτιμότερον τοῦ γένους. Πολλῶν δὲ καὶ κυνῶν καὶ
15 πιθήκων καὶ ὄνων ὀστᾶ πλησίον τοῦ ναοῦ κατορώρυκται

81, 7 μιαροὶ καὶ παμμίαροι F UXO dm ‖ 8 συνυπεκρίνεσθε F UXO d ‖
12 κινεῖς F UXO dm
82, 2 ὡμολόγησεν : pr. καὶ F ‖ ἢ F UXO d ‖ σοὶ + τῷ F^{mg} ‖ τὸ : τῷ U ‖
ὑποκρινόμενος O ‖ 8 αὐτὸν : αὐτοὺς O ‖ 10 διέφυγε F^{pc} coni. d : διέφυγον
B m   διέφυγες UXO ‖ 11 ἐστι : ἔσται B

---

1. D'après EUSÈBE (*Prép. év.*, V, 22, 1), Œnomaüs de Gadara quali-

impudents! Voilà ce que dit le démon; quant à l'empereur insensé, comme s'il jouait sur scène et tenait un rôle dans un drame, il vint aussitôt auprès du bienheureux Babylas. En vérité – scélérats, abominables scélérats! –, à moins que vous ne cherchiez à vous tromper volontairement l'un l'autre et que vous ne jouiez ensemble la comédie pour la perte des autres hommes, pourquoi donc parles-tu, toi, des cadavres d'une manière anonyme et sans précision, et toi, comme si tu avais entendu un nom désigné de façon précise, pourquoi laisses-tu les autres pour ne déplacer que le saint? Il aurait fallu d'après la déclaration du démon, ouvrir toutes les tombes de Daphné et écarter cet épouvantail le plus loin possible de la vue des dieux.

82. – Mais il n'a pas parlé de tous les cadavres. – Pourquoi donc ne s'est-il pas exprimé clairement? Oui, c'est à toi, comédien dans le drame de l'erreur, qu'il a laissé cette énigme. Pour moi, je dis "les cadavres", déclare-t-il, afin que ma défaite ne soit pas évidente; je crains, en outre, de nommer le saint par son nom; mais toi, comprends ce que je dis et sans t'occuper des autres, déplace le martyr, car c'est lui qui nous a fermé la bouche. Quel aveuglement[118] imputait-il à ses adorateurs pour qu'ils fussent incapables de découvrir une fourberie aussi manifeste! Car même s'ils avaient tous perdu le sens, s'ils avaient été fous furieux, même alors, Apollon n'aurait pu éviter de se voir imputer la défaite, tant elle était manifeste et claire aux yeux de tous. En effet, si les cadavres des hommes sont une souillure et une abomination, comme tu le dis, ceux des êtres dénués de raison le seront d'autant plus que leur espèce est moins honorable que la nôtre. Or, il y a des tas d'ossements de chiens, de singes et d'ânes qui sont enterrés à proximité du sanctuaire; ce sont plutôt ceux-là qu'il fallait déplacer, à

fiait du même terme ($\pi\alpha\rho\alpha\pi\lambda\eta\xi\acute{\iota}\alpha$) la foi aux oracles.

καὶ ταῦτα μᾶλλον ἐχρῆν μετακινεῖν εἰ μὴ πιθήκων ἀνθρώπους ἀτιμοτέρους ἡγῇ.

83. Ποῦ νῦν εἰσιν οἱ τὸ καλὸν τοῦ Θεοῦ δημιούργημα καὶ πρὸς ὑπηρεσίαν ἡμετέραν γεγονὸς τὸν ἥλιον ἐνυβρίζοντες καὶ τῷ δαίμονι τὸ ἄστρον ἐπιφημίζοντες καὶ τοῦτο ἐκεῖνον εἶναι λέγοντες; Ὁ μὲν γὰρ ἥλιος μυρίων ἐν
5 τῇ γῇ κειμένων νεκρῶν ἐκχεῖται κατὰ τῆς οἰκουμένης καὶ οὐδαμοῦ συστέλλει τὰς ἀκτῖνας οὐδὲ τὴν ἐκ τούτων ἐνέργειαν διὰ τοὺς μολυσμούς · ὁ δὲ θεὸς ὁ ὑμέτερος βίους μὲν αἰσχροὺς καὶ μαγγανείας καὶ φόνους οὐκ ἀποστρέφεται οὐδὲ μισεῖ ἀλλὰ καὶ ἀγαπᾷ καὶ ἀσπάζεται καὶ φιλεῖ,
10 σώματα δὲ ἐκτρέπεται τὰ ἡμέτερα. Καίτοι τὸ μὲν τῆς κακίας εἶδος καὶ παρ' αὐτοῖς τοῖς δρῶσιν αὐτὸ μυρίας καταγνώσεως ἄξιον εἶναι δοκεῖ, τὸ δὲ σῶμα τὸ νεκρὸν καὶ ἀκίνητον οὐδεμιᾶς μετέχει μέμψεως καὶ αἰτίας. Ἀλλ' αὕτη τῶν δαιμόνων ὑμῶν ἡ προαίρεσις βδελύττεσθαι μὲν τὰ μὴ
15 βδελυκτὰ τιμᾶν δὲ καὶ ἀποδέχεσθαι τὰ παντὸς ἄξια μίσους καὶ ἀποστροφῆς.

84. Καὶ ἀνὴρ μὲν ἀγαθὸς οὐδὲ βουλεύσασθαί τι χρήσιμον οὔτε πρᾶξαί τι τῶν δεόντων ὑπὸ σώματος κωλυθήσεται νεκροῦ, ἀλλὰ ἂν ὑγιαίνῃ τὴν ψυχὴν καὶ παρ' αὐτοὺς οἰκῶν τοὺς τάφους καὶ σωφροσύνην καὶ δικαιοσύνην καὶ
5 πᾶσαν ἐπιδείξεται τὴν ἀρετήν. Καὶ χειροτέχνης δὲ ἕκαστος ἀνεμποδίστως τὰ τῆς οἰκείας ἐπιστήμης πάντα ἐργάσεται

82, 16-17 ἀτιμοτέρους ἀνθρώπους ~ F UXO d
83, 3 τοῦτον B ‖ 6 οὐδαμῶς B
84, 3-4 αὐτοῖς οἰκῶν τοῖς τάφοις F UXO m ‖ 5 ἐπιδείξαι O

1. Cf. ORIGÈNE, *C. Celse*, VIII, 66 : «Nous bénirons donc le soleil comme une belle créature de Dieu.»

2. C'est moins une polémique contre la divinisation du cosmos et de ses éléments qu'une allusion au culte du soleil que Julien chercha à promouvoir par son *Discours sur Hélios-Roi*, écrit pour la festivité du «soleil invincible» (25 décembre 362). Julien y affirmait tantôt l'identité d'Hélios et de Zeus (*Discours*, XI [IV], 10.22.31), tantôt celle, plus traditionnelle, du soleil et d'Apollon (*ibid.*, 39-40). M. NILSSON cite trois inscriptions qui assimilent Apollon au soleil, dont l'une date peut-être

moins que tu ne considères les hommes comme moins honorables que les singes.

83. Où sont maintenant ceux qui outragent ce bel ouvrage de Dieu[1] créé pour notre service, le soleil, et attribuent cet astre au démon qu'ils identifient avec lui[2]? Car le soleil, malgré les milliers de cadavres qui gisent en terre, répand sa lumière à travers le monde et en aucun lieu il ne tempère ni ses rayons ni leur activité dans la crainte de se souiller[3]; et votre dieu ne se détourne ni des vies honteuses ni des sortilèges ni des meurtres, et il ne les a pas en horreur; au contraire, il les chérit, les affectionne et les aime; mais il évite nos corps! Et cependant la seule vue du vice paraît, même pour ceux qui s'y adonnent, mériter une incalculable condamnation, tandis que le corps mort et immobile ne mérite ni blâme ni reproche. Mais telle est la règle de conduite de vos démons : avoir en abomination ce qui n'est pas abominable, honorer et accepter ce qui ne mérite que haine et aversion.

84. Un homme de bien ne se laissera détourner par un cadavre ni d'une délibération utile ni d'une action nécessaire; mais, s'il a la santé de l'âme, même en habitant à côté des tombeaux, il fera preuve de tempérance, de justice et en tout de vertu. Chaque artisan exécutera sans empêchement

---

du règne de Julien (*Geschichte der griechischen Religion*, t. 2 Munich 1961[2], p. 512, n. 2). Ci-dessous (§ 105 et 110) Jean Chrysostome identifie à Apollon le soleil qui, d'après l'*Odyssée* (VIII, 271-302), dénonça à Héphaistos l'adultère d'Aphrodite. Dans ses *Homélies sur la Genèse* (VI, 4), Jean Chrysostome affirme contre JULIEN (*ibid.*, 9.36) que le soleil n'est cause ni de la lumière du jour ni de la fertilité du sol. Il s'oppose encore au culte du soleil dans ses *Homélies sur l'Épître aux Éphésiens* (XII, 2; XIX, 2) et *sur les statues* (IX, 4). Dans son *Hymne* IV (*contre Julien*), ÉPHREM tourne également en ridicule le culte du soleil pratiqué par Julien; voir aussi SOZOMÈNE, *H. E.*, VI, 2, 11.

3. DIOGÈNE LAËRCE (VI, 63) affirmait déjà que les immondices de la terre ne souillent pas le soleil. Voir aussi JULIEN, *Discours*, XI (IV), 16; JEAN CHRYS., *Sur la Providence de Dieu*, VII, 13.

καὶ παρέξει τοῖς δεομένοις αὐτοῦ οὐ πλησίον νεκρῶν
καθήμενος μόνον ἀλλὰ κἂν αὐτὰ τὰ μνήματα τῶν κατοιχομένων οἰκοδομῆσαι δέῃ · καὶ ὁ ζωγράφος καὶ ὁ λιθοξόος
10 καὶ ὁ τέκτων καὶ ὁ χαλκοτύπος καὶ πάντες τὰ αὐτῶν
συνεισφέρουσι. Μόνος δὲ πάντων ὁ Ἀπόλλων ὑπὸ τῶν
νεκρῶν κωλύεσθαί φησι τὰ μέλλοντα προορᾶν.

85. Καὶ μὴν καὶ παρ᾽ ἡμῖν ἄνδρες γεγόνασι μεγάλοι καὶ
θαυμαστοὶ καὶ τὰ πρὸ τετρακοσίων καὶ χιλίων προεῖπον
ἐτῶν καὶ προλέγοντες οὐδὲν τούτων οὔτε ἐζήτησαν οὔτε
ἐμέμψαντο οὔτε τοὺς τάφους τῶν ἀπελθόντων ἀναρ-
5 ρήγνυσθαι ἐκέλευσαν καὶ τοὺς κειμένους ῥίπτεσθαι καὶ
τυμβωρυχίας ξένον καὶ ἀναίσχυντον ἐπινοεῖν τρόπον. Ἀλλ᾽
557 οἱ μὲν αὐτῶν ἔθνεσι | παροικοῦντες ἀθέοις καὶ μιαροῖς οἱ δὲ
ἐν μέσοις τοῖς βαρβάροις ὄντες ἔνθα τὰ ἀληθῶς μολυσμοῦ
ἄξια καὶ μιασμοῦ πάντα ἐδρᾶτο, μετὰ ἀληθείας προὔλεγον
10 καὶ οὐδὲν αὐτοὺς ὁ τῶν ἄλλων μιασμὸς ἐκώλυεν εἰς τὴν
πρόρρησιν. Τί δήποτε; Ὅτι ἐκεῖνοι μὲν ἀληθῶς ὑπὸ θείας
ἐνεργούμενοι δυνάμεως ἔλεγον ἅπερ ἔλεγον, ὁ δὲ δαίμων
κενὸς τῆς ἐνεργείας ἐκείνης καὶ ἔρημος ὢν εἶχε μὲν οὐδὲν
προειπεῖν ὑπὲρ δὲ τοῦ μὴ δόξαι ἀπορεῖν πιθανὰ ἁπλῶς καὶ
15 καταγέλαστα προφασίζεσθαι ἀναγκάζεται.

84, 9 δέῃ οἰκοδομῆσαι ∼ XM ‖ δέοι F ‖ 10 αὐτῶν O m : αὐτῶν BF
UX d
85, 1 μὴν + εἰ B^{pc} ‖ 1-2 θαυμαστοὶ καὶ μεγάλοι ∼ XM ‖ 2 τὰ >
XM + ἡμέτερα d ‖ 7 αὐτῶν : ἀστῶν uid. B ‖ ἔθνεσι : pr. ἐν UXO ‖
9 ἀληθείας + ἅπαντα F UXO dm ‖ 14 ἀπίθανα corr. sd

---

1. Voir *Hom. sur Babylas*, 2 fin. – Alors que les païens ne voyaient
aucune différence entre leurs oracles et ceux des prophètes juifs, les
auteurs chrétiens affirmaient la supériorité de ces derniers, qui étaient
inspirés du Saint-Esprit : voir ORIGÈNE, *C. Celse*, VII, 7; EUSÈBE, *Dém.
év.*, V, prol., 3-32; JEAN CHRYS., *Hom. sur I Cor.*, XXIX, 2; THÉO-
DORET, *Thérap.*, X.

tous les ouvrages qui relèvent de son art et les fournira à
ceux qui les lui demandent, non seulement tout en demeurant à proximité des cadavres, mais même s'il lui faut
édifier les monuments mêmes des disparus : le peintre, le
tailleur de pierres, le charpentier, celui qui travaille l'airain,
tous apportent leur contribution propre. Seul parmi tous,
Apollon se déclare empêché par les cadavres de prévoir
l'avenir.

85. En vérité, il y a eu, chez nous aussi, des hommes
grands et admirables[1], ils ont prédit des événements qui se
passeraient mille quatre cents ans plus tard et, au cours de
leurs prédictions, ils n'ont fait ni demandes ni reproches de
ce genre ; ils n'ont pas ordonné d'ouvrir les tombeaux des
disparus, de jeter les morts et d'imaginer une forme insolite
et impudente de profanation de sépulture. Au contraire,
alors que, parmi eux, les uns demeuraient chez des peuples
athées et impurs et les autres vivaient au milieu des
barbares, là où se commettait tout ce qui entraîne véritablement corruption et souillure, ils prédisaient l'avenir avec
vérité, et la souillure des autres n'entravait en rien leur
prophétie. Pourquoi donc ? parce que les prophètes, c'est
en étant véritablement inspirés par une puissance divine
qu'ils disaient ce qu'ils avaient à dire, alors que le démon,
privé et dépourvu de cette inspiration[2], n'avait rien à
prédire et, pour ne pas paraître embarrassé, se voyait
obligé d'alléguer des prétextes tout juste vraisemblables et
ridicules.

2. Cf. *Hom. sur Jn*, XIX, 2 : « Car cela (la prophétie), c'est uniquement
l'œuvre de Dieu et les démons ne peuvent pas l'imiter, même s'ils y
tendent de toutes leurs forces. Pour les prodiges, en effet, il peut y avoir
illusion, tandis que prédire l'avenir avec exactitude n'appartient qu'à la
nature parfaite. Si jamais les démons ont prédit l'avenir, ils ont trompé
les insensés ; aussi est-il très facile de percer à jour leurs oracles. »

86. Διὰ τί γάρ, εἰπέ μοι, κατὰ τὸν ἔμπροσθεν χρόνον
οὐδέποτέ τι τοιοῦτον εἶπεν οὐδὲ ἐφθέγξατο; Ὅτι τότε μὲν
εἶχε τὸ μὴ θεραπεύεσθαι πρόφασιν, ταύτης δὲ αὐτῷ τῆς
ἀπολογίας περιαιρεθείσης κατέφυγεν ἐπὶ τοὺς νεκροὺς στε-
5 νοχωρηθεὶς τί πάθοι. Οὐ γὰρ ἐβούλετο ἀσχημονεῖν ἀλλ'
ὑμεῖς αὐτὸν ἠναγκάσατε διὰ τῆς πολλῆς θεραπείας τὴν
ἀπολογίαν ἐκκόψαντες καὶ οὐκ ἀφέντες εἰς τὴν τῶν θυσιῶν
σπάνιν καταφυγεῖν.

XVI   87. Ἀκούσας δὴ ταῦτα ὁ ὑποκριτὴς ἐκέλευσε κατε-
νεχθῆναι τὴν λάρνακα ἵνα πᾶσιν ἡ ἧττα δήλη γένηται καὶ
καταφανής. Εἰ μὲν γὰρ εἶπεν ὅτι διὰ τὸν ἅγιον οὐ δύναμαι
φθέγγεσθαι · ἀλλὰ μηδὲν κινεῖτε μηδ' ἐνοχλεῖτε περαιτέρω,
5 τοῖς αὐτοῦ μόνοις ἂν ἐγένετο φανερὸν — οὐ
γὰρ ἂν εἰς ἑτέρους τοῦτο ἐξήνεγκαν αἰσχυνόμενοι —, νῦν
δὲ ὥσπερ ἐκπομπεῦσαι σπουδάζων τὴν ἀσθένειαν αὐτοῦ
οὕτως ἅπαντα πράττειν ἠνάγκαζε δι' ὧν οὐδὲ βουλομένοις
ἐνῆν συσκιάσαι τὸ γεγονός. Οὐδὲ γὰρ ἔτι δυνατὸν διασω-
10 θῆναι τὴν ὑπόκρισιν διὰ τὸ μηδένα τῶν ἄλλων νεκρῶν ἀλλὰ
μόνον τὸν μάρτυρα μετακινηθῆναι ἐκεῖθεν. Καὶ οὐχ οἱ τὴν
πόλιν οἰκοῦντες μόνον καὶ τὸ προάστειον καὶ τοὺς ἀγροὺς
ἀλλὰ καὶ οἱ πόρρωθεν ἀφιστάμενοι τῶν χωρίων καὶ τὴν
λάρνακα οὐχ ὁρῶντες κειμένην εἶτα τὴν αἰτίαν ἐξετάζοντες
15 εὐθέως ἐμάνθανον, ὡς ὁ δαίμων παρὰ τοῦ βασιλέως ἀξιού-
μενος μαντεύεσθαι εἶπε τοῦτο μὴ δύνασθαι ποιεῖν ἕως ἂν
αὐτοῦ τὸν μακάριον ἀποστήσῃ τις Βαβύλαν.

86, 4 ἐπὶ τοὺς νεκροὺς καταφεύγει F UXO ‖ στενοχωρηθεὶς + μή F
UXO m
87, 4 μηδὲν : μηδὲ F UXO ‖ μηδ' : μηδὲ F ‖ 5 αὐτοῦ : αὐτοῖς O ‖
7 αὐτοῦ m ‖ 8 δι' ὧν : διὸ F UXO ‖ βουλομένῳ m ‖ 10 ὑπόκρισιν + ἦν
A + ἦν F UXO d ‖ 13 καὶ² > Fᵖᶜ UXO

86. Pour quelle raison, dis-moi, n'a-t-il jamais rien dit ou proféré de tel auparavant? Parce que, alors, il avait un prétexte, l'abandon du culte[1]; mais quand ce moyen de se justifier lui eut été enlevé, inquiet de ce qui pourrait lui arriver, il s'est abrité derrière les cadavres. Il ne voulait pas se déshonorer, en effet, mais c'est vous qui l'y avez obligé : en lui rendant un culte assidu, vous lui avez démoli sa justification et l'avez empêché de s'abriter derrière la rareté de ses sacrifices.

c) Il éloigne le cercueil de Babylas

87. En entendant cette réponse, notre comédien ordonna donc de ramener le cercueil (à son emplacement primitif[2]), pour que la défaite devînt pour tous claire et éclatante. Car, si le démon avait dit : "A cause du saint, je ne peux pas parler, mais ne touchez à rien, n'importunez pas davantage", ce n'aurait été manifeste que pour les siens – ils ne l'auraient pas en effet, rapporté à d'autres, par honte; mais en fait, on eût dit qu'il s'efforçait de livrer sa faiblesse à la risée publique, car il exigeait qu'on fît tout ce qui rendait impossible, même à qui le voudrait, de dissimuler ce qui s'était passé. Il n'y avait, en effet, plus moyen de maintenir l'illusion, puisque aucun autre cadavre n'avait été transféré loin de là, mais seulement le martyr. Non seulement les habitants de la ville, du faubourg et de la campagne, mais aussi ceux qui étaient très éloignés de ces lieux, ne voyant plus le cercueil à sa place, en demandaient alors la cause et apprenaient aussitôt que le démon, sollicité par l'empereur de rendre des oracles, avait répondu qu'il ne pouvait le faire avant qu'on ait éloigné de lui le bienheureux Babylas.

---

1. Cf. JULIEN, *Misopogon*, 34.
2. C'est-à-dire au cimetière d'Antioche.

88. Καίτοι γε, ὦ καταγέλαστε, ἐνῆν σοι καὶ εἰς ἑτέρας προφάσεις καταφυγεῖν οἷα πολλάκις ποιεῖς μυρία τεχνάζων ἐν ταῖς ἀπορίαις ἀεί, πρὸς μὲν τὸν Λυδὸν εἰπὼν ὅτι «Ἅλυν τὸν ποταμὸν διαβὰς μεγάλην ἀρχὴν καταλύσει» καὶ δείξας 5 αὐτὸν ἐπὶ τῆς πυρᾶς, ἐπὶ δὲ τῆς Σαλαμῖνος αὐτῷ τε τῷ σοφῷ τούτῳ χρησάμενος καὶ τὸν καταγέλαστον σύνδεσμον προσθείς — τὸ μὲν γὰρ εἰπεῖν ·

Ἀπολεῖς δὲ σὺ τέκνα γυναικῶν

ὅμοιον ἦν τῷ τοῦ Λυδοῦ, τὸ δὲ προσθεῖναι ·

10 Ἤτοι σκιδναμένης Δημήτερος ἢ συνιούσης

πλείονος γέλωτος καὶ τοῖς ἐν ταῖς τριόδοις ὑπὸ τῶν ἀγυρτῶν λεγομένοις προσέοικός, ἀλλ' οὐδὲ τοῦτο ἤθελες. Καὶ ἐξῆν ἀσαφείᾳ κρύψαι τὸν λόγον — καὶ γὰρ καὶ τοῦτο τῆς τέχνης ἀεὶ τῆς σῆς —, ἀλλ' ἐπέκειντο πάντες πάλιν 15 ἀγνοοῦντες καὶ λύσιν ἐπιζητοῦντες. Καὶ ἐνῆν σοι καταφυγεῖν ἐπὶ τοὺς ἀστέρας · καὶ γὰρ καὶ τοῦτο ποιεῖς πολλάκις καὶ οὐκ αἰσχύνῃ οὐδὲ ἐρυθριᾷς.

89. Οὐ γὰρ πρὸς ἄνδρας νοῦν ἔχοντας ὁ λόγος ἐστί σοι ἀλλὰ πρὸς θρέμματα καὶ θρεμμάτων ἀλογωτέρους. Οὐκ ἦσαν τῶν Ἑλλήνων σοφώτεροι τῶν ταῦτα ἀκουόντων καὶ | 558 οὐκ ἀφισταμένων τῆς ἀπάτης; Ἀλλὰ συνεώρων τὸ ψεῦδος. 5 Οὐκοῦν ἐχρῆν τἀληθῆ πρὸς τὸν ἱερέα μόνον εἰπεῖν καὶ αὐτὸς ἂν εὕρέ σου μᾶλλον συσκιάσαι τὴν ἧτταν. Νῦν δὲ τίς

88, 4 τὸν > F UXO ‖ καταλύσεις F UXO ‖ 5-6 αὐτό τε τὸ σοφὸν τοῦτο F UXO ‖ 13 καὶ¹ > XM ‖ καὶ³ > m ‖ 14 πάντες > X

1. Il s'agit de Crésus (HÉRODOTE, I, 86-91). La forme de la citation est peut-être empruntée à Œnomaüs d'après EUSÈBE (*Prép. év.*, V, 20, 10). HÉRODOTE rapporte les paroles de la Pythie, mais au style indirect (I, 53.91). Chez certains écrivains tardifs, cette réponse prend une autre forme : voir H. PARKE et D. WORMELL, *The Delphic Oracle*, t. 1, Oxford 1956, p. 133.

2. Oracle de la bataille de Salamine (HÉRODOTE, VII, 141), peut-être de nouveau cité d'après Œnomaüs (cf. EUSÈBE, *Prép. év.*, V, 24, 2, et la note *ad loc.* dans *SC* 266, 1980, p. 57).

88. Cependant, ô ridicule personnage, tu avais la possibilité de t'abriter derrière d'autres prétextes, comme tu le fais souvent en recourant, dans tes continuelles difficultés, à d'innombrables artifices, quand tu as dit (par exemple) au Lydien qu'«en traversant le fleuve Halys il détruirait un grand empire[1]» et que tu l'as montré ensuite sur le bûcher, et lorsque, à propos de Salamine, tu a usé de ce même stratagème, en y ajoutant l'alliance de mots ridicules. Dire, en effet :

> Tu feras périr, toi, des enfants de femmes,

c'était pareil à la réponse donnée au Lydien, mais ajouter :

> Soit que Déméter se disperse, soit qu'elle se rassemble[2],

c'était plus risible encore et ressemblait à des boniments de camelots aux carrefours, mais cela non plus tu ne l'as pas voulu. Il t'aurait aussi été possible d'envelopper ta réponse d'obscurité – car cela aussi a toujours fait partie de ton art –, mais tous t'auraient encore harcelé, ne comprenant pas et en quête d'une solution. Tu aurais pu aussi chercher refuge dans les astres; cela aussi tu le fais souvent, tu n'en as pas honte et tu n'en rougis pas[3].

89. Car ce n'est pas à des hommes doués de raison que s'adresse ta parole, mais à des bestiaux et à des êtres plus stupides encore que des bestiaux. N'y avait-il pas, parmi les Grecs[4], de plus avisés que ceux qui entendaient ces réponses et ne se détournaient pas de la fourberie? – Mais ils auraient décelé le mensonge! – Par conséquent il fallait ne dire la vérité qu'au prêtre et il aurait trouvé mieux que toi comment dissimuler ta défaite. Qui donc t'a persuadé,

---

3. L'un des dieux, évoqué, aurait un jour rejeté la responsabilité de son ignorance sur la position des astres, d'après Porphyre qui cite l'oracle : «Les fondements de la divination sont, pour l'instant, retenus dans les astres» (cf. EUSÈBE, *Prép. év.*, VI, 5, 4).

4. C'est-à-dire parmi les païens adorateurs d'Apollon à Daphné.

σε ἔπεισεν, ἄθλιε, εἰς οὕτω φανερὰν σαυτὸν ἀναισχυντίαν
ἐμβαλεῖν; Ἀλλὰ τάχα σὺ μὲν οὐδὲν ἥμαρτες, ὁ δὲ βασιλεὺς
κακῶς ὑπεκρίνατο ἀδιορίστως μὲν περὶ τῶν νεκρῶν
10 ἀκούσας ἐπὶ δὲ τὸν ἅγιον μόνον ἐλθών · ἐκεῖνός σε διήλεγξε
καὶ τὴν ἀπάτην ἐγύμνωσεν. Ἀλλ᾽ οὐδὲ ἐκεῖνος ἑκών. Οὐ
γὰρ ἦν τοῦ αὐτοῦ τοσούτοις τε ἀναθήμασι τιμᾶν καὶ πάλιν
ὑβρίζειν τὸν αὐτόν · ἀλλὰ πάντας ὁμοῦ τοῦ μάρτυρος
ἐσκότωσεν ἡ δύναμις καὶ οὐκ ἀφῆκε συνιδεῖν τὰ γινόμενα,
15 ἀλλ᾽ ἐπράττετο μὲν ἅπαντα ὡς κατὰ Χριστιανῶν περιετρέ-
πετο δὲ οὐκ εἰς τοὺς πάσχοντας ἀλλ᾽ εἰς τοὺς δρῶντας ὁ
γέλως. Οὕτω που καὶ οἱ μαινόμενοι δοκοῦσι μὲν ἀεὶ τοὺς
πλησίον ἀμύνεσθαι τοὺς τοίχους λακτίζοντες καὶ ῥητὰ καὶ
ἄρρητα τοὺς παρόντας λέγοντες κακά, αἰσχύνουσι δὲ δι᾽ ὧν
20 ποιοῦσιν οὐκ ἐκείνους ἀλλ᾽ ἑαυτούς · ὃ δὴ καὶ τότε ἐγίνετο.

90. Εἵλκετο μὲν γὰρ ἡ λάρναξ διὰ τῆς ὁδοῦ πάσης,
ἐπανῄει δὲ ὁ μάρτυς καθάπερ τις ἀθλητὴς εἰς τὴν ἑαυτοῦ
πόλιν δεύτερον φέρων στέφανον ἐν ᾗ καὶ τὸν πρότερον
ἀνεδήσατο. Ὥστε εἴ τις μὴ καταδέχεται τὴν ἀνάστασιν
5 λαμπρότερα τοῦ μάρτυρος μετὰ τὴν τελευτὴν ἔργα θεώ-
μενος αἰσχυνέσθω λοιπόν. Οἷον γάρ τις ἀριστεὺς τροπαίοις
συνῆπτε τρόπαια, μεγάλοις μείζονα καὶ θαυμαστοῖς θαυμαστότερα. Τότε μὲν γὰρ πρὸς βασιλέα μόνον ἠγωνίσατο
νῦν δὲ καὶ πρὸς βασιλέα καὶ δαίμονα, καὶ τότε μὲν τῶν
10 ἱερῶν περιβόλων τὸν κρατοῦντα ἀπήλασε νῦν δὲ τοῦ χωρίου
παντὸς τῆς Δάφνης τὸν λυμεῶνα ἀπήγαγεν οὐ χειρὶ χρώ-
μενος καθάπερ καὶ πρότερον ἀλλ᾽ ἀοράτῳ δυνάμει τὴν
ἀόρατον καταγωνιζόμενος. Καὶ ζῶντος μὲν οὐκ ἤνεγκε τὴν

89, 13 πάντα O ‖ 14 γενόμενα UXO ‖ 17 δοκοῦσι μὲν : ποιοῦσι ·
δοκοῦσι μὲν γὰρ Fᵖᶜ UXO ‖ 20 ὃ : οἷος O ‖ ἐγένετο G dm
90, 1 γὰρ > UXO ‖ 2 τις > O ‖ 4 καταδέχοιτο F UXO dm ‖ 6 οἷα F
‖ 12 καὶ : τὸ F UXO ‖ ἀοράτῳ + τινὶ UXO ‖ δυνάμει + τινὶ F ‖ τὴν : τὸν
X

---

1. Autrement dit : les restes de Babylas retournaient à leur premier
lieu de repos, le cimetière chrétien d'Antioche. Cf. Introd., p. 19.

malheureux, de te jeter dans une impudence aussi manifeste? Mais peut-être n'est-ce pas toi qui a commis de faute,
c'est l'empereur qui a mal joué son rôle lorsque, entendant
parler de tous les morts indistinctement, il s'en prit
seulement au saint; c'est lui qui t'a confondu et a mis ta
fourberie à nu. Mais lui non plus ne l'a pas fait volontairement, car il n'appartenait pas au même homme d'honorer
quelqu'un par tant d'offrandes et de l'outrager en même
temps; mais c'est la puissance du martyr qui les a aveuglés
tous à la fois et ne les a pas laissé comprendre la situation :
tout était fait contre les chrétiens, cependant le rire ne
retombait pas sur les victimes, mais sur les auteurs. C'est
ainsi que les fous s'imaginent toujours repousser ceux qui
les approchent en donnant des coups de pied dans les murs
et en proférant contre les personnes présentes des injures
qu'on ose ou qu'on n'ose pas dire, alors qu'ils couvrent de
honte par ce qu'ils font non pas les autres, mais eux-
mêmes; c'est précisément ce qui arriva aussi à ce moment-
là.

90. On traînait le cercueil tout le long du chemin et le
martyr, comme un athlète, revenait pour la seconde fois
avec une couronne sur la tête dans sa ville où il l'avait
ceinte une première fois[1]. C'est pourquoi, si quelqu'un
n'admet pas la Résurrection, qu'il contemple les œuvres du
martyr, plus éclatantes encore après sa mort, et qu'il
rougisse de honte désormais. Tel un héros il ajoutait à des
trophées d'autres trophées, à de grandes œuvres de plus
grandes, à d'admirables de plus admirables. Alors il ne
s'était battu que contre un empereur; maintenant c'était
contre un empereur et contre un démon; alors il avait
chassé le souverain de l'enceinte sacrée, maintenant il
éloignait le fléau de tout cet endroit de Daphné, sans se
servir de sa main comme la première fois, mais en
triomphant par une puissance invisible de la puissance
invisible. De son vivant, sa liberté de parole n'avait pas été

παρρησίαν ὁ ἀνδροφόνος, τελευτήσαντος δὲ οὐχ ὑπέμεινε
15 τὴν κόνιν οὔτε ὁ βασιλεὺς οὔτε ὁ δαίμων ὁ ταῦτα κινῶν
τὸν βασιλέα ποιεῖν.

91. Ὅτι γὰρ μείζονα τοῦ προτέρου φόβον τούτοις τοῖς
δευτέροις εἰργάσατο δῆλον ἐκεῖθεν. Ἐκεῖνος μὲν γὰρ αὐτὸν
λαβὼν καὶ ἔδησε καὶ ἀνεῖλεν οὗτοι δὲ μόνον μετέθηκαν.
Διὰ τί γὰρ μὴ καταποντίσαι τὴν λάρνακα μήτε ἐκεῖνος
5 ἐκέλευσε μηδὲ οὗτος ἠθέλησε; Διὰ τί μὴ συνέτριψε καὶ
κατέκαυσε; Διὰ τί μὴ εἰς ἔρημον καὶ ἀοίκητον αὐτὴν
ἀπενεχθῆναι προσέταξεν; Εἰ γὰρ ἄγος ἦν καὶ μίασμα καὶ
βδελυττόμενος ἀλλὰ μὴ δεδοικὼς ἐκεῖθεν αὐτὴν ἐκίνησεν,
οὐκ εἰς τὴν πόλιν ἐχρῆν τὸ ἄγος εἰσάγειν ἀλλ᾽ ἀποικίζειν
XVII 10 εἰς ὄρη καὶ νάπας. | Ἀλλ᾽ ἤδει καὶ αὐτοῦ τοῦ Ἀπόλλωνος
οὐχ ἧττον ὁ δείλαιος τοῦ μακαρίου τὴν ἰσχὺν καὶ τὴν παρρησίαν τὴν πρὸς τὸν Θεὸν καὶ ἔδεισε μὴ τοῦτο ἐργασάμενος
σκηπτὸν ἤ τινα νόσον ἑτέραν ἐφ᾽ ἑαυτὸν προκαλέσηται.

92. Καὶ γὰρ εἶχε πολλὰ τῆς τοῦ Χριστοῦ δυνάμεως τὰ
τεκμήρια ἔν τε τοῖς πρὸ αὐτοῦ βεβασιλευκόσιν ἐπι-
δειχθείσης καὶ ἐν τοῖς σὺν αὐτῷ τότε τὴν ἐπ᾽ αὐτοῦ
διέπουσιν ἀρχήν. Τῶν μὲν γὰρ πάλαι βασιλευσάντων οἱ τὰ
5 τοιαῦτα τολμήσαντες μετὰ πολλὰς καὶ ἀφορήτους συμφορὰς
αἰσχρῶς καὶ ἐλεεινῶς τὸν βίον κατέλυσαν, ὡς τοῦ μὲν τὰς
κόρας ἔτι ζῶντος αὐτομάτως ἐκπηδῆσαι τῶν ὀφθαλμῶν

91, 5 μηδὲ : μήτε F O dm ‖ ἐθέλησε m ‖ 8 ἐκεῖθεν BFᵖᶜ UX : ἐκεῖνος
O > Fᵃᶜ
92, 3 τότε > X ‖ ἐπ᾽ αὐτοῦ : ἐπ᾽ αὐτῷ P ὑπ᾽ αὐτῶν UX ὑπ᾽ αὐτὸν O ‖

tolérée par le meurtrier; après sa mort, sa cendre ne fut
supportable ni à l'empereur ni au démon qui avait poussé
l'empereur à agir ainsi.

91. Qu'il ait inspiré à ces derniers une peur plus grande
qu'au premier, en voici la preuve : l'empereur l'avait
arrêté, emprisonné et fait périr; eux se bornèrent à le
changer de place. Pourquoi, en effet, le démon n'a-t-il pas
ordonné, ni l'empereur voulu, qu'on jetât le cercueil à la
mer? Pourquoi ne l'a-t-il pas brisé et fait brûler? Pourquoi
n'a-t-il pas commandé de le transporter en un lieu désert et
inhabité? Car si c'était une abomination et une souillure et
s'il l'avait fait déplacer par répulsion, et non par crainte, il
n'aurait pas fallu introduire l'abomination dans la ville,
mais la transférer dans des montagnes et des vallons boisés.
Mais il ne connaissait pas moins qu'Apollon lui-même, le
malheureux, la force du bienheureux et sa liberté de parole
en face de Dieu et redoutait en agissant ainsi d'attirer sur
lui la foudre ou quelque autre fléau.

D. L'INCENDIE DU TEMPLE

92. Il avait, en effet, de nombreuses preuves de la
puissance du Christ : elle s'était manifestée en ceux qui
avaient régné avant lui et en ceux qui, avec lui, exerçaient
de son temps le pouvoir. Parmi les empereurs anciens,
ceux qui avaient osé commettre de pareils actes, après
beaucoup de malheurs intolérables, avaient terminé leur
vie dans la honte et la pitié : ainsi, les pupilles de l'un,
encore de son vivant, avaient jailli d'elles-mêmes hors de

---

6 schol. ponit in mg. περὶ μαξιμίνου F ‖ τὰς > Fᵃᶜ (suppl. Fᵖᶜ)

– Μαξιμῖνος οὗτος ἦν – τὸν δὲ μανέντα τὸν δὲ ἄλλῃ
τοιαύτῃ χρησάμενον συμφορᾷ οὕτως ἐνθένδε ἀπελθεῖν. Τῶν
10 δὲ σὺν αὐτῷ τότε ὄντων ὁ μὲν θεῖος ὁ πρὸς πατρὸς
559 νεανικώτερον τῇ καθ' ἡμῶν μανίᾳ | χρησάμενος καὶ τῶν
ἱερῶν σκευῶν ταῖς μιαραῖς τολμήσας ἄψασθαι χερσὶ καὶ
οὐδὲ τούτοις ἀρκεσθεὶς ἀλλὰ περαιτέρω τῇ ὕβρει προελθών
– περιστρέψας γὰρ αὐτὰ καὶ θεὶς ἐπὶ τοῦ ἐδάφους
15 [ἁπλώσας] οὕτως ἐκάθισεν ἐπ' αὐτῶν – παραχρῆμα ταύτης
τῆς παρανόμου καθέδρας τὴν δίκην ἔδωκε. Διαφθαρὲν γὰρ
αὐτοῦ τὸ αἰδοῖον σκώληκας ἔτεκε, καὶ ὥστε δειχθῆναι ὅτι
ἡ νόσος θεήλατος ἦν πίονας ὄρνεις καὶ ξενικὰς καταθύοντες
οἱ ἰατροὶ καὶ πλησίον τῶν διεφθορότων μελῶν τιθέντες
20 ἐξεκαλοῦντο τοὺς σκώληκας. Οἱ δὲ οὐκ ἀφίσταντο ἀλλὰ
ἀπρὶξ τῶν σεσηπότων εἴχοντο μερῶν καὶ οὕτως αὐτὸν ἐπὶ
πολλαῖς δαπανήσαντες ἡμέραις ἀπώλεσαν. Ἕτερος δέ τις
ἐπὶ τῇ φυλακῇ τῶν ταμείων τεταγμένος τῶν βασιλικῶν
πρὶν ἢ τὸν οὐδὸν ὑπερβῆναι τῶν βασιλείων ἐλάκησεν ἄφνω
25 μέσος[a] καὶ αὐτὸς ἑτέρας τινὸς τοιαύτης παρανομίας δίκην

92, 8 μαξιμῖνος οὗτος ἦν de margine illata sentit d ‖ οὗτος > O ‖
10 πατρος : u. notam ‖ 15 ἁπλώσας B seclusi (u. notam) : καὶ ἁπλώσας P
Fᵃᶜ dm   ἁπλῶς Fᴾᶜ UXO ‖ 15-16 τῆς παρανόμου ταύτης ~ F ‖
18 ὄρνεις : ὄρνις Fᴾᶜ UXO ‖ 20 οὐκ : οὐ μόνον οὐκ F UXO ‖ ἀλλὰ + καὶ
O ‖ 22 ἀπώλεσαν : pr. κακῶς F UXO dm ‖ 23 τῇ > O ‖ ταμειίων F ‖
24 τῶν οὐδῶν F ‖ ἐπιβῆναι X

92. a. cf. Act. 1, 18

1. Maximin Daia fit probablement plusieurs séjours à Antioche au
cours de la «grande persécution». Dans l'*Exposé sur le Psaume 110*, 4
JEAN CHRYSOSTOME fait aussi allusion à sa mort. EUSÈBE la décrit dans
la *Vie de Constantin*, I, 59.
2. Peut-être Dioclétien : voir LACTANCE, *De la mort des persécuteurs*,
17 (*SC* 39, p. 96 et le commentaire de J. Moreau, p. 306 s.).
3. Lapsus de Jean Chrysostome ou d'un ancien copiste (l'erreur se
trouve dans tous les manuscrits). Il s'agit, en effet, de Julius Julianus,
l'oncle *maternel* de l'empereur, frère de Basilina, que Julien avait nommé
comte d'Orient et envoyé en 362 à Antioche, où il mourut (voir
K. HAEHNLE, art. «Iulianos 39», *PW* 10.1, c. 94-95).

ses yeux – c'était Maximin[1] –, un autre était devenu fou[2], et un troisième avait été frappé d'un autre malheur du même genre; voilà comment ils avaient quitté cette vie. Et, parmi ceux qui étaient alors avec lui, son oncle paternel[3], qui avait fait preuve de trop d'emportement dans sa folie contre nous, qui avait osé toucher les vases sacrés de ses mains impures et qui, non content de cela, était allé plus loin encore dans l'outrage – après les avoir retournés et posés sur le sol[4] [et étalés], il s'était alors assis dessus[5] –, fut aussitôt châtié pour ce geste inique. Atteintes de putréfaction ses parties honteuses engendrèrent des vers et – ce qui prouva que la maladie était envoyée par Dieu – quand les médecins, sacrifiant des oiseaux exotiques bien gras, les appliquèrent près des membres en putréfaction pour faire sortir les vers, ceux-ci ne partirent pas; sans lâcher prise, au contraire, ils s'acharnaient sur la partie en décomposition et, en le minant ainsi jour après jour, ils le firent misérablement périr[6]. Un autre, commis à la garde du trésor impérial, avant même de franchir le seuil du palais royal, creva soudain par le milieu[a], châtié lui aussi pour un autre crime

---

4. Jean Chrysostome tenait-il l'histoire de témoins oculaires (cf. § 78) ou d'une rumeur populaire qui attribuait le méfait tantôt à l'un, tantôt à l'autre adversaire du christianisme (cf. *art. cit.*, c. 94)?

5. Aucun texte ne paraît donner un sens satisfaisant. Ἁπλώσας serait-il une corruption de ἐπετώθασε? On trouve, en effet, chez SOZOMÈNE (*H. E.*, V, 8, 2), dans un passage parallèle à celui-ci : περιστρέψας αὐτὰ κατὰ τοῦ ἐδάφους ἐπετώθασε... ἐκάθισεν.

6. J. MOREAU tire des historiens maints exemples de persécuteurs ayant connu une fin misérable; voir son Introd. à LACTANCE, *De la mort des persécuteurs* (*SC* 39), Paris 1954, p. 61-64 et les notes. Le fait d'être dévoré par les vers est le châtiment que la tradition grecque, puis juive et chrétienne, attribue avec prédilection aux impies; voir commentaire du chap. 33, p. 383-387 : la vengeance divine frappe d'abord les impies dans leur virilité. A tout cela il faut ajouter le témoignage d'ÉPHREM, *Hymne* IV, 3 (*contre Julien*) : un des bras de Julius dut être amputé à cause des vers.

δούς. Ταῦτα δὴ καὶ τούτων πλείονα — οὐ γὰρ ἅπαντα καταλέγειν καιρὸς νῦν — εἰς νοῦν λαβὼν ὁ μιαρὸς ἐδεδοίκει τὴν τόλμαν περαιτέρω προαγαγεῖν.

93. Καὶ ὅτι οὐκ ἀπ' ἐμαυτοῦ ταῦτα λέγω νῦν ἐκ τῶν μετὰ ταῦτα ὑπ' αὐτοῦ γενομένων ἔσται δῆλον ἡμῖν. Τέως δὲ τῆς ἀκολουθίας τῶν γεγενημένων ἐχώμεθα. Τί δὴ τὸ ἐντεῦθεν ἦν; Τοῦτο γάρ ἐστι τὸ θαυμαστὸν οὐ τὴν δύναμιν
5 μόνον ἀλλὰ καὶ τὴν ἄφατον φιλανθρωπίαν ἐπιδεικνύον τοῦ Θεοῦ · Ὁ μὲν ἅγιος μάρτυς τῶν ἱερῶν εἴσω περιβόλων ἦν ἐν οἷς καὶ πρότερον ἐτύγχανεν ὢν πρὶν εἰς τὴν Δάφνην ἐλθεῖν · ὁ δὲ πονηρὸς δαίμων ἐμάνθανεν εὐθέως ὅτι μάτην αὐτῷ τὰ τῆς ἀπάτης μεμηχάνηται, καὶ ὅτι οὐ πρὸς νεκρὸν
10 τὸν ἀγῶνα εἶχεν ἀλλὰ πρὸς ζῶντα καὶ ἐνεργοῦντα καὶ οὐκ αὐτοῦ μόνον ἀλλὰ καὶ πάντων δαιμόνων ἰσχυρότερον. Παρακαλέσας γὰρ τὸν Θεὸν ἀφεῖναι πῦρ εἰς τὸν νεὼν τήν τε ὀροφὴν κατέφλεξε πᾶσαν καὶ τὸ εἴδωλον μέχρις ἐσχάτων ἀφανίσας ποδῶν τέφραν τε ἀποφήνας καὶ κόνιν ἀφῆκεν
15 ἑστάναι τοὺς τοίχους ἅπαντας.

94. Καὶ εἴ τις ἐπισταίη τῷ τόπῳ νῦν οὐκ ἂν εἴποι πυρὸς εἶναι ἔργον τὸ γεγονός. Οὐδὲ γὰρ ἄτακτος οὐδὲ ὡς ἐξ ὕλης ἀψύχου γέγονεν ἡ πυρπόλησις ἀλλ' ὥσπερ τινὸς χειρὸς περιαγούσης τὸ πῦρ καὶ δεικνυούσης τίνων
5 μὲν φείσασθαι τίνα δὲ ἀναλῶσαι ἐχρῆν, οὕτως εὐρύθμως

92, 26 τούτων : pr. τὰ F UXO d ‖ 27 νῦν > O ‖ 28 προάγειν O
93, 3 δὴ : δὲ F UO ‖ 6 ἅγιος : pr. γὰρ A P dm ‖ 8 δαίμων + ἐκεῖνος F UXO ‖ 11 αὐτοῦ : pr. κατ' O ‖ ἰσχυρότερον > O ‖ 13 ἅπασαν F UXO
94, 1 εἴπῃ B ‖ 2 εἶναι ἔργον B d : ἔργον εἶναι F m ἔργον UXO ‖ ἀτάκτως F UXO ‖ 4 χειρός τινος ∼ O

1. AMMIEN MARCELLIN raconte sa mort : «Félix, comte des largesses sacrées, étant mort subitement d'une hémorragie» (XXIII, 1, 5). Jean Chrysostome reprend les termes employés à propos de la mort de Judas, tandis que, dans son *Épître à Sérapion*, 43, 35, ATHANASE décrit la mort d'Arius de la même manière. Dans ses *Homélies sur Matthieu* (IV, 1), Jean

du même genre[1]. Songeant à ces faits et à d'autres en plus grand nombre – car ce n'est pas maintenant le moment de tout énumérer –, le misérable redoutait de pousser son audace plus avant.

93. Ce n'est pas un propos de mon invention que je tiens là maintenant, nous le verrons bien d'après ce qu'il a accompli plus tard[2]. Pour l'instant, tenons-nous en à la suite des événements. Qu'est-il arrivé après cela ? Voici ce qui est admirable, et qui ne manifeste pas seulement la puissance de Dieu mais aussi son inexprimable amour des hommes : le saint martyr était à l'intérieur de l'enceinte sacrée, précisément là où il se trouvait avant de venir à Daphné, et le mauvais démon apprenait aussitôt qu'il avait en vain contre lui machiné sa tromperie et qu'il avait à lutter non avec un mort, mais avec un vivant, plein d'activité et plus fort non seulement que lui-même, mais aussi que tous les démons. Babylas, en effet, pria Dieu d'envoyer le feu sur le temple et il consuma le toit tout entier, anéantissant l'idole[3] jusqu'à l'extrémité des pieds, le rendant cendre et poussière, mais il laissa tous les murs debout.

94. Et celui qui aujourd'hui arriverait en ce lieu ne pourrait dire que cet événement fut l'œuvre du feu. Car les ravages du feu ne furent ni désordonnés[4] ni ceux que peut causer une matière inanimée, mais c'était comme si une main conduisait le feu et lui montrait ce qu'il fallait épargner et ce qu'il fallait détruire, tant il y a de mesure et

Chrysostome fait participer Félix et Julius Julianus au sacrilège envers les vases sacrés ; cf. *Panég. de S. Paul*, IV, 6.

2. Cf. *Infra*, § 96.

3. La statue d'Apollon dont on a la description par Libanius (*infra*, § 105 et 112).

4. Lorsque Jean Chrysostome s'en prend à la croyance en la divinité du feu, il souligne le caractère désordonné de celui-ci (*Hom. sur Éphés.*, XII, 2).

καὶ τεχνικῶς ὁ ναὸς ἐκκεκάλυπται. Καὶ οὐ τοῖς
ἐμπεπρησμένοις ἁπλῶς ἀλλὰ τοῖς ἀρτίους μὲν ἔχουσι περιβόλους στέγης δὲ δεομένοις μόνης προσέοικεν · τά τε γὰρ
ἄλλα καὶ οἱ κίονες οἵ τε τὸν ὄροφον ἀνέχοντες οἵ τε τὰ
10 πρόπυλα ἅπαντες ἑστήκασι πλὴν τῶν περὶ τὸν ὄπισθεν
δόμον ἑνός, καὶ οὗτος δὲ οὐχ ἁπλῶς ἀφέθη διακλασθῆναι
τότε ἀλλὰ δι᾿ αἰτίαν ἣν μετὰ ταῦτα ἐροῦμεν.

95. Τούτου δὴ συμβάντος ἄγεται μὲν εἰς δικαστήριον
εὐθέως ὁ τοῦ δαίμονος ἱερεὺς καὶ τὸν αἴτιον ἠναγκάζετο
λέγειν, ὡς δὲ οὐχ εἶχεν ἐξαγκωνίσαντες αὐτὸν καὶ πολλὰς
ἐπιθέντες πληγὰς εἶτα μετεωρίσαντες καὶ τὰς πλευρὰς
5 διαξαίνοντες ἐμάνθανον πλέον οὐδέν. Ἀλλ᾿ ἐγίνετο παρόμοιον τῷ ἐπὶ τῆς ἀναστάσεως τοῦ Χριστοῦ. Καὶ γὰρ τότε
ἐτάγησαν μὲν οἱ στρατιῶται τὸ σῶμα φυλάττειν τοῦ Ἰησοῦ
ἵνα μὴ ἐκγένηται, φησί, κακουργῆσαι περὶ τὴν κλοπὴν
τοῖς μαθηταῖς[a], τὸ δὲ πρᾶγμα εἰς τοῦτο ἐξέβαινεν ὥστε
10 μηδὲ ἀναίσχυντον πρόφασιν ὑπολειφθῆναι τοῖς βουλομένοις
περὶ τὴν πίστιν τῆς ἀναστάσεως κακουργεῖν. Καὶ ἐνταῦθα
εἵλκετο μὲν ὁ ἱερεὺς ἵνα μὴ θείας ὀργῆς ἀλλ᾿ ἀνθρωπίνης
560 κακουργίας ἔργον εἶναι μαρτυρήσῃ τὸ | γεγονός. Στρεβλού-
μενος δὲ καὶ αἰκιζόμενος καὶ οὐδένα ἔχων ἐκδοῦναι
15 ἐμαρτύρει θεόπεμπτον εἶναι τὸ πῦρ ὡς μηδὲ τοῖς
ἀναισχυντεῖν βουλομένοις εἶναί τινα λόγον λοιπόν.

94, 6 ἐκκέκαυται ὁ ναός X ‖ ἐκκεκάλυπται B m : ἐκέκαυτο F ἐκκέκαυται USMO d ‖ 7 περιβόλους : pr. τοὺς F UXO dm ‖ 8 δεομένους XM ‖
μόνοις O ‖ 10 προπύλαια F UXO dm ‖ τῶν : τοῦ m > X ‖ 10-11 τὸν
ὄπισθεν δόμον A O[pc] m : τῶν ὄπισθε δόμων BF UO[ac] τῶν ὀπισθοδόμων
XM τὸν ὀπισθόδομον R d ‖ 11 ἀφείθη F[pc] UXO d
95, 2 τὸν : τὸ F UXO ‖ 3-4 πολλὰς πληγὰς ἐπιθέντες ∼ F[pc] ‖ 8 περὶ
> O ‖ 13 ἔργον > O

95. a. cf. Matth. 27, 64

1. A la demande de JULIEN (Ep. 80; cf. AMMIEN MARCELLIN, XXII,
13, 2), Julius Julianus avait fait restaurer ces colonnes.

d'habileté dans la manière dont le temple a perdu son toit! Et il ne ressemble pas simplement aux monuments incendiés, mais à ceux dont l'enceinte est achevée et à qui ne manque que le plafond; entre autres choses, toutes les colonnes[1], celles qui supportaient le toit et celles du vestibule, sont restées debout, sauf une seule, dans l'opisthodome; et encore, ce n'est pas sans raison que celle-ci a été brisée, mais pour un motif que nous dirons plus loin.[2].

95. Après cet événement, le prêtre du démon fut aussitôt traduit devant un tribunal[3]; on le sommait de dénoncer le responsable; comme il ne pouvait le faire, ils lui attachèrent les bras derrière le dos, le rouèrent de coups, puis le suspendirent et lui déchirèrent les flancs, mais sans en apprendre rien de plus. Il se passait la même chose que pour la résurrection du Christ. Alors, en effet, les soldats avaient reçu l'ordre de garder le corps de Jésus, afin qu'il ne fût pas au pouvoir des disciples, est-il dit, de maquiller leur vol[a], mais l'action eut pour résultat qu'il ne resta même pas un prétexte impudent à ceux qui voulaient maquiller la preuve de la Résurrection. Ici, on maltraitait le prêtre pour qu'il attestât que cet événement n'était pas l'œuvre de la colère divine, mais de la malice des hommes. Torturé et tourmenté, mais ne pouvant dénoncer personne, il attestait que le feu était envoyé par Dieu, de sorte que même ceux qui voulaient faire les impudents n'avaient plus rien à dire.

2. *Infra*, § 117.
3. D'après les gardiens du temple, torturés sur l'ordre de Julius Julianus, le feu serait venu d'en haut (THÉODORET, *H. E.*, III, 11, 5). L'enquête judiciaire, à laquelle Libanius participa comme juge, n'aboutit pas (AMMIEN MARCELLIN, XXII, 13, 2; LIBANIUS, *Ep.* 1376; cf. P. PETIT, *Libanius et la vie municipale à Antioche au IV* siècle après Jésus-Christ*, Paris 1955, p. 206-207). Si des chrétiens avaient été responsables de l'incendie, ils s'en seraient peut-être vantés, comme le fit Théodore qui avait mis le feu à la statue de Cybèle à Amasia (GRÉGOIRE DE NYSSE, *Panég. de Théodore = PG* 46, 744 B).

96. Ἀλλ' ὅπερ πρὸ μικροῦ θέλων εἰπεῖν ἀνεβαλόμην
τοῦτο νῦν εὐκαίρως ἐρῶ. Τί δὴ τοῦτό ἐστιν; Ὅτι τῷ φόβῳ
διέσεισεν αὐτοῦ τὴν ψυχὴν ὁ μάρτυς ὡς μὴ περαιτέρω τῇ
τόλμῃ προελθεῖν. Οὐ γὰρ δήπου τὸν μὲν ἱερέα καὶ ὃν ἐν
5 τοσαύτῃ πρότερον ἦγε τιμῇ τοσούτοις ὑπὲρ τῆς ὀροφῆς
περιέβαλλε κακοῖς καὶ θηρίου μᾶλλον ὠμοβόρου διεσπάραττε
– τάχα δ' ἂν καὶ ἀπεγεύσατο τῶν σαρκῶν, εἰ μὴ πᾶσι τὸ
πρᾶγμα ἐδόκει εἶναι μυσαρόν – τὸν δὲ ἅγιον αὐτὸ τοῦ
δαίμονος τὸ στόμα ἐμφράξαντα πάλιν εἰς τὴν πόλιν ἦγεν
10 ὥστε ἐν πλείονι εἶναι τιμῇ; Εἰ γὰρ καὶ μὴ πρότερον ὅτε
τὴν ἧτταν ὁ δαίμων ὡμολόγησεν ἀλλὰ μετὰ τὸν ἐμπρησμὸν
πάντα ἀνέτρεψεν καὶ ἀπώλεσε καὶ κατέφλεξε [τὴν λάρνακα,
τὸ μαρτύριον ἑκάτερον τό τε ἐν τῇ Δάφνῃ τό τε ἐν τῇ πόλει]
εἰ μὴ τοῦ θυμοῦ ὁ φόβος ἦν μείζων καὶ τῆς ἀθυμίας
15 ἐκράτει τὸ δέος. Ἔθος γὰρ τοῖς πολλοῖς τῶν ἀνθρώπων
ὅταν ὑπὸ ὀργῆς κατασχεθῶσι καὶ λύπης κἂν μὴ τοὺς
αἰτίους λάβωσι τῶν παθῶν εἰς τοὺς ἐμπίπτοντας ἁπλῶς καὶ
ὑπόπτους ἀφιέναι τὴν ὀργήν. Οὐ πόρρω δὲ τῆς ὑποψίας
ταύτης ὁ μάρτυς ἦν. Ἅμα τε γὰρ αὐτὸς εἰς τὴν πόλιν
20 ἀφίκετο καὶ τὸ πῦρ ἦλθεν εἰς τὸν ναόν.

97. Ἀλλ' ὅπερ ἔφην πάθος ἐμάχετο πάθει καὶ ὀργῆς
ἐκράτει δειλία. Ἐννόησον γάρ μοι τίς ἦν ὁ χρηστὸς ἐκεῖνος
εἰς τὸ προάστειον ἀνιὼν καὶ τὸ μὲν μαρτύριον ὁρῶν
ἑστηκὸς τὸν δὲ νεὼν ἐμπεπρησμένον καὶ τὸ εἴδωλον ἠφα-
5 νισμένον καὶ τὰ ἀναθήματα ἀνηλωμένα καὶ τῆς τε αὐτοῦ
φιλοτιμίας καὶ τῆς σατανικῆς πομπῆς πᾶσαν ἐξῃρημένην
ὑπόμνησιν. Εἰ γὰρ μήτε θυμὸς αὐτὸν μήτε ἀθυμία ταῦτα

96, 1 θέλων > F ‖ ἀνεβαλλόμην Fᵃᶜ O ‖ 2 δὴ : δὲ F UXO dm ‖ 3-4 τῆς
τόλμης F UXO d ‖ 6 περιέβαλε F ‖ αἱμοβόρου F UXO m ‖ 8 αὐτὸ : αὐτοῦ
P O m ‖ 12 ἀνέτρεψεν + ἂν F UO dm ‖ 12-13 τὴν λάρνακα — τῇ πόλει
seclusi tamquam interpolationem
97, 5 ἀναλωμένα F UX ‖ τε > Fᵃᶜ ‖ αὐτοῦ scripsi : αὐτοῦ B d   ἑαυτοῦ
F UXO m

96. Mais ce qu'à l'instant je voulais dire et que j'ai remis
à plus tard, je vais maintenant l'exposer, c'est le moment.
De quoi s'agit-il? Voici : le martyr a fait trembler d'une
telle peur l'âme de l'empereur qu'il n'est pas allé plus loin
dans son audace[1]. Car enfin, n'est-ce pas? le prêtre, qu'il
tenait auparavant en si haute estime, ne l'accablait-il pas de
tous ces maux à cause du toit? ne le déchirait-il pas plus
qu'une bête sauvage? – Peut-être même aurait-il goûté à sa
chair, si une telle conduite ne paraissait pas abominable aux
yeux de tous – Et le saint, qui avait fermé la bouche même
du démon, ne le ramenait-il pas dans la ville pour qu'il y
fût en plus grand honneur? Même s'il ne l'avait pas fait
plus tôt, quand le démon avait reconnu sa défaite, du
moins après l'incendie il aurait tout renversé, tout détruit
et fait brûler [le cercueil, l'un et l'autre martyrion, celui de
Daphné et celui de la ville], si la crainte n'avait été plus
forte que la colère et si la peur ne l'avait emporté sur le
découragement. C'est l'habitude, en effet, pour la plupart
des hommes, lorsqu'ils sont en proie au ressentiment ou au
chagrin, s'ils ne mettent pas la main sur les responsables de
leurs souffrances, de déverser simplement leur ressentiment
sur les premiers suspects venus. Or le martyr n'était pas
loin de ce soupçon. Car, c'est précisément à son arrivée
dans la ville que le feu avait pris au temple.

97. Mais, comme je l'ai dit, un sentiment en combattait
un autre et la lâcheté l'emportait sur la colère. Représente-
toi, je te prie, la réaction de cet honnête homme montant
au faubourg et voyant le martyrion debout, le temple
incendié, l'idole détruite, les offrandes perdues, tout souvenir de sa propre libéralité et de ses pompes sataniques
détruit. N'aurait-il ressenti à cette vue ni colère ni découra-

---

1. Voir *infra*, § 105. Dans l'*Homélie sur Babylas*, 2-3, Jean Chrysostome
développe plus longuement la même idée.

ὁρῶντα εἰσῄει τὴν γοῦν αἰσχύνην οὐκ ἂν ἤνεγκε καὶ τὸν
πολὺν γέλωτα, ἀλλ' ἐξέτεινεν ἂν τὰς ἀνόμους χεῖρας καὶ
10 ἐπὶ τὸ τοῦ μακαρίου μαρτύριον, εἰ μὴ τοῦτο ὅπερ εἶπον
κατεῖχεν αὐτόν. Οὐδὲ γὰρ μικρὸν ἦν τὸ γεγονὸς ἀλλὰ
πᾶσαν μὲν τῶν Ἑλλήνων τὴν παρρησίαν ἐξέκοψεν ἅπασαν
δὲ τὴν εὐφροσύνην ἔσβεσε τοσαύτην δὲ τῆς ἀθυμίας τὴν
ἀχλὺν αὐτοῖς κατεσκέδασεν ὅσην ἂν εἰ πάντες ἀπολώλεσαν
15 οἱ ναοί.

XVIII   98. Καὶ ὅτι οὐ κομπάζων λέγω ταῦτα αὐτὰ παραθή-
σομαι τὰ ῥήματα τῶν ὀδυρμῶν καὶ τῆς μονῳδίας ἣν εἰς
τὸν δαίμονα τοῦτον ὁ τῆς πόλεως εἰργάσατο σοφιστής.
Ἔχει δὲ οὕτως ἡ τῶν θρήνων ἀρχή ·

fr 1 5   Ἄνδρες ὧν τοῖς ὀφθαλμοῖς ἀχλὺς κατακέχυται ὥσπερ οὖν
καὶ τοῖς ἐμοῖς μήτε καλὴν ἔτι μήτε μεγάλην καλῶμεν
τήνδε τὴν πόλιν.

Εἶτα εἰπών τινα περὶ τοῦ μύθου τῆς Δάφνης καὶ διαλεχθείς
– οὐ γὰρ ἅπαντα ἐνθεῖναι τὸν λόγον ἐνταῦθα καιρὸς ὑπὲρ
10 τοῦ μὴ μῆκος ἐπεισαγαγεῖν περιττόν –, λέγει ὅτι ὁ Περσῶν

97, 9 καὶ > O ‖ 14 ὅσον O ‖ ἂν > F ‖ ἀπολώλεσαν B m : ἀπωλώλεισαν
Fᵖᶜ U ἀπολώλεισαν XO ἀπωλώλεσαν d
98, 2 ἣν : ἧς F UXO ‖ 3 πόλεως + τότε F dm ‖ iuxta σοφιστής add.
glossam ὁ λιβάνιος Oᵐᵍ ‖ 4 ἀπαρχή F UXO ‖ 6 μ. καλὴν μ. μεγ. ἔτι καλ.
P d μ. μεγ. μ. καλὴν ἔτι καλ. (καλῶμεν ἔτι O) F UO μ. μεγ. μ. καλὴν
καλῶμεν X ‖ 10 ἐπαγαγεῖν X

1. Les passages cités de la *Monodie* se trouvent dans LIBANIUS, éd.
Foerster, t. 4, p. 311 s. Par définition, la monodie devait être chantée ou
psalmodiée : cf. JEAN CHRYS., *Hom. sur Rom.*, XXIII, 5 ; E. NORDEN a
relevé (*Die antike Kunstprosa*, t. 1, Stuttgart 1958⁵, p. 420-421 et n. 1)
dans cette monodie – qu'il qualifie de «thrène» d'une forme hautement

gement, il n'aurait pas du moins supporté la honte et l'immense éclat de rire, mais il aurait étendu aussi ses mains impies sur le martyrion du bienheureux, si ce que j'ai dit ne l'avait pas retenu. Car l'événement n'était pas sans importance : il a mis fin à toute l'assurance des Grecs, a éteint toute leur joie et répandu sur eux un brouillard de découragement aussi épais que si tous les temples avaient disparu.

E. LA LAMENTATION DE LIBANIUS

98. Et je ne dis pas cela par vantardise : je vais citer en propres termes les lamentations et la complainte[1] que le sophiste de la ville[2] composa à l'époque sur ce démon. Voici le début du chant de deuil :

> Hommes, sur les yeux desquels un brouillard s'est répandu, comme c'est le cas pour les miens, n'appelons plus ni belle ni grande cette ville.

Après avoir dit ensuite quelques mots sur le mythe de Daphné et en avoir discouru – ce n'est pas ici le lieu d'insérer son discours tout entier, pour ne pas atteindre une longueur excessive –, il ajoute que jadis le roi de Perse,

poétique –, comme dans celle que Libanius prononça à l'occasion du tremblement de terre de Nicomédie, une multitude de brèves propositions interrogatives ou exclamatives, commençant fréquemment par ὦ et se terminant souvent sur un même rythme ou sur les mêmes syllabes. Il ne doute pas que le sophiste se soit inspiré des monodies d'Aelius Aristide sur l'incendie du temple d'Éleusis et le tremblement de terre de Smyrne. Voir aussi B. GRILLET, Introd. à JEAN CHRYS., *A une jeune veuve* (*SC* 138), Paris 1968, p. 89.

2. Peu après la mort de son maître, Zénobe (vers 354-355), Libanius se vit officiellement confier la chaire de rhétorique d'Antioche; il la garda jusqu'à sa mort à un âge avancé (vers 393); on avait mis pour cela une salle du sénat de la ville à sa disposition.

βασιλεύς ποτε ὁ τὴν πόλιν ἑλὼν ἐφείσατο τοῦ νεώ. Τὰ δὲ
ῥήματά ἐστι ταῦτα ·

fr 3   Ὁ μὲν στρατὸν ἐφ᾽ ἡμᾶς ἀγαγὼν ᾤετο αὐτῷ βέλτιον
            εἶναι σεσῶσθαι τὸν νεών, καὶ τὸ κάλλος τοῦ ἀγάλματος
15   ἐκράτει θυμοῦ βαρβαρικοῦ · νῦν δέ, ἥλιε καὶ γῆ, τίς ἢ
            πόθεν ὁ πολέμιος οὗτος ὃς οὐδὲ ὁπλιτῶν οὐδὲ ἱππέων
            οὔτε ψιλῶν τινων δεηθεὶς μικρῷ σπινθῆρι πάντα ἀνά-
            λωσεν;

Εἶτα δεικνὺς ὅτι αὐτοῦ τότε ἐκράτησεν ὁ μακάριος ὅτε
20 μάλιστα ἤνθει τὰ τῶν Ἑλλήνων θυσίαις καὶ τελεταῖς,
φησί ·

fr 4   Καὶ δὴ καὶ ἡμῖν τὸν νεὼν ὁ μὲν πολὺς ἐκεῖνος
561   κατακλυσμὸς οὐ | παρέσυρεν, ἐν αἰθρίᾳ δὲ καὶ τῆς
            νεφέλης παρελθούσης κατενήνεκται,

25 νεφέλην καὶ κατακλυσμὸν τὸν τοῦ προτέρου βασιλέως
καιρὸν καλῶν. Καὶ πάλιν μικρὸν προελθὼν αὐτὸ δὴ τοῦτο
πικροτέρως ἀποδύρεται λέγων ·

fr 5   Εἶτα διψώντων μέν σοι τῶν βωμῶν αἵματος ἔμενες,
            Ἄπολλον, φρουρὸς ἀκριβὴς τῆς Δάφνης καὶ ῥαθυμού-
30   μενος, ἔστι δὲ ὅπη καὶ προπηλακιζόμενος περικοπτόμενός
            τε τὸν ἔξω κόσμον ἠνείχου · νῦν δὲ μετὰ πολλὰ μὲν
            πρόβατα πολλοὺς δὲ βοῦς, στόμα βασιλέως ὅσιον τῷ ποδὶ
            δεξάμενος, ἰδὼν ὃν προὔλεγες, ὀφθεὶς ὑπὸ τοῦ μεμηνυ-
            μένου, πονηροῦ γειτονήματος ἀπαλλαγεὶς νεκροῦ τινος
35   ἐνοχλοῦντος ἐγγύθεν, ἐκ μέσης τῆς θεραπείας ἀποπεπή-
            δηκας. Πόθεν ἔτι φιλοτιμησόμεθα πρὸς ἄνδρας ἱερῶν
            μεμνημένους καὶ ἀγαλμάτων;

98, 11 ὁ > O ‖ 17 ψιλῷ B ‖ τινων > B ‖ 27 πικρότερον O ‖ 28 σου F
‖ 29 ἀπόλλων B ‖ 31 ἠνέσχου m ‖ 32 πολλοὺς δὲ βόας A d   πολλὰς δὲ
βοῦς UXO ‖ 33 ὃν : ὦν in ras. B ‖ μεμνημένου coni. d'Alton ‖ 37 καὶ
> O

---

1. Il s'agit probablement de Sapor Ier, qui régna de 242 à 272 et prit
Antioche vers 256. Voir § 106, et R. FRYE, *The Heritage of Persia*, New
York - Toronto 1966, p. 241.

qui avait pris la ville, épargna le temple[1]. Voici ses paroles :

> Celui qui avait conduit une armée contre nous pensait que mieux valait pour lui préserver le temple; et la beauté de la statue l'a emporté sur la colère du barbare; mais maintenant, soleil et terre, quel est cet ennemi et d'où vient-il? lui qui, sans avoir besoin ni d'hoplites, ni de cavaliers, ni de troupes légères, a tout détruit d'une petite étincelle?

Puis, pour montrer que le bienheureux l'emporta sur Apollon à l'époque où la religion des Grecs était la plus florissante en sacrifices et en mystères, il dit :

> De plus, ce n'est pas ce grand cataclysme qui a emporté notre temple; c'est par un ciel serein, quand le nuage était passé, qu'il a été renversé,

appelant l'époque de l'empereur précédent[2] un nuage et un cataclysme. Un peu plus loin, il se lamente de nouveau plus amèrement à ce sujet et dit :

> Et puis, quand tes autels avaient soif de sang, tu demeurais, Apollon, le gardien scrupuleux de Daphné, bien que négligé; parfois même, accablé d'outrages et dépouillé de tes honneurs extérieurs, tu le supportais; et maintenant, après beaucoup de brebis et beaucoup de bœufs, après avoir reçu la bouche sacrée de l'empereur sur ton pied, après avoir vu celui que tu avais prédit, après avoir été vu de celui que tu avais annoncé[3], délivré du mauvais voisinage d'un mort dont la proximité t'importunait, voilà que tu t'es dérobé au culte dont on t'entourait. Quels honneurs ambitionner encore, devant des hommes qui gardent le souvenir de temples et de statues?

---

2. Constance avait interdit les sacrifices païens (LIBANIUS, *Discours*, XXX, 7).

3. Cf. LIBANIUS, *Discours*, XIII, 14 : «Tous les devins étaient sur le qui-vive, désirant connaître d'avance ce que nous voyons aujourd'hui.»

99. Τί λέγεις, ὦ θρηνωδέ; Ἀτιμαζόμενος μὲν καὶ προπηλακιζόμενος τῆς Δάφνης ἔμενε φρουρὸς ἀσφαλής, τιμώμενος δὲ καὶ θεραπευόμενος οὐδὲ τὸν ναὸν ἴσχυσε φυλάξαι τὸν αὐτοῦ καὶ ταῦτα εἰδὼς ὅτι ἐκείνου πεσόντος εἰς
5 μείζονα ἀτιμίαν καταστήσεται τῆς προτέρας; Τίς δὲ καὶ ὁ νεκρός, ὦ σοφιστά, ὁ τὸν σὸν θεὸν ἐνοχλῶν; Ποῖον τὸ πονηρὸν γειτόνημα; Ἐνταῦθα γὰρ εἰς τὰς τοῦ μακαρίου Βαβύλα ἀνδραγαθίας ἐμπεσὼν καὶ διανήξασθαι τὴν αἰσχύνην οὐκ ἔχων ἐγκαλυψάμενος ἁπλῶς παρέδραμεν ·
10 ὅτι μὲν ὑπὸ τοῦ μάρτυρος ἠνωχλεῖτο καὶ ἐθλίβετο ὁ δαίμων εἰπὼν οὐκέτι δὲ προσθεὶς πῶς τὴν ἧτταν συσκιάσαι σπουδάσας ὁ δαίμων μᾶλλον αὐτὴν ἐξεκάλυψεν. Ἀλλ᾽ ἁπλῶς «πονηροῦ γειτονήματος, φησίν, ἀπαλλαγείς». Διὰ τί γὰρ οὐ λέγεις τὸν νεκρὸν τίς ἦν καὶ διὰ τί μόνος ἐνοχλεῖ σου
15 τὸν Θεὸν καὶ διὰ τί μετεκινεῖτο μόνος; Διὰ τί δὲ καὶ πονηρὸν αὐτὸν γειτόνημα καλεῖς, εἰπέ μοι. Ὅτι τοῦ δαίμονος τὴν ἀπάτην ἤλεγξε; Καὶ μὴν τοῦτο οὐ πονηροῦ τινος ἔργον ἦν ὥσπερ οὐδὲ νεκροῦ ἀλλὰ καὶ ζῶντος καὶ ἐνεργοῦντος[a] καὶ χρηστοῦ καὶ προστάτου καὶ κηδε-
20 μόνος καὶ πάντα ὑπὲρ τῆς ὑμετέρας πραγματευομένου σωτηρίας εἴ γε ἐβούλεσθε.

100. Ἵνα γὰρ ὑμῖν μὴ ἐξῇ ἐπὶ πλέον ἀπατᾶν ἑαυτοὺς καὶ λέγειν ὅτι ὀργιζόμενος καὶ ὑπὲρ θυσιῶν ἐγκαλῶν καὶ ὑπὲρ τῆς ἄλλης θεραπείας μεμφόμενος ἀνεχώρησεν ἑκών, διὰ τοῦτο αὐτὸν καὶ ἐκ τοῦ χωρίου τούτου παντὸς ἀπή-
5 λασεν ὃ μάλιστα πάντων φίλον ἦν αὐτῷ καὶ ὁ τῶν ἄλλων οὕτω προετίμησεν ὡς καὶ ἀτιμαζόμενος προσεδρεύειν αὐτῷ

99, 1 ὦ > O ‖ 2 ἔμενες O^ac ‖ 4 αὐτοῦ B U ‖ 7 τὸ : τοῦτο F^ac ‖ γὰρ > O ‖ 11 τὴν ἧτταν : pr. καὶ F^mg UXO ‖ 12 αὐτὴν : αὐτὸς F^pc UXO ‖ ἀλλ᾽ ἁπλῶς : ἁπλῶς γάρ F^pc UXO m ‖ 13 φησιν > UXO ‖ 14 λέγεις + ὦ ληρόσοφε F UXO dm ‖ ἠνώχλει F UXO dm ‖ 16 αὐτὸν γειτόνημα : αὐτὸν γείτονα UX γείτονα αὐτὸν O ‖ 18 τινος + γειτονήματος F UXO m ‖ ἦν ἔργον ~ F ‖ ὥσπερ + οὖν F P dm ‖ καὶ > F UXO

99. a. cf. Hébr. 4, 12

99. Que dis-tu, chantre funèbre? Privé d'honneurs et outragé, Apollon demeurait le gardien sûr de Daphné; honoré et vénéré, il n'a même pas eu la force de garder son propre temple, et cela, tout en sachant qu'une fois celui-ci tombé il serait dans un plus grand déshonneur qu'auparavant. Et quel est donc le mort, ô sophiste, qui importune ton dieu? Quel est ce mauvais voisinage? Ayant rencontré là les hauts faits du bienheureux Babylas et incapable de résister aux flots de la honte, le sophiste se voile la face, simplement, et passe vite. Il dit, en effet, que le démon était importuné et accablé par le martyr, mais sans ajouter comment le démon, en s'employant à dissimuler sa défaite, l'avait dévoilée davantage; il dit simplement «délivré du mauvais voisinage». Pourquoi donc ne dis-tu pas quel était le mort, pourquoi lui seul importunait ton dieu et pourquoi seul il fut déplacé? Et pourquoi encore l'appelles-tu un mauvais voisinage? Dis-moi. Parce qu'il a confondu la fourberie du démon? En vérité, ce n'était pas là l'œuvre d'un homme mauvais, pas plus, bien sûr, que celle d'un mort, mais celle d'un vivant, actif[a1] et bon, d'un patron et d'un protecteur, faisant tout en vue de votre salut, si du moins vous le vouliez.

100. C'est pour qu'il ne vous soit pas possible de vous leurrer davantage vous-même et de dire qu'il est parti de son plein gré, par colère, en formulant des griefs pour les sacrifices et des reproches pour le reste du culte, c'est pour ce motif, que le martyr l'a chassé de tout cet endroit, qui lui était le plus cher de tous et qu'il préférait aux autres, au point d'y demeurer bien que privé d'honneurs – toi-même

---

1. Ces paroles font écho à celles d'ATHANASE (*Sur l'incarnation du Verbe*, 31) : «Le Fils de Dieu, étant toujours vivant et actif, œuvre chaque jour et opère le salut de tous.» Dans les pages qui précèdent, Athanase prouve la Résurrection en montrant que le Christ continue d'agir, ce dont un mort est bien incapable.

— σὺ γὰρ τοῦτο προλαβὼν εἶπες —, καὶ ἐν τούτῳ δὲ τῷ
καιρῷ ἐν ᾧ πολλὰ μὲν πρόβατα πολλοὺς δὲ βοῦς αὐτῷ
κατέσφαττεν ὁ βασιλεύς · ὥστε πανταχόθεν ἐλέγχεσθαι ὅτι
10 ἀναγκαζόμενος καὶ ὑπὸ μείζονος ὠθούμενος δυνάμεως τὴν
Δάφνην ἀπέλιπεν. Ἐνῆν μὲν γὰρ καὶ τοῦ ξοάνου μένοντος
διώκειν αὐτὸν ἀλλ' ὑμεῖς οὐκ ἂν ἐπιστεύσατε, ὥσπερ οὖν
οὐδὲ πάλαι ὅτι ὑπ' αὐτοῦ πεπέδητο ἀλλ' ἐνέκεισθε θεραπεύοντες. Δι' ὃ πρότερον ἀφεὶς ἑστάναι τὸ ξόανον ὅτε
15 μάλιστα ἤρθη τῆς ἀσεβείας ἡ φλὸξ τότε αὐτὸ κατήνεγκε,
δεικνὺς ὅτι τὸν νικῶντα οὕτω χρὴ νικᾶν οὐ τεταπεινωμένων
ἀλλ' αἰρομένων καὶ λαμπρῶν ὄντων περιγινόμενον τῶν
ἐχθρῶν.

101. Διὰ τί γὰρ αὐτὸς τότε οὐκ ἐκέλευσε τῷ εἰς τὴν
Δάφνην αὐτὸν ἀναγαγόντι βασιλεῖ κατασκάψαι τὸν νεών,
μεταθεῖναι τὸ ξόανον ὥσπερ οὖν τὴν λάρνακα; Ὅτι οὔτε
ἐβλάπτετο παρ' αὐτοῦ οὔτε σαρκικῆς ἔχρῃζε συμμαχίας
5 ἀλλὰ καὶ τότε καὶ νῦν χωρὶς ἀνθρωπίνης αὐτὸν κατέβαλε
562 χειρός. Καὶ τὴν μὲν | προτέραν ἡμῖν οὐκ ἐδήλωσε νίκην,
ἀλλ' ἐπιστομίσας αὐτὸν μόνον ἡσύχαζε.

102. Τοιοῦτοι γὰρ οἱ ἅγιοι · κατορθοῦσθαι βούλονται τὰ
πρὸς τὴν τῶν ἀνθρώπων σωτηρίαν μόνον οὐκέτι δὲ καὶ
ἐπιδείκνυσθαι τοῖς πολλοῖς ὅτι αὐτῶν τὰ κατορθώματα
πλὴν εἴ πού τις χρεία ἀναγκάσειε · χρείαν δὲ τὴν τῶν
5 σωζομένων κηδεμονίαν λέγω πάλιν · ὅπερ τότε ἐγένετο.
Ἐπειδὴ γὰρ τὰ τῆς ἀπάτης ηὔξετο κακὰ ἐκκαλύπτεται μὲν
ἡμῖν ἡ νίκη λοιπὸν ἐκκαλύπτεται δὲ οὐχ ὑπὸ τοῦ νική-
σαντος ἀλλ' ὑπὸ τοῦ νικηθέντος αὐτοῦ. Οὕτω γὰρ ἥ τε
μαρτυρία καὶ παρὰ τοῖς ἐχθροῖς ἀνύποπτος ἦν ὅ τε ἅγιος τὰ

100, 7 εἶπας F UXO ‖ 8 πολλοὺς : πολλὰς O ‖ 8-9 κατέσφαττεν αὐτῷ
~ P F ‖ 11 γὰρ > XM ‖ 13 ὅτι : ὅτε P F dm ‖ 14 δι' ὃ : διὸ F UXO d
101, 3 οὖν : οὖν καὶ P m   ὁ δαίμων F^{pc}   οὖν ὁ δαίμων UXO d ‖
3-4 ὅτι — συμμαχίας > O ‖ 5 κατέλαβεν B^{ac} ‖ 7 αὐτὸν : αὐτὴν F UX ‖
ἡσύχασε X
102, 5 σωζομένων : ἀνθρώπων in ras. O ‖ 7 ἡμῖν > X

tu l'as dit avant moi –, et au moment même où l'empereur lui immolait beaucoup de brebis et beaucoup de bœufs. Par conséquent, il est absolument prouvé que c'est sous la contrainte et poussé par une puissance supérieure qu'il a quitté Daphné. On aurait pu le chasser et laisser subsister sa statue ; mais, vous, vous n'auriez pas cru, tout comme autrefois vous n'avez pas cru non plus qu'il était enchaîné par le martyr : vous vous obstiniez à lui rendre un culte. C'est pourquoi, Babylas a d'abord laissé la statue debout, puis, au moment où la flamme de l'impiété s'élevait le plus haut, il l'a abattue, montrant que c'est ainsi que le vainqueur doit vaincre, en l'emportant sur ses ennemis quand ils sont non pas abaissés, mais exaltés et glorieux.

101. Car pourquoi à cette époque n'a-t-il pas ordonné à l'empereur qui l'avait fait monter à Daphné[1] de détruire le temple de fond en comble et de transférer la statue, comme il l'avait fait du cercueil ? Parce qu'il n'en subissait aucun dommage et qu'il n'avait pas besoin d'une aide charnelle ; mais, alors comme maintenant, il l'a renversé sans aucune main humaine. Il ne nous a pas fait connaître sa première victoire, il a seulement fermé la bouche au démon, et il s'est tenu tranquille.

102. Tels sont les saints : ils veulent le succès de ce qui procure le salut des hommes seulement, et non pas manifester encore à la foule que ce succès est le leur, sauf si quelque exigence le nécessite – et par exigence, j'entends la sollicitude pour ceux qu'on sauve ; c'est ce qui arriva alors. En effet, comme les maux dus à la fourberie allaient croissant, la victoire nous fut alors dévoilée, et elle ne fut pas dévoilée par le vainqueur, mais par le vaincu lui-même. De cette manière le témoignage n'était pas suspect, même

1. Le César Gallus : voir ci-dessus, § 67 et 69.

10 περὶ αὐτοῦ λέγειν καὶ ἀνάγκης οὔσης ἐξέφυγεν. Ἐπειδὴ δὲ
οὐδὲ οὕτω τὰ τῆς πλάνης ἔλεγεν ἀλλ' ἐνέκειντο πάλιν οἱ
τῶν λίθων ἀναισθητότεροι τὸν ἡττημένον παρακαλοῦντες
καὶ πρὸς οὕτω φανερὰν ἀλήθειαν τυφλώττοντες, τηνικαῦτα
ἐπαφεῖναι ἠναγκάσθη τῷ ξοάνῳ τὸ πῦρ ὥστε διὰ τούτου
15 τοῦ ἐμπρησμοῦ ἕτερον τὸν τῆς εἰδωλολατρείας σβέσαι
ἐμπρησμόν.

XIX   103. Τί οὖν μέμφῃ τῷ δαίμονι λέγων ὅτι «ἐκ μέσης
τῆς θεραπείας ἀποπεπήδηκας»; Οὐκ ἀπεπήδησεν ἑκὼν ἀλλ'
ἀπηλάσθη καὶ ἐξεβλήθη ἄκων καὶ ἀναγκαζόμενος τότε
ὅτε μάλιστα μένειν ἤθελε καὶ διὰ τὴν κνῖσαν καὶ διὰ
5 τὰ θύματα. Ὥσπερ γὰρ εἰς τοῦτο βασιλεύσας ὁ τότε
κρατῶν ἵνα τὰ θρέμματα τῆς οἰκουμένης ἀναλώσῃ πάσης
οὕτως ἀφειδῶς κατέκοπτεν ἐπὶ τῶν βωμῶν πρόβατα καὶ
βοῦς, καὶ εἰς τοῦτο μανίας ἤλασεν ὡς καὶ παρ' αὐτοῖς
δοκούντων ἔτι φιλοσοφεῖν πολλοὺς μάγειρον αὐτὸν καὶ
10 κρεῶν κάπηλον καὶ πάντα τὰ τοιαῦτα ἀποκαλεῖν. Οὐκ ἂν
οὖν οὕτω δαψιλοῦς τραπέζης καὶ κνίσης καὶ καπνῶν καὶ
χειμάρρων αἱμάτων ἀνεχώρησεν ὁ δαίμων ἑκὼν ὁ καὶ
χωρὶς τούτων μένων, ὡς ἔφης, διὰ τὴν πρὸς τὴν ἐρωμένην
μανίαν.

104. Ἀλλὰ γὰρ τὸν παρ' ἡμῶν λόγον στήσαντες τέως
πάλιν ἐπακούσωμεν τῶν ὀδυρμῶν τοῦ σοφιστοῦ. Ἀφεὶς γὰρ
τὸν Ἀπόλλω πρὸς τὸν Δία πάλιν ὀλοφύρεται λέγων ·

fr 6   Οἵαν, ὦ Ζεῦ, γνώμης καμνούσης ἀφῃρέθημεν ἀνάπαυλαν.
5   Ὡς καθαρὸν μὲν θορύβων ἡ Δάφνη χωρίον, καθαρώτερος
δὲ ὁ νεώς, οἷον λιμένος ἐπὶ λιμένι παρ' αὐτῆς πεποιη-
μένου τῆς φύσεως, ἀκυμάντοιν μὲν ἀμφοῖν, πλείω δὲ τὴν

102, 10 αὐτοῦ scripsi : αὐτοῦ B UXO² d   ἑαυτοῦ F m ‖ 10-11 δὲ —
πλάνης erasum B (suppl. B²) ‖ 15 τῆς > m
103, 2 ἀποπεπήδηκεν F UXOᵖᶜ ‖ 8 τοῦτο : τοσοῦτον F   οὕτω UX ‖
ὡς : ὥστε F UXO ‖ 11 οὖν > U ‖ καπνοῦ F UXO dm
104, 1 ἡμῖν X ‖ 3 ἀπόλλωνα F UX ‖ πάλιν > F UXO ‖ ὠλοφύρετο O ‖
6 πεποιημένοι F UXOᵃᶜ ‖ 7 ἀκύμαντοι BF UXOᵃᶜ ‖ τὴν > O

aux yeux des ennemis, et le saint évita de parler de lui, bien que ce fût une nécessité. Et comme, malgré cela, les œuvres de l'erreur ne cessaient pas, mais que les hommes, plus insensibles que des pierres, s'obstinaient encore à invoquer le vaincu et à s'aveugler face à une vérité aussi évidente, alors, il fut dans la nécessité de lancer le feu sur la statue, afin d'éteindre par cet incendie un autre incendie, celui de l'idolâtrie.

103. Pourquoi donc fais-tu des reproches au démon, en disant : « Tu t'es dérobé au culte dont on t'entourait » ? Il ne s'est pas dérobé volontairement, il a été exclu et chassé malgré lui et par la contrainte, au moment où il avait le plus envie de rester à cause de l'odeur de la graisse et à cause des sacrifices : c'était à croire, en effet, que le souverain d'alors ne régnait que dans le but de détruire les bestiaux de toute la terre habitée, tant il tuait avec prodigalité brebis et bœufs sur les autels, et il était parvenu à un degré de folie tel qu'un grand nombre de ceux qui passaient encore chez eux pour philosophes, l'appelait « boucher », « marchand de viandes », et de tous les noms du même genre. Le démon ne se serait donc pas éloigné de son plein gré d'une table aussi abondante, de l'odeur de la graisse, des fumées et des torrents de sang, lui qui, même sans cela, restait (à Daphné), comme tu l'as dit, à cause de sa folle passion pour sa bien-aimée.

104. Mais interrompons ici notre discours, le temps d'écouter à nouveau les lamentations du sophiste. Abandonnant, en effet, Apollon, il se plaint cette fois à Zeus en ces termes :

Zeus, quel séjour reposant pour l'esprit fatigué nous avons perdu ! Qu'il était pur de tout bruit, cet endroit de Daphné, plus pur encore le temple ! C'était comme un port construit dans un port par la nature même, tous deux à l'abri des vagues, mais le second offrant un

ἡσυχίαν παρεχομένου τοῦ δευτέρου. Τίς μὲν οὐκ ἂν
αὐτόθι νόσον ἀπέδυ; Τίς δὲ οὐκ ἂν φόβον; Τίς δὲ οὐκ ἂν
10   πένθος; Τίς δὲ ἂν ἐπόθησε τὰς μακάρων νήσους;

Ποίαν ἀνάπαυλαν ἀφηρέθημεν, ὦ μιαρέ; Πῶς δὲ καθαρώτερος θορύβων ὁ νεὼς καὶ λιμὴν ἀκύμαντος ἔνθα αὐλοὶ καὶ
τύμπανα καὶ κραιπάλαι καὶ κῶμοι καὶ μέθαι; «Τίς οὐκ ἂν
αὐτόθι, φησί, νόσον ἀπέδυ;» Τίς μὲν οὖν τῶν προσκει-
15   μένων σοι οὐκ ἂν ἐδέξατο νόσον αὐτόθι, εἰ καὶ πρότερον
ὑγιαίνων ἐτύγχανε, καὶ νόσον τὴν πασῶν χαλεπωτάτην; Ὁ
γὰρ τὸν δαίμονα προσκυνῶν καὶ τῆς Δάφνης τὴν ὑπόθεσιν
ἀκούων καὶ τοῦ Θεοῦ τὴν μανίαν τοσαύτην ὁρῶν, ὡς καὶ
καταποθείσης τῆς ἐρωμένης ἔτι προσεδρεύειν τῷ τόπῳ καὶ
20   τῷ φυτῷ, πόσην οὐκ ἂν ἐκεῖθεν ἐδέξατο φλόγα μανίας;
Πόσον χειμῶνα; Πόσον θόρυβον; Πόσην νόσον; Πόσον
πάθος; Τοῦτο οὖν ἀνάπαυλαν καλεῖς ψυχῆς καὶ λιμένα
ἀκύμαντον; Τοῦτο νόσων ἀπαλλαγήν; Καὶ τί θαυμαστὸν εἰ
τὰ ἐναντία τοῖς ἐναντίοις τίθεσαι; Καὶ γὰρ οἱ μαινόμενοι
25   τῶν πραγμάτων οὐδενὸς ὡς ἔχει φύσεως αἰσθάνονται ἀλλὰ
ἐναντίας τοῖς οὖσι τὰς ψήφους φέρουσιν.

105. «Ὀλύμπια μὲν οὐ μάλα πόρρω» · πάλιν γὰρ ἐπὶ
563   τὸν θρῆνον ἐλεύσομαι δεικνὺς ὅσην | ἅπαντες οἱ τότε τὴν
πόλιν οἰκοῦντες Ἕλληνες ἐδέξαντο τὴν πληγὴν καὶ ὡς οὐκ
ἂν τοῦτο πράως ἤνεγκεν ὁ βασιλεὺς ἀλλὰ πάντα θυμὸν εἰς
5   τὴν τοῦ μάρτυρος λάρνακα ἀφῆκεν, εἰ μὴ φόβῳ κατείχετο
μείζονι · τί οὖν φησιν;

fr 7   Ὀλύμπια μὲν οὐ μάλα πόρρω, συγκαλέσει δὲ ἡ πανή-
γυρις τὰς πόλεις αἱ δὲ ἥξουσι βοῦς ἄγουσαι τῷ Ἀπόλ-

104, 20-21 πόσην — θόρυβον > B ‖ 20 ἐκεῖθεν οὐκ ἂν ~ P m ‖
24 ἐναντίοις : ἐν αἰτίᾳ coni. d ‖ 26 ἐκφέρουσιν F O m
105, 1 μὲν οὐ Bᵖᶜ dm : μὲν οὖν Bᵃᶜ F UX   μὲν οὖν οὐ O ‖ 4 τοῦτο :
ταῦτα F UXO ‖ 5 ἀφῆκεν + ἂν F UXO m ‖ 7 μὲν οὐ Bᵖᶜ dm : μὲν οὖν Bᵃᶜ
F UX   μὲν οὖν οὐ O

---

1. Il y eut des jeux olympiques à Antioche à partir de 43 après
Jésus-Christ. Les prochains jeux, auxquels Libanius fait allusion,

calme plus profond. Qui n'aurait été guéri, ici, de la
maladie? Qui de la crainte? Qui de la tristesse? Qui
aurait désiré les îles des Bienheureux?

Quel séjour reposant avons-nous perdu, scélérat? Comment le temple pouvait-il être plus pur de bruit et un port à
l'abri des vagues, là où c'étaient flûtes et tambourins,
soûleries, orgies et beuveries? «Qui n'aurait été, ici, dit-il,
guéri de la maladie?» Qui, en tout cas, parmi tes adeptes,
n'y aurait contracté une maladie, même s'il était auparavant
en bonne santé, et la maladie la plus grave de toutes? Car
celui qui se prosterne devant le démon, qui entend
l'histoire de Daphné et qui voit le dieu en proie à une telle
folie qu'une fois même sa bien-aimée engloutie, il s'attache
encore au lieu et à l'arbre, à quelle flambée de folie n'y
aurait-il pas été exposé? à quelle tempête? à quel trouble? à
quelle maladie? à quelle passion? Et c'est cela que tu
appelles un repos pour l'âme et un port à l'abri des vagues?
Cela, une délivrance des maladies? Mais faut-il s'étonner
que tu prennes les contraires l'un pour l'autre? Les fous ne
perçoivent aucune chose telle qu'elle est par nature, mais
portent des jugements contraires à la réalité.

105. «Les jeux olympiques ne sont pas bien loin» – je
vais revenir, en effet, au chant funèbre pour montrer quel
coup ont reçu tous les Grecs qui habitaient alors la ville,
pour montrer aussi que l'empereur n'aurait pas supporté
ces événements dans le calme, mais qu'il aurait déchaîné
toute sa colère contre le cercueil du martyr, s'il n'avait été
retenu par une plus grande crainte. Que dit-il donc?

> Les jeux olympiques ne sont pas bien loin et l'assemblée
> solennelle va convoquer les cités[1]; celles-ci viendront,

devaient avoir lieu au cours de l'été 364 (P. PETIT, *Libanius et la vie
municipale à Antioche*, Paris 1955, p. 126-135). Les empereurs chrétiens
autorisèrent les jeux, qui voyaient accourir une foule nombreuse au sein

λωνι θυσίαν. Τί δράσωμεν; Ποῖ καταλυσώμεθα; Τίς ἡμῖν
θεῶν διαστήσει τὴν γῆν; Ποῖος κῆρυξ, ποία σάλπιγξ οὐχ
ὑποκινήσει δάκρυον; Τίς ἑορτὴν ἐρεῖ τὰ Ὀλύμπια τοῦ
πτώματος ἐγγύθεν ἐπεμβάλλοντος ὀδυρμόν; «Δὸς τόξα
μοι κερουλκά», φησὶν ἡ τραγῳδία, ἐγὼ δὲ λέγω · καὶ
μαντικῆς τι μικρὸν ὅπως τῇ μὲν ἕλω τῇ δὲ τοξεύσω τὸν
δράσαντα. Ὦ τόλμης ἀσεβοῦς, ὦ ψυχῆς μιαρᾶς, ὦ
θρασείας χειρός. Τιτυός τις οὗτος ἕτερος ἢ Ἴδας ὁ
ἀδελφὸς Λυγκέως, οὐ μέγας μὲν ὥσπερ ἐκεῖνος οὐδὲ
τοξότης ὥσπερ οὗτος ἀλλ' ἐν τοῦτο εἰδώς · κατὰ θεῶν
μαίνεσθαι. Τοὺς μὲν Ἀλωέως ἔτι διανοουμένους τὰς τῶν
θεῶν ἐπιβουλὰς θανάτῳ κατέπαυσας, Ἄπολλον, τούτῳ δὲ
πόρρωθεν φέροντι τὸ πῦρ οὐκ ἀπήντησεν ὀϊστὸς ἐπ' αὐτὴν
πετόμενος τὴν καρδίαν. Ὦ δεξιᾶς τελχῖνος, ὦ πυρὸς
ἀδίκου. Ποῦ ποτε ἄρα τὸ πρῶτον ἔπεσε; Τί τοῦ κακοῦ
τὸ προοίμιον; Ἆρα ἐξ ὀροφῆς ἀρξάμενον ἐπὶ τὰ ἄλλα
προύβη · τὴν κεφαλὴν ἐκείνην, τὸ πρόσωπον, τὴν φιάλην,
τὴν κίθαριν, τὸν ποδήρη χιτῶνα; Ἥφαιστος δὲ πυρὸς
ταμίας οὐκ ἠπείλησε τῷ πυρὶ λυμαινομένῳ τὴν χάριν
ὀφείλων τῷ θεῷ μηνύματος ἀρχαίου; Ἀλλ' οὐδὲ ὁ Ζεὺς
ὄμβρων ἡνίας ἔχων ὕδωρ ἀφῆκεν ἐπὶ τὴν φλόγα καὶ
ταῦτά ποτε Λυδῶν βασιλεῖ δυστυχήσαντι σβέσας πυράν;
Τί πρῶτον ἄρα πρὸς αὐτὸν εἶπεν ὁ τὸν πόλεμον ἀρά-

105, 9 δράσομεν F UO dm ‖ καταδυσόμεθα F UO dm   -δυσώμεθα X ‖
10 διαστήσῃ B ‖ 12 ἐγγύθεν : ἐκεῖθεν X ‖ 13 κερουλκά : καὶ χοίνικα BF^ac ‖
16 ἵλας P F^ac? O ‖ 17 λυγγέως X ‖ 18 κατά : pr. τὸ F UXO m ‖ θεῶν : θν
F U ‖ 22 πετόμενος : φερόμενος B ‖ 26 κίθαριν coni. K.O. Müller,
Antiquitates Antiochenae, p. 47 : κίδαριν codd. dm ‖ δὲ + δὴ F UXO ‖
30 λυδῶν ποτε ∼ F UXO dm ‖ 31 τί : τὸ B^ac

---

de laquelle il y avait beaucoup de chrétiens (DOWNEY, History, p. 440).
Au témoignage de PALLADIUS pour l'année 408, tout le peuple
d'Antioche se rendait à Daphné pour y voir les jeux (Dial., 16 =
PG 47, 54).
1. EURIPIDE, Oreste, 268.
2. Cf. Od., XI, 576-581.
3. Cf. Il., IX, 558-564.
4. Cf. Od., XI, 305-320.

amenant avec elles des bœufs en sacrifice à Apollon.
Que ferons-nous? Où trouverons-nous asile? Quel dieu
nous ouvrira la terre? Quel héraut, quelle trompette ne
suscitera des larmes? Qui appellera les jeux olympiques
une fête alors que les ruines, toutes proches, invitent
aux lamentations? "Donne-moi l'arc de corne", dit la
tragédie[1]; mais moi je dis : "un peu d'art divinatoire
aussi, afin que, par l'un je m'empare du coupable et que,
par l'autre, je le transperce d'une flèche." Audace
impie! âme impure! main téméraire! C'est ici un autre
Tityos[2] ou un autre Idas[3], le frère de Lyncée, pas aussi
grand que l'un ni aussi bon archer que l'autre, mais ne
sachant qu'une seule chose : déchaîner sa folie contre
les dieux. Les fils d'Aloée[4] méditaient encore leurs
complots contre les dieux quand tu les as interrompus
par la mort, Apollon; mais cet homme qui de loin
apportait le feu, nulle flèche n'a volé à sa rencontre
pour le frapper en plein cœur! Main envieuse! feu
injuste! Où est-il tombé d'abord? Par où a commencé le
malheur? Est-il d'abord parti du toit pour gagner le
reste : cette tête, le visage, la coupe, la cithare, la
tunique descendant jusqu'aux pieds[5]? Héphaistos, le
maître du feu, n'a pas lancé des menaces contre
le feu ravageur, bien qu'il fût redevable au dieu
d'une ancienne information[6]? Mais Zeus non plus, qui
tient les rênes des pluies, n'a pas fait tomber l'eau sur la
flamme; et cela, après avoir jadis éteint le bûcher d'un
roi de Lydie dans le malheur[7]? Que lui dit-il donc
d'abord, celui qui a allumé la guerre? D'où lui est

5. La statue figure sur des monnaies d'Antiochus IV et de Philippe
l'Arabe : on peut y distinguer la coupe, la cithare et la longue tunique.
On a récemment identifié, parmi les ruines d'Antioche, différents
fragments – dont la tête – de ce qui fut peut-être une reproduction en
format réduit de la statue d'Apollon. Voir D. BRINKERHOFF, *A
Collection of Sculpture in Classical and Early Christian Antioch*, New York
1970, p. 33-35.

6. Cf. *Od.*, VIII, 266-366.

7. Cf. BACCHYLIDE, III, 55-56; HÉRODOTE, I, 86.

μενος; Πόθεν ποτὲ τὸ θάρσος; Πῶς δὲ ἐφύλαξε τὴν
ὁρμήν; Πῶς δὲ οὐκ ἔλυσε τὸ δόγμα τοῦ Θεοῦ τὸ κάλλος
αἰδεσθείς;

35 Μέχρι τίνος οὐ διαβλέψεις, ἄθλιε καὶ ταλαίπωρε, ταῦτα
ἀνθρωπίνης εἶναι λέγων χειρὸς καὶ ὥσπερ οἱ παραπαίοντες
ἐναντιολογῶν καὶ σαυτῷ μαχόμενος;

106. Εἰ γὰρ τὸν Περσῶν βασιλέα καὶ τοσαύτην ἄγοντα
στρατιὰν καὶ τὴν πόλιν ἑλόντα καὶ τὰ λοιπὰ τῶν ἱερῶν
ἐμπρήσαντα καὶ τὴν δᾷδα μετὰ χεῖρας ἔχοντα καὶ προσάγειν αὐτὴν ἤδη τούτῳ μέλλοντα τῷ ναῷ μετέβαλεν ὁ
5 δαίμων — καὶ γὰρ καὶ ταῦτα ἐν ἀρχῇ τῆς μονῳδίας ἔλεγες
οὕτως εἰπὼν θρηνῶν ·

fr 2   Τόν τοι βασιλέα Περσῶν, τοῦ νῦν τούτου πολεμοῦντος
       πρόγονον, προδοσίᾳ τὸ ἄστυ λαβόντα καὶ ἐμπρήσαντα,
       χωρήσαντα ἐπὶ Δάφνης ὡς τὸ αὐτὸ δράσοντα μετέβαλεν
10   ὁ θεὸς καὶ τὴν δᾷδα ῥίψας προσεκύνησε τὸν Ἀπόλλω ·
       οὕτως αὐτὸν κατεπράϋνέ τε καὶ διήλλαξε φανείς —,

ὁ δὴ θυμοῦ βαρβαρικοῦ καὶ τοσαύτης περιγενόμενος στρα-
τιᾶς, ὡς ἔφης, καὶ δυνηθεὶς τότε τὸν κίνδυνον διαφυγεῖν —
λέγεις δὲ ὅτι καὶ τοὺς Ἀλωέως παῖδας διανοουμένους τὰς
15 τῶν θεῶν ἐπιβουλὰς θανάτῳ κατέπαυσε —, πῶς οὖν ὁ
τοσαῦτα δυνηθεὶς οὐδὲν τοιοῦτον εἰργάσατο νῦν;

107. Καίτοι εἰ μηδὲν ἕτερον τὸν γοῦν ἱερέα σπαραττό-
μενον ἀδίκως ἐλεῆσαι ἐχρῆν φανερὸν καταστήσαντα τὸν
ἐπίβουλον. Καὶ εἰ τότε παρὰ τὸν ἐμπρησμὸν διέφυγεν, ὅτε

105, 32 θράσος F UXO d ‖ 36 καὶ delendum coni. d
106, 6 θρηνῶν οὕτως εἰπών ~ F UXO dm ‖ 7 περσῶν + τὸν υἱὸν F
UXOᵃᶜ ‖ τούτου + τοῦ F ‖ 8 πρόγονον + καὶ F UXO ‖ 9 δάφνης :
δάφνην F UXO dm   τὴν δάφνην O ‖ 10 τῷ ἀπόλλωνι F UXO dm ‖
11 διήλεγξεν B ‖ 12 τοσαύτης : pr. ὁ O
107, 1 καίτοι + γε C d ‖ 3 παρὰ > Fᵖᶜ U

1. Sapor Iᵉʳ, qui régna de 242 à 272. Voir ci-dessus, § 98 et n.   .

venue sa hardiesse? Comment-a-t-il maintenu son élan?
Comment n'a-t-il pas renoncé à sa décision, par respect
pour la beauté du dieu?
Jusques à quand refuseras-tu d'ouvrir les yeux, malheureux et misérable, qui prétends que c'est l'œuvre d'une
main humaine et qui, comme les déments, te contredis et te
combats toi-même?

106. En effet, si le roi de Perse[1] qui, à la tête d'une si
grande armée, après avoir pris la ville et incendié les autres
temples, s'apprêtait déjà, la torche en main, à l'employer
contre ce sanctuaire, ce roi, si le démon l'a fait changer
d'avis – car c'est ce que tu affirmais en te lamentant au
début de ta complainte, en ces termes :

> Le roi de Perse, ancêtre de celui qui aujourd'hui nous
> fait la guerre[2], après avoir pris la ville par trahison et
> l'avoir incendiée, se dirigeait sur Daphné pour y agir de
> même, mais le dieu le fit changer d'avis et, jetant sa
> torche, il se prosterna devant Apollon, tant son appari-
> tion l'avait apaisé et transformé –,

celui qui était venu à bout de la colère d'un barbare et
d'une armée si nombreuse, comme tu dis, et qui avait pu
alors échapper au danger – et tu racontes aussi qu'il a
interrompu par la mort les fils d'Aloée qui méditaient des
complots contre les dieux –, comment donc celui qui avait
été capable de si grandes choses n'a-t-il rien opéré de tel
maintenant?

107. Et pourtant, à défaut d'autre chose, il devait, au
moins, prendre en pitié le prêtre déchiré injustement et
faire connaître le comploteur. Même si, au moment de
l'incendie, il a pris la fuite[3], du moins, quand ce malheu-

2. Sapor II régna de 310 à 379. Sur la guerre de Julien contre les
Perses, voir § 122-123.

3. D'après JULIEN (*Misopogon*, 34-36), Apollon, fâché de la négligence
des Antiochiens à l'égard du culte qu'ils lui devaient, avait quitté
Daphné avant l'incendie du temple.

γοῦν ὁ δείλαιος ἐκεῖνος κρεμάμενος διωρύττετο τὰς πλευρὰς
5 καὶ τὸν ἐργασάμενον ἀπαιτούμενος εἰπεῖν οὐκ εἶχε, τότε |
564 παραστῆναι ἐχρῆν καὶ ἐκδοῦναι τὸν δράσαντα ἢ καὶ κατα-
μηνῦσαι μόνον, εἴ γε ἐκδοῦναι οὐκ ἴσχυε. Νῦν δὲ περιορᾷ
μὲν ὁ ἀχάριστος καὶ ἀγνώμων τὸν αὐτοῦ θεραπευτὴν
καταξαινόμενον ἀλόγως περιορᾷ δὲ τὸν βασιλέα μετὰ
10 τοσαύτας θυσίας καταγελώμενον. Καὶ γὰρ ὡς μαινόμενον
καὶ παραπαίοντα πάντες ἐγέλων αὐτὸν ὅτε εἰς τὸν ἄθλιον
ἐκεῖνον ἠφίει τὴν ὀργήν.

108. Πῶς δὲ ὁ τοῦ βασιλέως τὴν παρουσίαν ἔτι μακρὰν
ὄντος προλέγων – καὶ γὰρ καὶ τοῦτο ἀνωτέρω τούτων
ἐθρήνεις – τὸν πλησίον ἑστῶτα καὶ κατακαίοντα αὐτὸν οὐκ
εἶδε; Καίτοι γε καὶ μαντικὸν αὐτὸν εἶναί φατε καὶ ἄλλοις
5 ἄλλας διανέμοντες τέχνας καθάπερ ἀνθρώποις τοῖς ὑμετέ-
ροις θεοῖς τούτῳ τὴν μαντικὴν ἀνεθήκατε · καὶ σὺ δὲ
μεταδοῦναι αὐτόν σοι τῆς τέχνης ἀξιοῖς. Πῶς οὖν τὰς
οἰκείας οὐκ ἔγνω συμφοράς; Καίτοι τοῦτο οὐδ' ἂν ἄνδρα
διέλαθεν. Ἀλλ' ἆρα μὴ ἐκάθευδεν ἁπτομένου τοῦ πυρός;
10 Ἀλλ' οὐδὲ οὕτως ἀναίσθητός τίς ἐστιν ὡς αὐτῷ τῆς
φλογὸς προσφερομένης μὴ διαναστῆναι εὐθέως καὶ τὸν
προσάγοντα κατασχεῖν. Ἀληθῶς «Ἕλληνες ἀεὶ παῖδες
γέρων δὲ Ἕλλην οὐδείς» · δέον γὰρ τὴν οἰκείαν ἄνοιαν
θρηνεῖν ὅτι τῶν πραγμάτων βοώντων τὴν τῶν δαιμόνων
15 ἀπάτην οὐδὲ οὕτως ἀφίστασθε ἀλλ' ἐκδόντες ἑαυτοὺς εἰς
ἀπώλειαν καὶ τὴν ὑμετέραν ἀποδόμενοι σωτηρίαν ἄγεσθε
δίκην θρεμμάτων ἧπερ ἂν κελεύωσιν ἕπεσθαι, κάθησθε
ξοάνων πενθοῦντες ἀπώλειαν.

107, 8 αὐτοῦ dm : αὐτοῦ BF UXO
108, 6 σὺ δὲ : οὐδὲ B P dm ‖ 14 ὅτι : καὶ P F ‖ τοῦ δαίμονος O ‖
15 ἀφίστασθαι B ‖ 17 κάθησθε : pr. οἱ P O dm pr. καὶ F^{mg} UX

1. Voir *supra*, § 95 et p. 221, n. 3.
2. Voir *supra*, § 98 et p. 227, n. 3.
3. Affirmation mise par PLATON (*Timée*, 22 b) dans la bouche d'un

reux fut suspendu, qu'on lui transperçait les flancs, et qu'on le sommait de nommer l'auteur du crime et qu'il ne pouvait le faire[1], alors le dieu aurait dû intervenir et livrer le coupable, ou le dénoncer seulement, s'il n'avait pas la force de le livrer. Or il laisse, l'ingrat impitoyable, écorcher son serviteur sans motif, il laisse ridiculiser l'empereur après tant de sacrifices. Car tous se moquaient de lui comme d'un fou et d'un dément, lorsqu'il faisait tomber sa colère sur ce malheureux.

108. Comment le dieu qui prédisait la venue de l'empereur qui était encore loin – en effet, tu as aussi dit cela plus haut dans ton chant funèbre[2] – n'a-t-il pas vu celui qui se tenait tout proche et qui le consumait? Et pourtant vous dites qu'il est devin et, en répartissant les différents arts entre vos différents dieux comme si c'était des hommes, vous avez atttribué à celui-ci la divination; et toi aussi, tu prétends qu'il t'a fait participer à son art. Comment donc n'a-t-il pas connu son propre malheur? Pourtant, même à un homme cela n'aurait pas échappé. Alors? dormait-il donc quand on mettait le feu? Mais personne n'est insensible au point de ne pas se lever immédiatement, dès que la flamme s'approche de lui, et de ne pas arrêter celui qui l'apporte. En vérité, «les Grecs sont toujours des enfants, de vieillard grec, il n'y en a pas[3]» : vous devriez, en effet, vous lamenter sur votre propre stupidité, car les faits eux-mêmes crient la fourberie des démons, et malgré cela vous ne vous en détournez pas! Non! vous vous livrez vous-mêmes à la perdition et, sacrifiant votre salut, vous vous laissez mener comme du bétail là où ils vous ordonnent de les suivre, vous restez assis à déplorer la perte de statues!

prêtre de Saïs (Basse-Égypte) s'adressant à Solon et que Jean Chrysostome reprend dans des contextes anti-païens : *Hom. sur I Cor.*, IV, 6;
Hom. sur Éphés., XII, 3.

109. Σὺ δὲ καὶ τόξα ἀπαιτεῖς οὐδὲν ἐκείνου τοῦ ταῦτα
ἐν τῇ τραγῳδίᾳ λέγοντος διεστηκώς. Πῶς γὰρ οὐ μανία
πρόδηλος καὶ σαφὴς προσδοκᾶν τι τοῖς ὅπλοις τούτοις
ἀνύειν ἃ τὸν κεκτημένον οὐδὲν ὤνησεν; Εἰ μὲν γὰρ αὐτὸς
5 μείζονα καὶ τὴν τέχνην καὶ τὴν ἐμπειρίαν τοῦ δαίμονος
ἔχειν φῂς οὐκ ἐχρῆν αὐτὸν τιμᾶν ἀμαθέστερόν τε ὄντα καὶ
ἀσθενέστερον ἐν οἷς αὐτόν φατε πάντων κρατεῖν. Εἰ δὲ
τῶν πρωτείων ἐκείνῳ παραχωρεῖς ἄν τε τοξεύειν ἄν
τε μαντεύεσθαι δέῃ, πῶς ἐν τῷ μέρει τῆς τέχνης ταῦτα
10 προσεδόκησας δράσειν ἅπερ ὁ τὴν ὅλην ἔχων οὐκ ἴσχυσε; |
XX Γέλως ταῦτα καὶ λῆρος· οὔτε γὰρ εἶχέ τι μαντικῆς οὔτε
κἂν εἶχεν ἤνυσεν ἄν. Οὐ γάρ ἐστιν, οὐκ ἔστιν ὁ ταῦτα
ἐργασάμενος ἀνὴρ ἀλλὰ θεία δύναμις.

110. Καὶ τὴν αἰτίαν δὲ μετὰ ταῦτα ἐρῶ, τέως δὲ ἄξιον
μαθεῖν ὑπὲρ ὧν ἀγνωμοσύνην ἐγκαλεῖ τῷ Ἡφαίστῳ οὑτωσί
πως λέγων· «Ἥφαιστος δὲ πυρὸς ταμίας οὐκ ἠπείλησε τῷ
πυρὶ λυμαινομένῳ τὴν χάριν ὀφείλων τῷ θεῷ μηνύματος
5 ἀρχαίου.» Ποίαν χάριν; ποίου μηνύματος ἀρχαίου; εἰπέ.
Διὰ τί κρύπτεις σου τὰ σεμνὰ τῶν θεῶν κατορθώματα; Εἰ
γὰρ καὶ τὴν χάριν εἶπες αὐτήν, μᾶλλον ἂν ἀγνώμονα τὸν
Ἥφαιστον ἔδειξας. Ἀλλ' αἰσχύνῃ καὶ ἐρυθριᾷς· οὐκοῦν
ἡμεῖς μετὰ παρρησίας ἐροῦμεν τὰ σά. Τίς οὖν ἡ χάρις;
10 Ἐρασθέντα ποτὲ τὸν Ἄρη τῆς Ἀφροδίτης καὶ τὸν
Ἥφαιστον — ἄνδρα γὰρ αὐτῆς εἶναι — δεδοικότα, τὴν
ἀπουσίαν ἐπιτηρήσαντα τὴν ἐκείνου πρὸς αὐτὴν εἰσελθεῖν
φασι· τὸν δὲ Ἀπόλλω θεασάμενον μιγνυμένους αὐτοὺς
ἀπελθόντα πρὸς τὸν Ἥφαιστον τὴν μοιχείαν κατειπεῖν·
15 ἐλθόντα δὲ ἐκεῖνον καὶ ἀμφοτέρους ἐπὶ τῆς κλίνης εὑρόντα
δεσμὰ αὐτοῖς οὕτως ὡς εἶχον περιβαλόντα καλέσαι τε τοὺς

109, 5 καὶ¹ > F UXO ‖ 6 τε > O ‖ 9 δέοι F U ‖ 12 ἤνυεν UXO m ‖
13 θεία + τις P O dm
110, 7 εἶπας F UXO ‖ ἂν > X ‖ 10 ἄρην F UXO dm ‖ 12 ἐλθεῖν F
UXO ‖ 13 ἀπόλλωνα F UXO ‖ 16 οὕτως > UX ‖ εἶχε F UXO

109. Et toi, tu réclames aussi un arc, sans différer en rien de celui qui dit cela dans la tragédie[1]. Comment n'est-ce pas une folie claire et évidente que d'espérer quelque avantage de ces armes qui n'ont servi de rien à celui qui les possédait? Car si tu prétends avoir, toi, plus d'habileté et d'expérience que le démon, il ne fallait pas l'honorer, alors qu'il est plus ignorant et plus faible dans le domaine où vous dites qu'il l'emporte sur tous. Et si tu lui concèdes le premier rang, qu'il s'agisse de tirer de l'arc ou de prononcer des oracles, comment pouvais-tu t'attendre à faire, avec une partie de cet art, ce que n'eut pas la force d'accomplir celui qui possédait l'art tout entier? C'est dérision et sottise : il n'avait aucune part au pouvoir de la divination et, même s'il en avait eu, il n'aurait rien fait. Ce n'est pas un homme, ce n'est pas un homme, qui a opéré cela, mais une puissance divine.

110. J'en dirai plus loin le motif[2]; mais, pour le moment, il vaut la peine d'apprendre pourquoi il accuse Héphaistos d'ingratitude en ces termes : «Héphaistos, le maître du feu, n'a pas lancé des menaces contre le feu ravageur bien qu'il fût redevable au dieu d'une ancienne information.» Quelle dette? pour quelle ancienne information? dis-le. Pourquoi caches-tu les respectables exploits de tes dieux? Si tu avais mentionné cette dette, tu aurais mieux montré l'ingratitude d'Héphaistos. Mais tu as honte et tu rougis : alors, c'est nous qui allons parler franchement à ta place. Quelle est donc cette dette? On raconte qu'Arès, épris d'Aphrodite mais redoutant Héphaistos – c'était, en effet, son mari –, épia l'absence de celui-ci pour s'introduire chez elle. Apollon, les ayant vus enlacés, s'en alla dénoncer l'adultère à Héphaistos. Celui-ci vint et, les ayant trouvés ensemble sur le lit, les enveloppa de liens dans la position où ils se trouvaient et appela tous les dieux à ce

1. Voir *supra*, § 105 et p. 236, n. 1.
2. Aux § 114-115.

θεούς ἐπὶ τὴν ἀσχήμονα θεωρίαν καὶ ταύτην τῆς μοιχείας
πράξασθαι δίκην αὐτούς. Ταύτης οὖν τῆς χάριτος ὀφειλέτην
ὄντα τὸν Ἥφαιστον καιροῦ καλοῦντος ἀγνωμονῆσαι περὶ
20 τὴν ἀντίδοσίν φησι.

III. Τί οὖν καὶ ὁ Ζεύς, ὦ βέλτιστε; Καὶ γὰρ καὶ
τούτῳ πάλιν ἀπήνειαν ἐγκαλεῖς· «Ἀλλ' οὐδὲ ὁ Ζεύς,
565 λέγων, ὄμβρων ἠνίας ἔχων ὕδωρ | ἀφῆκεν ἐπὶ τὴν φλόγα καὶ
ταῦτα Λυδῶν ποτε βασιλεῖ δυστυχήσαντι σβέσας πυράν.»
5 Ἀλλὰ γὰρ καλῶς ποιῶν ἀνέμνησας ἡμᾶς καὶ τοῦ Λυδοῦ.
Καὶ γὰρ κἀκεῖνον ὁ μιαρὸς οὗτος δαίμων ἠπάτησεν ἐλπίσι
φυσήσας κεναῖς καὶ εἰς προῦπτον κακὸν ἐμβαλών· καὶ εἰ
μὴ φιλάνθρωπος ἦν ὁ Κῦρος οὐδὲν αὐτὸν ὤνησεν ὁ Ζεύς.
Ὥστε μάτην ἐγκαλεῖς τῷ Διὶ ὡς προτιμήσαντι τοῦ παιδὸς
10 τὸν Λυδόν· οὐδὲ γὰρ ἑαυτῷ ἔνθα μάλιστα πασῶν ἐτιμᾶτο
πόλεων – τὴν Ῥωμύλου λέγω – κεραυνωθεὶς ἤμυνεν.

112. Ἐπακούσωμεν δὲ καὶ τῶν λοιπῶν τοῦ θρήνου
ῥημάτων· οὕτω γὰρ τὸ πένθος εἰσόμεθα καλῶς ὃ κατέσχεν
αὐτῶν τὰς ψυχάς.

fr 11   Ἄνδρες, ἕλκομαι τὴν ψυχὴν πρὸς τὸ εἶδος τοῦ θεοῦ καί
5   μοι πρὸ τῶν ὀμμάτων ἵστησιν ὁ λογισμὸς τὸν τύπον·
ἡμερότητα μορφῆς, ἀπαλότητα δέρρης, ἐν λίθῳ καὶ
ταῦτα, ζωστῆρα περὶ τῷ στήθει συνάγοντα χιτῶνα χρυ-

110, 18 εἰσπράξασθαι F UXO dm
111, 1 καὶ¹ > F UXO ‖ 5 ἀνέμνησεν O ‖ 7 κακῶν Fᵃᶜ X ‖ 8 ἦν ὁ
κῦρος (ρος in mg.) B : ὢν ὁ κῦρος ἀφῆκεν Fᵖᶜ UXO ‖ οὐδὲν + ἂν F UXO
dm
112, 4-5 καὶ μοι : καίτοι UXᵃᶜ? καί μοί γε O ‖ 6 δέρης Fᵖᶜ O ‖
6-7 καὶ ταῦτα ἐν λίθῳ ~ d secutus Boisium

1. Voir ci-dessus, § 105 et p. 237, n. 6. Le mythe d'Arès et d'Aphrodite heurtait les moralistes grecs et fut souvent allégorisé : cf. A.-J. Festugière, «L'âme et la musique d'après Aristide Quintilien», dans
Transactions and Proceedings of the American Philological Association 85,
1954, p. 74-76. Dans sa critique d'Homère (*Discours*, IV, 116), GRÉ-

spectacle indécent, tirant ainsi vengeance de l'adultère. Voilà donc la dette dont Héphaistos était redevable et qu'il eut l'ingratitude, dit-il, quand les circonstances l'y invitaient, de ne pas payer de retour[1].

111. Et qu'en est-il aussi de Zeus, cher ami? Car lui aussi, tu l'accuses à son tour de cruauté, quand tu dis : «Mais Zeus, non plus, qui tient les rênes des pluies, n'a pas fait tomber d'eau sur la flamme; et cela, après avoir jadis éteint le bûcher d'un roi de Lydie dans le malheur.» En vérité, tu as bien fait de nous rappeler également le Lydien. Car lui aussi fut trompé par ce démon scélérat qui l'enfla de vains espoirs et le précipita dans un malheur évident, et, n'eût été l'humanité de Cyrus, Zeus ne lui aurait servi de rien[2]. C'est donc sans raison que tu accuses Zeus d'avoir mieux traité le Lydien que son fils, car même pour lui, dans la ville où il recevait plus d'honneurs qu'en toute autre – je veux dire dans la ville de Romulus –, il ne put rien faire quand la foudre le frappa[3].

112. Écoutons aussi les dernières paroles du chant funèbre, ainsi nous connaîtrons parfaitement la douleur qui a saisi leurs âmes :

> Hommes, j'ai l'âme entraînée vers l'image du dieu et mon imagination dresse devant mes yeux son portrait : l'élégance de sa tournure, la délicatesse de sa peau – et cela sur la pierre –, la ceinture qui ramène sa tunique

---

GOIRE DE NAZIANZE ridiculise ce mythe. Jean Chrysostome reconnaît ailleurs une excuse aux poètes : ils ne racontent que des mythes (*Hom. sur les Actes des apôtres*, IV, 4).

2. Voir ci-dessus, § 105 et p. 237, n. 7.

3. Peut-être s'agit-il ici de l'incendie du temple de Jupiter Capitolin en 83 avant J.-C. Au livre IV de la *Préparation évangélique*, EUSÈBE accumule les cas d'incendie de temples oraculaires – et de statues – et il relève l'incapacité de l'oracle à protéger ses sanctuaires (*Prép. év.*, IV, 2, 8, et notes d'O. Zinn *ad loc.*, dans *SC* 262, p. 90-91). Jean Chrysostome a pu s'inspirer de lui.

σοῦν ὡς αὐτοῦ τὰ μὲν ἐνιζάνειν τὰ δὲ ὑπανίστασθαι. Τὸ
δὲ ὅλον σχῆμα τίνος οὐκ ἂν ζέοντα ἐκοίμησεν θυμόν;
10   Ἐῴκει γὰρ ᾄδοντι μέλος · καί πού τις καὶ ἤκουσεν ὡς
φασιν ἐν μεσημβρίᾳ κιθαρίζοντος. Ὦτα εὐδαίμονα · Τὸ δὲ
ᾆσμα ἄρα ἦν ἔπαινος τῆς γῆς ᾗ μοι φαίνεται καὶ
σπένδειν ἀπὸ τῆς χρυσῆς κυάθου ὅτι τὴν κόρην ἔκρυψε
ῥαγεῖσά τε καὶ συνελθοῦσα.

15 Εἶτα μικρὰ πρὸς τὸν ἐμπρησμὸν ὀλοφυρόμενος ·

fr 12   Ἐβόα μέν, φησίν, ὁδοιπόρος ἀνιούσης τῆς αὐγῆς ἐκυκᾶτο
δ᾽ ἐφ᾽ ὕλῃ Δάφνης ἔνοικος ἱέρεια τοῦ θεοῦ. Πληγαὶ δὲ
στέρνων καὶ οἰμωγή τις ὀξεῖα διὰ χωρίου πολυδένδρου
δραμοῦσα πίπτει μὲν εἰς τὸ ἄστυ δεινή τε καὶ φρικώδης,
20   ὄμμα δὲ ἄρχοντος ἄρτι γευόμενον ὕπνου πικρῷ ῥήματι
τῆς εὐνῆς ἐξανέστησεν. Ὁ δὲ ἐμμανὴς ἤλαυνε · πτερὰ
γὰρ Ἑρμοῦ ζητῶν αὐτὸς μὲν ἐπὶ ζήτησιν ᾔει τῆς τοῦ
κακοῦ ῥίζης φλεγόμενος ἔνδον οὐχ ἧττον ἢ ὁ νεώς, δοκοὶ
δὲ ἐφέροντο κάτω φέρουσαι πῦρ ὅτῳ πελάσειεν, φθεί-
25   ρουσαι τὸν Ἀπόλλω μὲν εὐθὺς ἅτε καὶ μικρὸν διέχοντα
τοῦ στέγους, ἔπειτα δὲ τὰ ἄλλα κάλλη. Μουσῶν οἰκιστῶν
εἰκόνας, λίθων ἀστραπάς, κιόνων ὥραν. Ὁ δὲ ὅμιλος † ἐν
ᾗ † περιεστήκεσαν ὀλοφυρόμενοι βοηθεῖν δὲ ἀποροῦντες,
ὃ καταλαμβάνει τοὺς ἀπὸ τῆς γῆς ναυαγίαν ὁρῶντας ὧν
fr 13 30   ἡ βοήθεια δακρῦσαι τὸ γινόμενον. Ἦ που μέγαν μὲν
ἤγειραν γόον ἐκπηδήσασαι τῶν πηγῶν αἱ νύμφαι, μέγαν

112, 8 τὰ¹ : τὸ F UXO ‖ 9 ἐκοίμισε F UXO dm ‖ 11 φησιν UXO ‖
16 ἐβόα bis X ‖ αὐγῆς : γῆς O ‖ 17 δὲ ἐφ᾽ O ‖ δ᾽ ἐφ᾽ ὕλῃ : δὲ φίλη d ex
editionibus Libanii ‖ 19 τε : τις X ‖ 22 γὰρ : παρ᾽ Fᵖᶜ UXO dm ‖
ζητῶν + εἶτα Fᵐᵍ UXO m ‖ 24 πελάσαιεν (-σαιε U) BFᵖᶜ UO
πελάσειαν s (in mg. manuscripti) dm ‖ 25 μὲν + οὖν Fᵖᶜ UXO ‖
27 ὥρας Fᵖᶜ UXO m ‖ ὅμιλος : pr. ἀνδρῶν O ‖ 27-28 ἐν ᾗ BF U : ὁμοῦ
XO m   εἰκῇ coni. d ‖ 29 τῆς > F UXO d

---

1. Cf. PHILOSTORGE, *H. E.*, VII, 8a : «Le *péplos* entièrement doré,
dont il était revêtu, faisait contraste avec les parties du corps décou-
vertes et non dorées, produisait un effet d'une très grande beauté...»
Nous ignorons d'où Philostorge tirait ces détails, car, lorsqu'il écrivait,
la statue avait disparu depuis longtemps.

dorée autour de la taille[1], en sorte qu'une partie de cette tunique repose dessus et que l'autre ressort par dessous. L'ensemble de son maintien, de qui n'aurait-il pas apaisé la bouillante colère? Il avait l'air de chanter une mélodie, et un jour quelqu'un l'entendit même, dit-on, jouer de la cithare en plein midi. Heureuses oreilles! Son chant était sans doute une louange en l'honneur de la terre, à qui je le vois aussi offrir des libations à l'aide de sa coupe d'or, parce qu'elle a caché le jeune fille en s'entrouvrant et en se refermant.

Puis, quelques mots pour gémir sur l'incendie :

Le voyageur, dit-il, poussa un cri lorsque s'éleva la lueur[2], et la prêtresse du dieu qui demeurait dans le bois de Daphné fut bouleversée. Un bruit de coups frappés sur des poitrines et un gémissement déchirant, courant à travers le bois épais, parvinrent jusqu'à la ville, terribles et effrayants; et le gouverneur, dont les yeux venaient de goûter au sommeil, à la triste nouvelle se leva de son lit[3]. Fou furieux il s'élança, demandant à Hermès des ailes, et se mit à la recherche de la racine du mal, non moins embrasé intérieurement que le temple; des poutres s'écroulaient, portant le feu à tout ce dont elles approchaient, détruisant tout de suite Apollon parce qu'il était peu éloigné du toit[4], puis les autres beautés : images des Muses fondatrices, pierreries éclatantes, gracieuses colonnes. La foule se tenait tout autour gémissant mais incapable de porter secours; c'est ce qui arrive à ceux qui, de la terre ferme, assistent à un naufrage et dont l'aide consiste à pleurer sur l'accident. Grande, assurément, fut la lamentation poussée par les nymphes bondissant de leurs fon-

---

2. Ou «au lever du jour», αὐγή signifiant à la fois «rayon du soleil» et «éclat de la flamme».

3. D'après THÉODORET, *H. E.*, III, 11, 5, il s'agit de Julius Julianus, comte d'Orient.

4. D'après AMMIEN MARCELLIN (XXII, 13, 1), la taille de l'Apollon de Daphné égalait celle du Zeus d'Olympie.

δὲ ὁ Ζεὺς ὁ ἐγγύς που καθήμενος, ὁποῖον εἰκὸς ἐπὶ
τιμαῖς υἱέος συγκεχυμέναις, μέγαν δὲ δαιμόνων μυρίων
ὅμιλος ἐν τῷ ἄλσει διαιτωμένων · οὐδὲν ἐλάττω θρῆνον
35   ἐκ μέσης τῆς πόλεως ἡ Καλλιόπη τοῦ χαροποιοῦ τῶν
Μουσῶν ἠδικημένου τῷ πυρί.

Εἶτα πρὸς τῷ τέλει φησί ·

fr 14   Γενοῦ μοι καὶ νῦν, Ἄπολλον, οἷόν σε ἐποίησεν ὁ Χρύσης
καταρώμενος τοῖς Ἀχαιοῖς θυμοῦ τε πλήρη καὶ νυκτὶ
40   ἐοικότα ὅτι δή σοι τὰς στολὰς ἡμῶν ἀποδιδόντων καὶ
ὅσον ἦν ἀπενεχθὲν ἀντικαθιστάντων προανηρπάσθη τὸ
τιμώμενον οἷον νυμφίου τινὸς πλεκομένων ἤδη στεφάνων
ἀπελθόντος.

XXI   113. Ὁ μὲν θρῆνος οὗτος μᾶλλον δὲ ὀλίγα τοῦ θρήνου
μέρη. Ἐμοὶ δὲ θαυμάζειν ἔπεστιν πῶς ἐφ' οἷς ἐγκαλύπτεσθαι ἐχρῆν ἐπὶ τούτοις αὐτὸν σεμνύνειν οἴεται, οὐδὲν
ἄμεινον ἀκολάστου νέου καὶ αἰσχροῦ κατὰ μεσημβρίαν
5 ποιῶν αὐτὸν κιθαρίζοντα καὶ τοῦ ἄσματος ὑπόθεσιν εἶναι
566 λέγων τὴν ἐρωμένην καὶ ὦτα εὐδαίμονα | καλῶν τὰ τῆς
ᾠδῆς ἐπακούσαντα τῆς αἰσχρᾶς. Καὶ τὸ μέν τινας τῶν τὴν
Δάφνην οἰκούντων δακρύειν καὶ τοὺς μὲν προσκειμένους
αὐτοῖς καὶ τὸν τῆς πόλεως ἄρχοντα φλέγεσθαι καὶ πλέον
10 τῶν θρήνων μηδὲν ἐμποιεῖν, οὐδὲν θαυμαστόν · τὸ δὲ καὶ
αὐτοὺς τοὺς θεοὺς ἐπὶ τῆς αὐτῆς ἀμηχανίας εἶναι καὶ
δακρύειν μόνον κατ' αὐτοὺς καὶ μήτε τὸν Δία μήτε τὴν
Καλλιόπην μήτε τὸν πολὺν τῶν δαιμόνων ὅμιλον ἀλλὰ μηδὲ

112, 31-33 μέγαν δὲ — συγκεχυμέναις > Fᵃᶜ ‖ 32 ὅ¹ > F UO ‖ ὅ²
> SM d ‖ 33 υἱέος : υἱέως F UX m θεῶν O ‖ μυρίος F UXO ‖
34 ἐλάττω : pr. δ' UXO ‖ 35 χοροποιοῦ UXO dm ‖ 39 τοὺς ἀχαιοὺς F
U X¹ (corr X²ˢˡ) ‖ 40 στολὰς : θυσίας O
113, 2 ἔπεισι F UXO dm ‖ 8 μὲν > X dm ‖ 10 ποιεῖν Fᵖᶜ UXO ‖
12 μόνον + οὐ X

1. Daphné abondait en sources. Voir ci-dessus, § 68 et p. 180, n. 1.
2. LIBANIUS, Antiochikos, 236, mentionne un temple de Zeus à
Daphné. Voir DOWNEY, History, p. 83 et 214.

taines[1]; grande celle de Zeus qui résidait tout près[2]
– comme il est naturel devant le renversement des
honneurs rendus à son fils –, grande celle de la foule des
innombrables divinités qui habitaient le bois sacré[3];
non moindre le chant de deuil entonné du milieu de la
ville par Calliope[4], à la vue du coryphée des Muses
maltraité par le feu.

Puis il dit pour finir :

Sois maintenant pour moi, Apollon, tel que te fit
Chrysès par ses malédictions contre les Achéens, plein
de colère et semblable à la nuit[5], puisque c'est quand
nous te rendions tes ornements et te restituions ce qui
t'avait été ravi que l'objet de cet honneur nous a été,
avant, enlevé, comme un fiancé qui s'en va au moment
où l'on tresse déjà les couronnes.

113. Voilà donc ce chant de deuil ou, plutôt, quelques
extraits de ce chant de deuil. Pour moi, j'en viens à
m'étonner qu'il croie pouvoir honorer Apollon de ce qui
devrait le couvrir de honte : il n'en fait rien de mieux qu'un
jeune homme libertin et infâme, en train de jouer de la
cithare en plein midi, il dit que le thème de sa chanson est
la bien-aimée et il appelle heureuses les oreilles qui
entendent ce chant infâme! Que certains des habitants de
Daphné aient pleuré, ainsi que leurs voisins, et que le
gouverneur de la cité ait été embrasé de colère et n'ait rien
fait d'autre que de se lamenter, cela n'a rien d'étonnant;
mais que les dieux eux-mêmes aient été réduits à la même
impuissance et qu'ils aient seulement versé des larmes
comme eux, que ni Zeus, ni Calliope, ni la nombreuse foule
des démons, ni même les nymphes n'aient pu résister à

---

3. Probablement le bois sacré avec les cyprès plantés par Seleucus
(*ibid.*, p. 83)

4. Calliope était, avec Zeus et Apollon, la patronne d'Antioche. Sous
Trajan une statue lui avait été dressée au théâtre d'Antioche (*ibid.*,
p. 216-217). Il y avait également un *Musée*.

5. Cf. HOMÈRE, *Il.*, I, 47.

τὰς νύμφας αὐτὰς ἀρκέσαι πρὸς τὴν πυρὰν ἀλλὰ πάντας
15 κωκυτοὺς καὶ οἰμωγὰς ἐγείρειν μόνον, τοῦτό ἐστι τὸ
πολλοῦ γέλωτος γέμον. Ὅτι μὲν οὖν μεγάλην εἶχον πληγὴν
ἱκανῶς ἐκ τῶν εἰρημένων ἀποδέδεικται · καὶ γὰρ καὶ ἐν
μέσῳ που τῆς μονῳδίας ῥητῶς οὕτως περὶ τὰ καίρια
πεπλῆχθαι αὐτοὺς ὡμολόγησεν. Οὐκ ἂν οὖν τοῦτο πράως
20 ἤνεγκεν ὁ βασιλεὺς μὴ δέει καὶ τρόμῳ μείζονι κατεχό-
μενος.

114. Ὥρα δὴ λοιπὸν ἐπιδεῖξαι καὶ τὴν αἰτίαν δι' ἣν ὁ
Θεὸς οὐκ εἰς τὸν βασιλεύοντα τὴν ὀργὴν ἀφῆκεν ἀλλ' εἰς
τὸν δαίμονα, καὶ διὰ τί μὴ πάντα ἀπώλεσε τὸ πῦρ τὸν
ναὸν ἀλλὰ τὴν στέγην ἀφανίσαν ἅμα καὶ τὸ εἴδωλον ἔληξεν.
5 Οὐ γὰρ ἁπλῶς οὐδὲ ἄνευ αἰτίας τινὸς ταῦτα ἐγίνετο ἀλλ'
ἀπὸ τῆς τοῦ Θεοῦ φιλανθρωπίας τῆς ὑπὲρ τῶν πλανωμένων
πάντα ἐδρᾶτο. Ὁ γὰρ τὰ πάντα εἰδὼς πρὶν γενέσεως
αὐτῶν μετὰ τῶν ἄλλων ᾔδει καὶ τοῦτο, ὅτι κατὰ μὲν τοῦ
βασιλέως ἐνεχθέντος τοῦ κεραυνοῦ οἱ μὲν παρόντες καὶ
10 θεασάμενοι τὴν πληγὴν ἐφοβήθησαν ἂν πρὸς καιρόν, δευτέρου δὲ καὶ τρίτου παρελθόντος ἔτους ἥ τε μνήμη τοῦ
γεγονότος ἀπώλλυτο καὶ πολλοὶ οἱ διαπιστήσοντες ἦσαν τῷ
θαύματι · εἰ δὲ ὁ ναὸς δέξοιτο τὴν φλόγα, παντὸς κήρυκος
σαφέστερον οὐ τοῖς τότε μόνον ἀλλὰ καὶ τοῖς μετέπειτα
15 πᾶσιν ἀπαγγελεῖ τοῦ Θεοῦ τὴν ὀργήν, ὡς καὶ τοῖς βουλομένοις ἀναισχυντεῖν καὶ συγκαλύπτειν τὸ γεγονὸς πᾶσαν
ἀνῃρῆσθαι πρόφασιν. Ἕκαστος γὰρ ἐφιστάμενος τῷ τόπῳ
ὥσπερ ἄρτι συμβεβηκότος τοῦ ἐμπρησμοῦ οὕτω διατίθεται

113, 15 τὸ > O ‖ 17 καὶ² > F ‖ 18 που > O ‖ οὗτος Fᵖᶜ UX ‖
20 καταδεχόμενος XM
114, 2 βασιλέα F UXO ‖ 4 ναὸν : νεὼν O ‖ ἔληξεν : ἤλεγξεν BFᵃᶜ m ‖
5 οὐ : οὐδὲ F UXO ‖ τινὸς BᵃᶜF UXO : τινὰς Bᵖᶜ ‖ ἐγένετο F UXO dm

l'incendie, mais qu'ils se soient tous bornés à pousser des plaintes et des gémissements, cela, c'est le comble du ridicule. Ils avaient certes reçu une grave blessure, ce qui vient d'être dit le fait assez connaître ; car, au milieu même de sa complainte, n'a-t-il pas ainsi explicitement avoué qu'ils ont été frappés d'un coup mortel ? L'empereur donc, n'aurait pas supporté cela avec calme, s'il n'avait été retenu par une plus grande crainte et un plus grand effroi.

F. TROIS QUESTIONS

a) Le temple ne fut pas entièrement détruit

114. Il est temps désormais de montrer le motif pour lequel Dieu n'a pas déchargé sa colère sur l'empereur, mais sur le démon, et pourquoi le feu n'a pas détruit le temple tout entier, mais a pris fin après avoir fait disparaître le toit en même temps que l'idole. Car cela n'eut lieu ni par hasard ni sans motif : tout fut opéré par la bonté de Dieu envers les hommes qui s'égarent. En effet, celui qui connaît toutes choses avant même qu'elles soient, savait entre autres également celle-ci : si la foudre était tombée sur l'empereur, les témoins du coup auraient eu peur sur le moment, mais, passé deux ou trois ans, le souvenir de l'événement se serait perdu et beaucoup auraient douté du miracle. Au contraire, si le temple était touché par la flamme, plus clairement que n'importe quel héraut il proclamerait la colère de Dieu, non seulement aux contemporains mais aussi à toute la postérité, de sorte que tout prétexte a été ôté à ceux-là même qui voulaient faire les impudents et cacher cet événement. Car quiconque arrive en ce lieu a l'âme dans les mêmes dispositions que si l'incendie venait de se produire,

|| 12 οἱ πολλοὶ διαπιστήσαντες F

τὴν ψυχὴν καὶ φρίκη τις αὐτὸν εἴσεισι καὶ πρὸς τὸν
20 οὐρανὸν ἀπιδὼν εὐθέως δοξάζει τοῦ ταῦτα ἐργασαμένου τὴν
ἰσχύν.

115. Ὥσπερ γὰρ ἂν εἴ τις λῃστάρχου τινὸς σπήλαιον καὶ
κατάδυσιν διαρρήξας ἄνωθεν ἐξαγάγοι τὸν ἐνοικοῦντα δέσμιον
καὶ τὰ αὐτοῦ πάντα λαβὼν καταλίποι τὸν τόπον θηρίων καὶ
κολοιῶν εἶναι καταφυγήν, εἶτα ἕκαστος τῶν πρὸς τὴν
5 κατάδυσιν ἐρχομένων ἐκείνην ἅμα τὸν τόπον ὁρῶν τὰς
καταδρομὰς καὶ τὰς κλοπὰς καὶ τὴν ἰδέαν φαντάζεται καὶ
ὑπογράφει τοῦ πρότερον κατοικοῦντος αὐτήν · οὕτω καὶ
ἐνταῦθα γίνεται. Πόρρωθεν γάρ τις τοὺς κίονας ἰδὼν εἶτα
ἐλθὼν καὶ τὸν οὐδὸν ὑπερβὰς ὑπογράφει ἑαυτῷ τὸ τοῦ
10 δαίμονος ἀποτρόπαιον, τὴν ἀπάτην, τὰς ἐπιβουλάς, καὶ
καταπλαγεὶς τοῦ Θεοῦ τήν τε ὀργὴν καὶ τὴν ἰσχὺν ἄπεισι
καὶ τὸ πρότερον πλάνης οἰκοδόμημα καὶ βλασφημίας νῦν
δοξολογίας ὑπόθεσις γίνεται · οὕτως εὐμήχανός ἐστιν ἡμῶν
ὁ Θεός.

116. Καὶ τὰ παράδοξα ταῦτα οὐ νῦν πρῶτον ἀλλ᾽
ἄνωθεν καὶ ἐκ τῶν προτέρων θαυματουργεῖ γενεῶν. Καὶ
πάντα μὲν καταλέγειν οὐ τοῦ παρόντος καιροῦ, ἐπιμνησθή-
σομαι δὲ ὃ τούτῳ παρόμοιον εἶναι δοκεῖ. Πολέμου γὰρ
5 συγκροτηθέντος ἐν τῇ Παλαιστίνῃ ποτὲ τοῖς Ἰουδαίοις
πρὸς ἀλλοφύλους τινάς, νικήσαντες οἱ πολέμιοι καὶ τοῦ
Θεοῦ τὴν κιβωτὸν λαβόντες ὡς δὴ λάφυρόν τι καὶ ἀκροθί-
νιον ἀνέθηκαν αὐτήν τινι τῶν ἐπιχωρίων εἰδώλῳ − Δαγὼν
ἦν ὄνομα αὐτῷ · καὶ τὸ πρῶτον εἰσενεχθείσης τῆς κιβωτοῦ

114, 21 ἰσχύν : δύναμιν F UXO
115, 1 εἴ > O ‖ 5 τῶν τόπων B
116, 4 τούτου O ‖ 8 εἰδώλων O ‖ δαγὼν + δὲ P F dm

---

1. Cf. JEAN CHRYS., *Exp. sur les Ps.*, 110, 4 : « A travers toutes les
générations il n'a pas cessé, il n'a pas renoncé à accomplir des merveilles
et il réveille les charnels par ses merveilles.» Dans la suite Jean
Chrysostome établit une distinction entre miracles publics et miracles

un frisson le pénètre, et, regardant vers le ciel, il se met aussitôt à glorifier la force de celui qui a accompli ces choses.

115. C'est comme si un homme, après avoir d'en haut forcé la caverne et le repaire d'un chef de brigands, emmenait son occupant enchaîné et, après avoir pris tous ses biens, laissait le lieu pour refuge aux bêtes fauves et aux choucas ; alors chacun de ceux qui approchent de ce repaire se représente en imagination, à la vue de ce lieu, les incursions, les rapines, la silhouette de son ancien occupant. C'est également ce qui se passe ici : quand on aperçoit de loin les colonnes, qu'on arrive ensuite et qu'on franchit le seuil, on se représente l'abomination du démon, sa fourberie, ses embûches, puis l'on s'en va, frappé de stupeur devant la colère et la force de Dieu, et ce qui était auparavant un édificie d'erreur et de blasphème est désormais un sujet de louange. Telle est l'ingéniosité de notre Dieu !

116. Et ces merveilles, il ne les accomplit pas maintenant pour la première fois, mais depuis le commencement et dès les premières générations[1]. Ce n'est pas le moment de tout énumérer ; je rappellerai pourtant un fait qui paraît très semblable à celui-ci. Une guerre avait éclaté jadis en Palestine entre les Juifs et des étrangers ; les ennemis victorieux, après s'être emparés de l'arche de Dieu, la consacrèrent comme prémices de leur butin à une idole des indigènes – son nom était Dagon –; dès que l'arche eut été

privés. Parmi les premiers il compte ceux de la Bible et ceux qui se produisent à chaque génération devant un grand nombre de témoins. Les événements survenus sous le règne de Julien et rapportés dans ce *Discours* sont des miracles «publics» et la preuve que Dieu ne cesse jamais d'accomplir des prodiges. Voir aussi *Panég. de S. Paul*, IV, 6 ; *Hom. sur les Actes des apôtres*, XLI, 3.

10 κατέπεσέ τε τὸ ξόανον καὶ ἔκειτο πρηνές. Ὡς δὲ οὐ
συνίεσαν τῆς τοῦ Θεοῦ δυνάμεως τὴν ἰσχὺν ἀπὸ ταύτης τῆς
567 πτώσεως ἀλλ' | ὀρθώσαντες αὐτὸ πάλιν ἐπὶ τῆς οἰκείας
ἔστησαν ἕδρας, τῇ ὑστεραίᾳ ἐπὶ τὴν ἕω παραγενόμενοι
θεωροῦσιν οὐκέτι μόνον πεπτωκὸς ἀλλὰ καὶ διακεκλασμένον
15 πάντοθεν. Αἵ τε γὰρ χεῖρες ἀποσπασθεῖσαι τῶν ὤμων εἰς
τὸν οὐδὸν ἐξηκοντίσθησαν τοῦ ναοῦ μετὰ τῶν ποδῶν τό τε
λοιπὸν τοῦ ξοάνου μέρος εἰς ἕτερον διέσπαρτο τόπον
διασπασθέν[a]. Καὶ τῶν Σοδόμων δέ — ὡς ἄν τις μεγάλῳ
παραβάλοι μικρόν — διὰ τοῦτο μετὰ τῶν οἰκητόρων καὶ ἡ
20 γῆ καταφλεχθεῖσα ἀπώλετο καὶ γέγονεν ἄκαρπος ἵνα μὴ
μόνον οἱ τότε ἀλλὰ καὶ οἱ μετ' ἐκείνους ἅπαντες ὑπὸ τῶν
τόπων σωφρονίζωνται. Εἰ γὰρ ἔστη μέχρι τῶν ἀνδρῶν ἡ
κόλασις κἂν ἠπιστήθη μετὰ ταῦτα τὸ γεγονός. Διὰ τοῦτο ὁ
τόπος δέχεται τὴν πληγὴν ὁ τῷ χρόνῳ παρεκταθῆναι
25 δυνάμενος, καὶ ἑκάστην τῶν ἐπιγενομένων ὑπομιμνήσκει
γενεῶν ὅτι τοὺς τὰ τοιαῦτα δρῶντας τοιαῦτα πάσχειν
νενομοθέτηται κἂν μὴ παραυτὰ τὴν τιμωρίαν τίσωσιν ·
ὅπερ καὶ ἐπὶ τοῦ ναοῦ γέγονε τούτου.

117. Ἰδοὺ γὰρ εἰκοστὸν ἔτος ἐστὶν ἐξ ἐκείνου λοιπὸν
καὶ τῆς ὑπὸ τοῦ πυρὸς καταλειφθείσης οὐδὲν παραπόλωλεν
οἰκοδομῆς ἀλλ' ἕστηκε παγίως καὶ βεβαίως τὰ διαφυγόντα
μέρη τὸ πῦρ καὶ οὕτως ἐστὶν ἰσχυρὰ ὡς καὶ πρὸς ἑκατὸν
5 ἔτη καὶ πρὸς ἕτερα δὶς τοσαῦτα καὶ τούτων πάλιν πολλῷ
πλείονα ἀρκέσαι χρόνον. Καὶ τί θαυμαστὸν εἰ τῶν τοίχων

116, 10 τε > F UXO d ‖ 13 ἐπὶ : ὑπὸ F UXO dm ‖ 21 ὑπὸ : ἀπὸ F
UO dm ‖ 22 σωφρονίζοντες ὦσιν F^ac ‖ 25 ἐπιγινομένων F^pc UX
117, 2 καταληφθείσης B ‖ 6 τοίχων : τοιούτων B   κιόνων m

---

116. a. cf. I Sam. 5, 1-2

---

1. Dans l'*Homélie sur les statues* (XIX, 2), Jean Chrysostome explique
à nouveau que, en détruisant un lieu, la Providence divine veut faire un
exemple pour détourner du même péché.

introduite dans le temple, la statue tomba et elle gisait la face contre terre. Mais comme, malgré cette chute, les ennemis n'avaient pas compris la force de la puissance de Dieu et qu'ils avaient redressé la statue pour la remettre sur son socle, le lendemain à l'aube lorsqu'ils revinrent, ils la virent non plus seulement à terre mais en morceaux épars : les bras, arrachés aux épaules, avaient été lancés sur le seuil du temple avec les pieds, et le reste de la statue était disséminé en fragments d'un autre côté[a]. Et Sodome aussi – pour autant qu'on peut comparer une petite chose et une grande –, voici le motif pour lequel cette terre avec ses habitants périt dans les flammes et devint stérile : afin que non seulement les contemporains, mais aussi tous leurs successeurs apprennent de ces lieux la sagesse[1]. Car si le châtiment s'était limité aux hommes, on aurait même pu douter par la suite de ce qui s'était passé. C'est pourquoi le site est frappé, le site dont la durée est comparable à celle du temps[2], et il rappelle à chacune des générations suivantes que, d'après la Loi, ceux qui commettent de pareils actes doivent endurer un pareil sort, même s'ils ne subissent pas aussitôt la punition ; c'est ce qui arriva également pour ce temple.

117. Voici, en effet, vingt ans depuis lors, et rien n'a disparu de la partie du bâtiment épargnée par le feu, mais ce qui avait échappé au feu est resté debout, fermement et solidement, assez robuste pour durer cent ans, deux fois plus et bien plus longtemps encore[3]. Et faut-il s'étonner

---

2. Cf. JEAN CHRYS., *Hom. sur les Actes des apôtres*, XLI, 2 : «La destruction de Sodome n'a-t-elle pas été définitive?»

3. D'après PHILOSTORGE (*H. E.*, VII, 8), des restes du temple subsistaient de son temps (1re moitié du Ve s.). Les archéologues modernes n'en ont retrouvé aucune trace : cf. J. LASSUS, *Sanctuaires chrétiens de Syrie*, Paris 1947, p. 267.

οὐδεὶς ἀποσχισθεὶς θατέρου κατηνέχθη πρὸς τοὔδαφος; Τῶν
γὰρ κιόνων τῶν περὶ τὸν ὀπισθόδομον εἷς τότε μόνον
διακλασθεὶς οὐδὲ οὗτος κατέπεσεν ἀλλὰ διαλυθεὶς ἀπὸ τῆς
10 οἰκείας ἕδρας καὶ πρὸς τὸν τοῖχον ἀναπεσὼν οὕτως ἔμεινε.
Καὶ αὐτοῦ τὸ μὲν ἀπὸ τῆς κρηπῖδος ἐπὶ τὴν τομὴν πλάγιον
πρὸς τὸν τοῖχον ἐρήρεισται, τὸ δὲ ἀπὸ τῆς τομῆς ἐπὶ τὴν
κεφαλίδα ἕστηκεν ὕπτιον ὑπὸ τοῦ κατωτέρου βασταζόμενον
μέρους. Καίτοι καὶ ἀνέμων σφοδρῶς τῷ τόπῳ προσπε-
15 σόντων πολλάκις καὶ σεισμῶν γενομένων καὶ τῆς γῆς
τιναχθείσης οὐδ' ἐτινάχθη τὰ λείψανα τῆς φλογὸς ἀλλ'
ἕστηκε βεβαίως μονονουχὶ βοῶντα ὅτι διὰ τὸν τῶν ἐσο-
μένων τετήρηνται σωφρονισμόν.

XXII   118. Καὶ τοῦ μὲν μὴ πάντα ἁλῶναι τῷ πυρὶ τὸν νεὼν
ταύτην ἂν εἴποι τις εἶναι πρόφασιν · τοῦ δὲ μὴ ἐλθεῖν ἐπὶ
τὸν βασιλέα τὸν σκηπτὸν καὶ ἑτέραν εὕροι τις ἂν αἰτίαν
ζητῶν ἀπὸ τῆς αὐτῆς ὁρμωμένην πηγῆς, τῆς χρηστότητος
5 λέγω καὶ φιλανθρωπίας τοῦ Χριστοῦ. Διὰ γὰρ τοῦτο τῆς
μὲν τοῦ βασιλέως κεφαλῆς ἀνέσχε τὸ πῦρ ἔρριψε δὲ αὐτὸ
κατὰ τῆς ὀροφῆς ἵνα ἐν ταῖς ἑτέρων συμφοραῖς παιδευθεὶς
ἐκφύγῃ τὴν ἀποκειμένην αὐτῷ κόλασιν μεταβαλὼν καὶ τῆς
πλάνης ἀπαλλαγείς. Οὐδὲ γὰρ τοῦτο μόνον οὐδὲ πρῶτον
10 αὐτῷ τῆς οἰκείας δυνάμεως σημεῖον ἔδωκεν ὁ Χριστὸς
ἀλλὰ καὶ ἕτερα πρὸς τούτοις πολλὰ τούτου οὐχ ἥττονα. Ὅ
τε γὰρ θεῖος ὅ τε ταμίας οὕτως ἄμφω καταλύσαντες τὸν

117, 7 ἀποσχισθεὶς : ἀποσπασθεὶς O ‖ 8 μόνος F UXM ‖ 16 οὐδ' : οὐκ
F UXO d
118, 2 ταῦτα F ‖ 5 φιλανθρωπίας : pr. τῆς F ‖ 6 κεφαλῆς + τέως F d
‖ 11 τούτου : τούτων UXO ‖ 12 θεῖος + αὐτοῦ F UXO dm

1. Il y eut des tremblements de terre la dernière année du régne de
Julien : pour ÉPHREM, Hymne IV, 18-23 (contre Julien), Dieu voulait
proclamer la vérité, alors que, pour LIBANIUS (Discours, XVIII, 292), la

qu'aucun des murs n'ait été séparé de l'autre et jeté sur le sol? Parmi les colonnes de l'opisthodome, en effet, une seule a été brisée alors et même celle-là n'est pas tombée; détachée de son socle, elle est tombée contre le mur et elle est restée ainsi. Le fragment entre la base et la brisure est appuyé obliquement contre le mur et celui qui allait de la brisure au chapiteau tient, couché, soutenu par la partie inférieure. Et pourtant des vents violents se sont souvent abattus sur le lieu, des tremblements de terre se sont produits, le sol a été ébranlé[1], mais les parties laissées intactes par la flamme n'ont même pas été ébranlées, elles se tiennent, solidement, criant presque qu'elles ont été conservées pour donner une leçon à la postérité.

b) Dieu épargna Julien

118. Si le temple ne fut pas tout entier la proie du feu, on pourrait dire que tel en fut le motif, et si la foudre n'a pas frappé l'empereur, on pourrait aussi, à l'examen, en trouver une autre raison émanant de la même source, je veux dire de la bonté et de l'amour du Christ pour les hommes. Voici pourquoi il a détourné le feu de la tête de l'empereur et l'a lancé sur le toit : afin que, instruit par les malheurs d'autrui, il échappe au châtiment qui lui était réservé en changeant de sentiment et en se délivrant de l'erreur. Car ce ne fut ni le seul signe[2] ni le premier que le Christ lui donna de sa propre puissance, mais il lui en (fit voir) aussi beaucoup d'autres, non inférieurs à celui-là : son oncle et son intendant, qui tous deux finirent leur vie

terre honorait les souffrances de Julien en rasant des ville entières. Il y eut un autre tremblement de terre en 365 : cf. DOWNEY, *History*, p. 400.

2. Cf. *Hom. sur Jn*, XXXV, 2 («Car les signes n'ont pas lieu pour les croyants, mais pour les incrédules et les charnels»); *Traité sur la Pentecôte*, 1, 2.

βίον καὶ λιμὸς εἰς τὴν πόλιν εὐθέως ἐμπεσὼν μετ᾽ αὐτοῦ
καὶ ἡ τῶν ὑδάτων σπάνις οὐδέποτε συμβᾶσα πρότερον ἀλλ᾽
15 ἢ μετὰ τὰς ἐπὶ τῶν πηγῶν γενομένας θυσίας ὑπ᾽ αὐτοῦ καὶ
πολλὰ πρὸς τούτοις ἕτερα, τά τε ἐν τῷ στρατοπέδῳ τά τε
ἐν ταῖς πόλεσι συμβαίνοντα, καὶ λιθίνην ἱκανὰ κάμψαι
ψυχὴν οὐ τῷ πλήθει μόνον οὐδὲ τῷ πάντα ὁμοῦ γίνεσθαι
καὶ ἐφεξῆς καὶ κατὰ πόδας τῶν τολμημάτων ὡς ἐπὶ τοῦ
20 βασιλέως τῶν Αἰγυπτίων ποτέ[a] ἀλλὰ τῷ καὶ καθ᾽ ἑαυτὰ
τοιαῦτα εἶναι τὰ δεικνύμενα τέρατα ὡς μὴ δεῖσθαι ἕτερον
ἑτέρου πρὸς τὴν τῶν ὁρώντων ἐπιστροφὴν ἀλλ᾽ ἀρκεῖν
ἕκαστον αὐτῶν καὶ καθ᾽ ἑαυτὸ τοῦτο ἐργάσασθαι.

119. Ἵνα γὰρ τὰ ἄλλα παραλίπω · οὐκ ἂν ἐξέπληξεν τὸν
μὴ σφόδρα ἀναίσθητον τὸ περὶ τὰ θεμέλια τοῦ παλαιοῦ τῶν
Ἱεροσολύμων ναοῦ σημεῖον ἐπιδειχθέν; Τί δὲ τοῦτο ἦν;
Ὁρῶν ὁ τύραννος εἰς τὴν ἀρχὴν ἅπασαν τὴν ὑπ᾽ αὐτῷ
568 5 κειμένην τοῦ | Χριστοῦ τὴν πίστιν ἐκκεχυμένην ἤδη δὲ καὶ
τῆς Περσῶν ἁψαμένην καὶ βαρβάρων ἑτέρων μετ᾽ ἐκείνους
καὶ πάλιν ἐνδοτέρω τούτων προελθοῦσαν καὶ πᾶσαν ὡς
εἰπεῖν τὴν ὑφ᾽ ἡλίῳ κατέχουσαν ἐδάκνετο μὲν καὶ ἤλγει καὶ
πρὸς τὸν τῶν ἐκκλησιῶν παρεσκευάζετο πόλεμον, ἠγνόει δὲ
10 πρὸς κέντρα λακτίζων[a] ὁ δείλαιος. Καὶ πρῶτον μὲν τὸν ἐν

118, 19 καὶ[2] > F UXO ‖ 20 τῷ καὶ : καὶ τὸ P F^ac   καὶ τῷ F^pc UO
119, 1 παραλίπω + τίνα F^pc UXO dm ‖ τὸν : τῶν UXO d ‖
2 ἀναισθήτων F^pc UXO dm ‖ 6 τῆς : τῶν O ‖ 8 ἥλιον F^pc UXO

---

118. a. cf. Ex. 7, 3-4
119. a. cf. Act. 26, 14

---

1. Jean Chrysostome reprend le raisonnement du § 92, où il avait
commencé à énumérer les signes qui auraient dû faire réfléchir Julien.
cf. § 92 et p. 216, n. 3 ; p. 218, n. 1.
2. Julien trouva à son arrivée à Antioche une situation économique
difficile. A propos de la famine et de la sécheresse qui sévirent alors, voir
JEAN CHRYS., Panég. de S. Paul, IV, 6 et les notes d'A. Piédagnel à son

comme on sait[1], la famine qui fondit soudain sur la ville à son arrivée, la pénurie d'eau qu'on n'avait jamais vue auparavant et qui se produisit à la suite des sacrifices qu'il offrit aux sources[2]; et encore beaucoup d'événements qui arrivèrent soit à l'armée, soit dans les villes[3], et qui auraient été capables de fléchir même une âme de pierre non seulement par leur nombre et parce qu'ils se produisaient en même temps, sans interruption et sur les talons de ses actes d'audace – comme jadis au temps du roi d'Égypte[a] –, mais aussi parce que les prodiges manifestés étaient par eux-mêmes d'une nature telle qu'ils n'avaient pas besoin l'un de l'autre pour convertir les spectateurs, mais que chacun d'eux suffisait par lui-même à produire cet effet.

119. Pour laisser le reste de côté, n'aurait-il pas frappé quiconque n'était pas totalement insensible, le signe qui eut pour théâtre les fondements de l'ancien temple de Jérusalem[4]? Quel fut ce signe? Quand le tyran vit que la foi au Christ s'était répandue dans tout l'empire placé sous son autorité, qu'elle avait déjà touché celui des Perses et d'autres Barbares après ceux-ci, qu'elle avait encore pénétré plus profondément au-delà et dominait, pour ainsi dire, toute la terre sous le soleil, déchiré, torturé, il se préparait à la guerre contre les Églises; mais il ignorait le malheureux, qu'il regimbait contre l'aiguillon[a]. Tout

édition (*SC* 300, 1982, p. 194-195, n. 1-3). – Voir *Hom. sur Babylas*, 4.
  3. L'armée : cf. § 121. Les villes : cf. *Hom. sur Babylas*, 4.
  4. GRÉGOIRE DE NAZIANZE (*Discours*, V, 3-4) fait le récit de ce même éposode de la vie de Julien (voir les témoignages réunis par J. BERNARDI, n. 3 *ad loc.*, dans *SC* 309, 1983, p. 209, auquel il faut ajouter celui d'ÉPHREM, *Hymne* IV, 18-23 [*contre Julien*]). Pour une étude objective, voir M. ADLER, «The emperor Julian and the Jews», *The Jewish Quarterly Review* V, 1893, 2ᵉ partie, p. 615-681, et G.W. BOWERSOCK, *Julian the Apostate*, Londres 1978, p. 68-90 et 120-122.

Ἱεροσολύμοις ναὸν ὃν εἰς ἔδαφος ἡ τοῦ Χριστοῦ κατήνεγκε
δύναμις ἀνορθοῦν ἐπειρᾶτο καὶ τὰ τῶν Ἰουδαίων ὁ Ἕλλην
ἐθεράπευεν ἀπόπειραν διὰ τούτου τῆς τοῦ Χριστοῦ δυνάμεως βουλόμενος λαβεῖν. Καὶ καλέσας Ἰουδαίων τινὰς καὶ
15 θύειν κελεύσας — καὶ γὰρ τοὺς προγόνους τοὺς ἐκείνων
τοῦτον τῆς θρησκείας θρησκεύειν τὸν τρόπον ἔλεγεν·
ἐπειδὴ εἰς ταύτην ἐκεῖνοι κατέφυγον τὴν ἀναχώρησιν ὡς οὐ
θέμις αὐτοῖς τοῦ ναοῦ πεπτωκότος ἔξω τῆς παλαιᾶς
μητροπόλεως τοῦτο ποιεῖν, κελεύει χρήματα ἀπὸ τῶν
20 ταμείων λαβόντας τῶν βασιλικῶν καὶ τὰ ἄλλα ἅπαντα ἃ
πρὸς τὴν οἰκοδομὴν παρέχειν ἐχρῆν ἀπιέναι καὶ ἀνορθοῦν
τὸν ναὸν καὶ ἐπὶ τὴν παλαιὰν ἐπανιέναι συνήθειαν τῶν
θυσιῶν. Οἱ δὲ ἀνόητοι πλανώμενοι ἐκ κοιλίας καὶ παιδευό-
μενοι ἕως γήρους[b] ἀπήεσαν ὡς συμπράξοντες τῷ βασιλεῖ·
25 καὶ αὐτῷ τε ὁμοῦ τὸν χοῦν ἤρξαντο κενοῦν καὶ πῦρ τῶν
θεμελίων ἐκπηδῆσαν ἀθρόον ἅπαντας αὐτοὺς κατανάλωσεν.
Ὡς δὲ ἀπηγγέλθη ταῦτα τῷ βασιλεῖ οὔτε περαιτέρω τὴν
τόλμαν προάγειν ἐπεχείρει λοιπόν — κατείχετο γὰρ τῷ
δέει — οὔτε τῆς πλάνης τῶν δαιμόνων ἤθελεν ἀπαλλάτ-
30 τεσθαι καθάπαξ τυραννηθεὶς ὑπ᾽ αὐτῶν.

120. Ἀλλὰ τέως μὲν ἡσυχίαν ἦγε· χρόνου δὲ
παρελθόντος μικροῦ τῆς αὐτῆς εἴχετο ματαιοπονίας τὸν μὲν
νεὼν οὐκέτι τολμῶν οἰκοδομεῖν ἑτέρωθεν δὲ ἀκροβολιζό-
μενος πρὸς ἡμᾶς. Εἰς πόλεμον γὰρ καθεῖναι φανερὸν
5 ἀνεβάλετο τέως ἑνὸς μὲν καὶ μάλιστα πρώτου τοῦ

119, 17 τὴν > m ‖ ἀναχώρησιν BF[ac] dm : ὑποχώρησιν in ras. P
ἀπολογίαν F[pc] UXO ‖ 20 πάντα UXO ‖ 21 τὴν > O ‖ 24 γήρως F
UXO dm ‖ 25 αὐτῷ B : αὐτό F[ac] αὐτόν F[pc] UX d ὡς αὐτόν O m ‖ τὸν
χοῦν ὁμοῦ ~ X ‖ καὶ[2] > F UO (suppl. X[sl?]) ‖ 26 κατηνάλωσεν O ‖
27-28 προάγειν τὴν τόλμαν ~ X ‖ 30 καθάπερ O
120, 4 φανερῶς F UXO ‖ 5 ἀνεβάλλετο F O dm

---

119. b. cf. Is. 46, 3-4

d'abord il tenta de reconstruire le temple de Jérusalem que la puissance du Christ avait rasé jusqu'au sol et lui, le Grec, il courtisait les Juifs, voulant ainsi mettre à l'épreuve la puissance du Christ[1]. Il fit venir quelques Juifs, leur ordonna de sacrifier – il disait que leurs ancêtres avaient pratiqué ce genre de cérémonies ; comme ceux-ci s'étaient retranchés derrière le prétexte qu'ils n'avaient pas le droit de le faire, après la chute du Temple, en dehors de leur ancienne capitale[2], il ordonna de prendre dans les trésors royaux de l'argent et toutes les autres fournitures nécessaires à la construction, d'aller relever le Temple et de revenir à l'ancienne coutume des sacrifices. Ces insensés, fourvoyés dès le sein et restés écoliers jusqu'à leur vieillesse[b], s'en allèrent prêter leur concours à l'empereur. Alors, à peine eurent-ils commencé pour lui à déblayer la terre qu'un feu, jailli des fondations, les fit périr tous ensemble. A la nouvelle de ces événements, l'empereur n'essaya pas de pousser plus loin son audace – car il était retenu par la crainte ; et il ne voulut pas non plus se libérer de l'erreur des démons une fois qu'il avait été asservi par eux.

120. Pour le moment, néanmoins, il se tenait tranquille. Mais peu après il reprenait son projet insensé ; n'osant plus reconstruire le Temple, c'est d'un autre côté qu'il lançait ses traits contre nous. Il avait jusque là hésité à s'engager dans une guerre ouverte[3] : d'abord et avant tout parce

---

1. D'après Jean Chrysostome (*Sur la divinité du Christ*, 16, et *Contre les Juifs*, V, 11), Julien prétendait manifester ainsi la fausseté de la prédiction du Christ.

2. JEAN CHRYS., *Contre les Juifs*, V, 11 cf. IV, 6.

3. Julien ne promulgua aucun édit de persécution, mais il permit d'accabler les chrétiens de toutes sortes de tracasseries et de restrictions juridiques : GRÉGOIRE DE NAZ., *Discours*, IV, 93-94 ; JEAN CHRYS., *Panég. des S. Juventin et Maximin*, 1. Voir ci-dessous, § 121 et p. 264, n. 1.

πεπεῖσθαι σαφῶς ἀδυνάτοις ἐπιχειρῶν, δευτέρου δὲ τοῦ
μηδεμίαν ἡμῖν ἀφορμὴν παρασχεῖν μαρτυρίου στέφανον
ἀναδήσασθαι. Καὶ γὰρ ἀφόρητον ἦν αὐτῷ καὶ πάσης
συμφορᾶς χεῖρον τὸ παραχθέντα τινὰ εἰς μέσον μέχρι
10 τελευτῆς ἐγκαρτερῆσαι ταῖς ὑπὲρ τῆς ἀληθείας βασάνοις ·
οὕτως ἐκ ψυχῆς τὴν πρὸς ἡμᾶς ἀπέχθειαν ἐπεδείκνυτο.
Κακοῦργος δὲ ὢν καὶ δεινὸς τοὺς ὑπὸ τῶν ἀρχόντων τῆς
ἐκκλησίας κεκολασμένους δι' ἁμαρτίας τινὰς καὶ τῆς ἀρχῆς
ἐκβεβλημένους πάντας πάντοθεν ἤφιεν, τούτῳ τῷ τρόπῳ
15 τοῖς τε πονηροτάτοις ἐξουσίαν διδοὺς καὶ τοὺς τῆς ἐκκλησίας ἀνατρέπων θεσμοὺς καὶ πρὸς ἀλλήλους συγκρούων
ἅπαντας · εὐχειρώτους γὰρ λοιπὸν ἔσεσθαι πρότερον ὑπὸ
τοῦ πρὸς ἀλλήλους καταναλωθέντας πολέμου. Καί τινα καὶ
τῆς τοῦ δόγματος ἕνεκεν διαστροφῆς καὶ τῆς τοῦ βίου
20 μοχθηρίας τῆς ἀρχῆς τῆς ἐκκλησιαστικῆς ἐκβεβλημένον
– Στέφανος ὄνομα ἦν αὐτῷ – κελεύει πάλιν τὸν διδασκα-
λικὸν θρόνον ἀναλαβεῖν. Καὶ τὸ Κυριακὸν δὲ ὄνομα τέως
σβεσθῆναι τό γε εἰς αὐτὸν ἧκον ἐσπούδαζε Γαλιλαίους ἀντὶ
Χριστιανῶν αὐτός τε ἐν τοῖς διατάγμασι καλῶν καὶ τοὺς
25 ἄρχοντας τοῦτο προτρέπων ποιεῖν.

121. Μεταξὺ δὲ τῶν σημείων τούτων ὧν εἶπον γενομένων τῶν κατὰ τὸν λιμὸν καὶ τὸν αὐχμὸν ἔμενεν ἐπὶ τῆς

120, 6 ἐπιχειρεῖν F UXO dm ‖ 7 ἡμῖν > F ‖ 11 ἐπεδείκνυτο (ἀπε-
δείκνυτο B ἐπεδείξατο O) + ᾔδει γάρ, ᾔδει σαφῶς ὅτι τοῦτο τολμήσαντος
αὐτοῦ (αὐτοῦ > B²), πάντες ἂν ὑπὲρ τοῦ (τοῦ > O) χριστοῦ τὰς ἑαυτῶν
προύδωκαν ψυχάς B² ᵐᵍ F UXO ‖ 14 ἤφίει F UO dm ‖ 15 πονηροτέροις O
‖ 17 λοιπόν : pr. αὐτῷ Fᵖᶜ UXO ‖ πρότερον + προσεδόκησεν Bᵐᵍ P m ‖
21 ἦν ὄνομα ~ C Fᵖᶜ X d
121, 1 τούτων τῶν σημείων ~ O

---

1. Julien n'a pas voulu faire de martyrs : LIBANIUS, Discours, XVIII,
122-125 ; GRÉGOIRE DE NAZ., Discours, IV, 58.84 ; JEAN CHRYS., Panég.
des S. Juventin et Maximin, 1.
2. Selon SOZOMÈNE (H. E., V, 5, 6-10), il rappela tous les évêques
exilés sous Constantin afin de susciter des dissensions dans l'Église;

qu'il était clairement convaincu d'entreprendre l'impossible ; ensuite, pour ne nous fournir aucune occasion de ceindre la couronne du martyre[1]. Il lui était, en effet, intolérable et pire que tout malheur qu'un homme traduit en justice endurât jusqu'à la mort les tortures pour la vérité : telle était la haine que du fond de son âme il manifestait envers nous. En être malfaisant et habile qu'il était, ceux que les chefs de l'Église avaient châtiés à cause de quelques fautes[2] et chassés de leur charge, il les relâchait tous en quelque lieu que ce fût. De cette façon il conférait de l'autorité aux plus pervers, renversait les lois de l'Église et dressait tous les chrétiens les uns contre les autres : il serait ensuite facile de les soumettre, s'ils étaient d'abord épuisés par la guerre civile. A un homme chassé de sa charge ecclésiastique pour la déviation de sa doctrine et la dépravation de ses mœurs – son nom était Étienne[3] – il ordonne de reprendre la chaire de docteur. Le nom du Seigneur, il s'employait en même temps à le faire disparaître dans la mesure de son pouvoir, nous appelant dans ses édits Galiléens, au lieu de chrétiens, et engageant les magistrats à faire de même[4].

121. Pendant que se produisaient tous les signes dont j'ai parlé relatifs à la famine et à la sécheresse, il persistait

---

cf. *Chronique pascale*, 285ᵉ olympiade (*PG* 92, 741 BC) suivie par Ammien Marcellin. Dans ses *Lettres* 110, 111 et 112, JULIEN parle du retour et de l'expulsion d'Athanase et laisse entrevoir les motifs qui le guident.

3. Étienne, évêque arien d'Antioche, avait été déposé en 344 à cause de ses intrigues contre Euphratas et Vincent : THÉODORET, *H. E.*, II, 9 ; cf. DOWNEY, *History*, p. 360.

4. Cf. THÉODORET, *H. E.*, III, 21, 5-7 ; SOCRATE, *H. E.*, III, 12. Julien affichait-il à l'égard des Galiléens le même mépris que les Juifs (cf. *Jn* 7, 41.52) ou y avait-il dans son refus de nommer le Christ un facteur psychologique, une crainte superstitieuse ? Selon GRÉGOIRE DE NAZIANZE (*Discours*, IV, 75), il craignait comme les démons la puissance de ce nom, et pour cela, il le remplaça par un autre nom.

αὐτῆς ἀναιδείας ἔτι καὶ σκληρότητος. Καὶ μέλλων ἐπιστρα-
τεύειν τῷ Πέρσῃ καὶ μετὰ τοσούτου τύφου κατιὼν ὡς
5 ἅπαν τὸ τῶν βαρβάρων ἀναρπασόμενος ἔθνος ἠπείλει
569 μυρίας ἡμῖν ἀπειλὰς | λέγων μετὰ τὴν ἐκεῖθεν ἐπάνοδον
πάντας ἄρδην ἀπολεῖν · πόλεμον γὰρ αὐτῷ τοῦτον εἶναι τοῦ
Περσικοῦ χαλεπώτερον καὶ δεῖν πρότερον κατορθώσαντα
ἐκεῖνον τὸν ἐλάττω τότε ἐπὶ τὸν μείζονα τοῦτον ἐλθεῖν. Καὶ
10 ταῦτα ἡμῖν οἱ τῆς γνώμης αὐτῷ κοινωνοῦντες ἀπήγγελλον.
Ζέων δὲ τῷ καθ' ἡμῶν θυμῷ καὶ καθ' ἑκάστην ἡμέραν
πρὸς μείζονα μανίαν αἱρόμενος οὐδέποτε ἐπὶ τῆς αὐτῆς
ἵστατο γνώμης ἀλλὰ τὴν προτέραν βουλὴν ἀναθέμενος
πάλιν ἠπείλει τὸν διωγμὸν ἡμῖν. Βουλόμενος δὲ αὐτὸν ὁ
15 Θεὸς ἀνακρούσασθαι καὶ καταστεῖλαι φλεγμαίνοντα ἐπή-
γαγε πάλιν τουτὶ τὸ σημεῖον ἐν τῇ Δάφνῃ τὸ πῦρ ἐπὶ τὸν
XXIII νεὼν ἀφείς. | Ὁ δὲ οὐδὲ οὕτω καθυφῆκε τοῦ θυμοῦ ἀλλὰ τῇ
τῆς ἡμετέρας λεηλασίας ἐπιθυμίᾳ διαρρηγνύμενος οὐδὲ τὸν
καιρὸν ὃν ἠπείλησεν ἔμεινεν, ἀλλὰ τὸν Εὐφράτην διαβαίνειν
20 μέλλων ἀπόπειραν ἐποιεῖτο τῶν στρατιωτῶν καί τινας

121, 3 ἔτι : τε UX   > O ‖ 6 ἐκεῖθεν + ἡμῖν UXO ‖ 7 εἶναι + ἐδόκει
F UXO m ‖ 8 δεῖν : δὴ UX   in ras. O ‖ πρότερον : πρῶτον UX   πρῶτα
O ‖ 9 ἐκεῖνον : ἐκεῖθεν UX ‖ 11 ἡμᾶς F U^{ac}X ‖ 13 ἀποθέμενος F O dm ‖
14-15 ὁ Θεὸς αὐτὸν ~ O ‖ 17 τῇ > F^{pc} V ‖ 18 ἐπιθυμίᾳ > X ‖ 19 ἔμενεν
m

---

1. D'après GRÉGOIRE DE NAZIANZE (Discours, IV, 96), Julien avait
l'intention de priver les chrétiens de leurs droits civils et il aurait même
envisagé de faire tuer Basile et Grégoire (Discours, V, 39). ÉPHREM
affirme (Hymne III, 14 [contre Julien]) qu'avant son départ pour la Perse
Julien avait mis par écrit ses projets hostiles contre l'Église. SOZOMÈNE
nous a conservé (H. E., VI, 2, 3-5) une anecdote au sujet de la
persécution projetée et de la crainte qu'elle suscitait.

2. Voir GRÉGOIRE DE NAZ. (Discours, IV, 74) : «Deux questions le
préoccupaient : les Galiléens, comme il les appelait en manière d'insulte,
et les Perses, dont les armes lui opposaient une forte résistance. Mais ce
qui nous concernait lui semblait tellement plus important et lui tenait

encore dans la même impudence et le même endurcissement. Au moment d'entreprendre sa campagne contre les
Perses, et quand il marchait conte eux avec un orgueil aussi
grand que s'il allait exterminer le peuple des barbares tout
entier, il proférait contre nous d'innombrables menaces,
disant qu'à son retour de là-bas il nous détruirait tous
jusqu'au dernier[1] : c'était pour lui, disait-il, une guerre
plus difficile que la guerre perse et il lui fallait d'abord
mener à bien celle-ci, la moindre, pour en venir ensuite à
celle-là, la plus importante[2]. Voilà ce que nous rappor-
taient ceux qui étaient associés à son dessein. Bouillant de
colère contre nous et saisi de jour en jour d'une plus grand
folie, il ne s'en tenait jamais au même dessein mais il
renonçait à son premier projet et nous menaçait à nouveau
de persécution. C'est parce qu'il voulait le retenir et calmer
sa fièvre que Dieu produisit ce nouveau signe en lançant à
Daphné le feu contre le temple. Mais il ne relâcha pas pour
autant sa colère; au contraire, éclatant du désir de nous
piller, sans même attendre le temps dont il nous avait
menacés, au moment de passer l'Euphrate[3] il mit ses
soldats à l'épreuve. Il en corrompit un faible nombre par la

tellement plus à cœur, que la guerre contre les Perses ne lui paraissait
qu'une simple plaisanterie» (trad. J. Bernardi).

3. D'après Lenain de Tillemont (cité par J. Bidez), c'est à ces
événements que ferait allusion la *Lettre* 98 de JULIEN, écrite de
Hiérapolis en mars 363 : «Puis j'ai jugé un procès militaire, je me plais à
le croire, avec autant de douceur que d'équité» (trad. J. Bidez). Julien
avait fait auparavant plusieurs tentatives – particulièrement couronnées
de succès – pour convertir l'armée au paganisme (GRÉGOIRE DE NAZ.,
Discours, IV, 64-65 ; PHILOSTORGE, *Anhang* VII, 36, d'après la *Chronique
pascale*, année 363). LIBANIUS l'approuve d'avoir tenté de la corrompre
avec de l'or (*Discours*, XVIII, 168-169). Julien fit écarter le *labarum* des
étendards (GRÉGOIRE DE NAZ., *Discours*, IV, 66). Son oncle, le comte
d'Orient, fit exécuter deux porte-étendards qui s'y refusaient (DOWNEY,
History, p. 392). Julien faisait traîtreusement brûler de l'encens aux
soldats qui venaient toucher leur solde (GRÉGOIRE DE NAZ., *Discours*,
IV, 82-84; THÉODORET, *H. E.*, III, 16, 6-7.

εὐαριθμήτους κολακείᾳ διαφθείρας τοὺς ἀντιστάντας οὐ
παρέλυσε τῆς στρατείας δεδοικὼς μὴ διαστήσας αὐτοὺς
ἀσθενέστερον ἐργάσηται τῷ Πέρσῃ τὸν στρατόν.

122. Τίς ἡμῖν λοιπὸν τὰ ἐντεῦθεν διηγήσεται καὶ τῶν
κατὰ τὴν ἔρημον καὶ τῶν κατὰ τὴν θάλατταν καὶ τῶν
κατὰ τὴν Αἴγυπτον ὅτε ὁ ἀναίσθητος ἐκεῖνος ἐκολάζετο
Φαραὼ καὶ πάντες κατεποντίζοντο ὄντα πολλῷ φοβερώ-
5 τερα[a]; Καθάπερ γὰρ τότε ἐπεὶ μηδενὶ τῶν τοιούτων εἶξε
συμφορῶν καὶ γενέσθαι βελτίων ἠθέλησεν ὁ Αἰγύπτιος
τέλος αὐτὸν αὐτῷ τῷ στρατοπέδῳ κατέλυσεν· οὕτω καὶ
νῦν ἐπειδὴ πρὸς πάντα ἀναιδῶς ἔστη τοῦ Θεοῦ τὰ τέρατα
καὶ οὐδὲν ἀπ᾽ αὐτῶν κερδᾶναι ἠθέλησεν ἀλλ᾽ ἔμενεν
10 ἀδιόρθωτος, τοῖς ἐσχάτοις αὐτὸν λοιπὸν περιέβαλε κακοῖς,
ἵν᾽ ἐπειδὴ τοῖς ἑτέρων αὐτὸς σωφρονισθῆναι οὐκ ἠνέσχετο
τοῖς αὐτοῦ παθήμασι γένωνται βελτίους ἕτεροι. Ὁ γὰρ
τοσαύτας μυριάδας στρατιωτῶν καταγαγὼν ὅσας οὐδεὶς
τῶν βασιλευσάντων ποτὲ καὶ πᾶσαν τὴν Περσῶν ἐξ
15 ἐπιδρομῆς καὶ ἀπονητὶ προσδοκήσας ἑλεῖν οὕτως ἀθλίως
ἔπραξεν καὶ ἐλεεινῶς ὡς γυναικῶν μᾶλλον καὶ παιδίων
μικρῶν ἢ ἀνδρῶν στρατόπεδον ἔχων μεθ᾽ ἑαυτοῦ. Πρῶτον
μὲν γὰρ εἰς τοσαύτην αὐτοὺς ἀνάγκην ὑπὸ τῆς οἰκείας
ἀβουλίας κατέστησεν ὥστε ἱππείων ἀπογεύσασθαι κρεῶν
20 καὶ τοὺς μὲν τῷ λιμῷ τοὺς δὲ τῷ δίψει διαφθαρέντας
ἀποθανεῖν. Καθάπερ γὰρ τοῖς Πέρσαις στρατηγῶν καὶ οὐκ
ἐκείνους ἑλεῖν ἀλλὰ τοὺς οἰκείους αὐτοῖς προδοῦναι σπουδάζων οὕτως αὐτοὺς εἰς χωρία συνέκλεισεν ἄπορα καὶ
μόνον οὐχὶ δήσας παρέδωκεν.

121, 21 ἀντιστάτας X   ἀνιστάντας coni. m ‖ οὐ : οὔτε B P F[ac?] fortasse
recte ‖ 23 ἐργάσεται coni. d

122, 1 διηγήσαιτο X ‖ 5-6 τοσούτων ... συμβόλων coni. d ‖ 5 εἶξαι P F
X dm ‖ 7 αὐτῷ : σὺν αὐτῷ P dm   ἑαυτῷ F UX ‖ κατέδυσεν UXO dm ‖
8 ἅπαντα P F ‖ τεράστια F UXO dm ‖ 9 ἔμεινεν F UXO d ‖ 16 καὶ
ἐλεεινῶς ἔπραξεν ~ F UXO d ‖ 20 τῇ δίψῃ F UXO d ‖ 21 γὰρ + καὶ
UX ‖ 22 αὐτοῖς : αὐτὸς F[pc]

122. a. cf. Ex. 14, 27-28; 15, 4

flatterie, mais il n'exlut pas de l'expédition les récalcitrants, car il craignait que leur licenciement n'affaiblît l'armée face aux Perses.

122. Qui nous racontera maintenant les événements qui s'ensuivirent, bien plus effrayants que ceux du désert, ceux de la mer, ceux de l'Égypte, lorsque ce pharaon insensible était châtié et que tous étaient ensevelis dans la mer[a]? De même qu'alors c'est parce que l'Égyptien avait refusé de céder devant aucun des malheurs semblables et de devenir meilleur, que Dieu finalement l'extermina avec son armée, de même, aujourd'hui, c'est parce que le prince a résisté avec impudence à tous les prodiges de Dieu, qu'il a refusé d'en tirer profit et qu'il restait incorrigible, que Dieu l'a précipité dès lors dans les plus grands maux, afin que, puisqu'il n'avait pas supporté d'être ramené à la sagesse par les souffrances d'autrui, d'autres deviennent meilleurs grâce aux siennes. Car cet homme qui avait emmené plus de soldats que n'en avait jamais emmenés aucun de ceux qui avaient régné avant lui, et qui s'était attendu à prendre du premier coup et sans peine tout le pays des Perses, eut un sort aussi piètre et pitoyable que s'il avait avec lui une armée de femmes et de petits enfants et non une armée d'hommes. D'abord, son imprudence jeta son armée dans une nécessité si cruelle qu'ils goûtèrent à la chair des chevaux et qu'ils moururent épuisés, les uns de faim, les autres de soif. En effet, comme s'il dirigeait la guerre pour les Perses et comme s'il s'efforçait non de les capturer mais de leur livrer ses propres soldats, il enferma ceux-ci dans des endroits impraticables et les livra pour ainsi dire enchaînés[1].

---

1. Voir PHILOSTORGE, *H. E.*, VII, 15 et 15a.

123. Ἀλλὰ πάσας μὲν τὰς ἐκεῖ γενομένας συμφορὰς
οὔτε τῶν ἰδόντων τις καὶ πεῖραν εἰληφότων δυνήσεται
διελθεῖν· οὕτω πᾶσαν ἀπέκρυψεν ὑπερβολήν· ὡς δὲ ἐν
κεφαλαίῳ εἰπεῖν πεσόντος αὐτοῦ αἰσχρῶς καὶ ἐλεεινῶς – οἱ
5 μὲν γὰρ ὑπό τινος τῶν σκευοφόρων τοῖς παροῦσι δυσα-
νασχετοῦντος βληθέντα ἀποθανεῖν αὐτόν φασιν, οἱ δὲ οὐδὲ
εἰδέναι τὸν σφαγέα τὸν ἐκείνου λέγουσιν ἀλλ' ὅτι μόνον
ἐπλήγη καὶ παρεκάλεσεν εἰς τὴν Κιλίκων ταφῆναι γῆν ἔνθα
καὶ κεῖται νῦν –, πεσόντος δὴ οὖν οὕτως αἰσχρῶς ὁρῶντες
10 ἐν τοῖς ἐσχάτοις αὐτοὺς ὄντας οἱ στρατιῶται προσέπεσον
τοῖς ἐχθροῖς καὶ δόντες ὅρκους ἀποστήσεσθαι τοῦ πάντων
ἀσφαλεστάτου χωρίου καὶ ὃ τῆς καθ' ἡμᾶς οἰκουμένης
ὥσπερ τεῖχος ἦν ἀρραγές, φιλανθρώπων τε τυχόντες τῶν
βαρβάρων οὕτω διέφυγον καὶ ἐπανῆλθον ἐκ πολλῶν
570 15 ὀλίγοι καὶ αὐτοὶ πεπονηκότες τὰ σώματα, | αἰσχυνόμενοι μὲν
ἐφ' οἷς συνέθεντο ἀναγκαζόμενοι δὲ διὰ τοὺς ὅρκους
ἀποστῆναι τῶν πατρικῶν κτημάτων αὐτοῖς. Καὶ ἦν ἰδεῖν
πάσης αἰχμαλωσίας ἐλεεινότερον θέαμα. Οἱ γὰρ τὴν πόλιν
οἰκοῦντες ἐκείνην, παρ' ὧν χάριτας προσεδόκησαν λήψεσθαι
20 ὅτι δίκην προβόλου πάντας τοὺς ἔνδον ἐν λιμένι κατέστησαν
ἀντὶ πάντων πρὸς πάντας αὐτοὶ προβεβλημένοι τοὺς κινδύ-
νους ἀεί, παρὰ τούτων τὰ τῶν πολεμίων ἔπασχον εἰς
ἀλλοτρίαν μετανιστάμενοι γῆν καὶ οἰκίας ἀφέντες καὶ
ἀγροὺς καὶ πάντων τῶν κτημάτων ἀποσπώμενοι τῶν προ-

123, 4 αἰσχρῶς : ἰσχυρῶς F ‖ ἐλεεινῶς καὶ αἰσχρῶς ∼ O ‖ scholion in
margine ὥστε ἀληθὲς εἶναι δοκεῖ τὸ ἀδόμενον θεήλατον αὐτῷ τὴν πληγὴν
γενέσθαι F UXM ‖ 9 καὶ > O ‖ οὖν > O ‖ 10 τοῖς > m ‖ 12 χωρίου B :
φρουρίου F UXO dm ‖ 17 αὐτούς F UX ‖ 24 τῶν¹ > O ‖ ἀποσχόμενοι O

---

1. Les circonstances de la mort de Julien sont incertaines.
T. BÜTTNER-WOBSI a discuté les différentes relations qui nous en sont
parvenues dans son article «Der Tod des Kaisers Julian» (*Philologus* 51,
1891, p. 561-580). Sa préférence va au long récit d'Ammien Marcellin

123. Tous les malheurs qui survinrent là, personne parmi ceux qui les virent et en firent l'expérience, ne pourra les énumérer, tant cela a dépassé tout ce qu'on peut imaginer; en résumé, cependant, après qu'il fut tombé d'une manière honteuse et pitoyable[1] – les uns disent qu'il mourut frappé par un valet d'armée indigné de la situation, les autres déclarent ne pas connaître même son meurtrier, mais seulement qu'il fut frappé et qu'il demanda à être enterré dans la terre de Cilicie, là où il repose actuellement[2] –, donc, après qu'il fut tombé d'une manière aussi honteuse, les soldats, se voyant à toute extrémité, se jetèrent aux pieds des ennemis, jurant avec des serments qu'ils se retireraient de la région la plus sûre de toutes, qui était comme le rempart inexpugnable de notre empire; ils eurent affaire à des barbares humains et ils échappèrent ainsi; il n'en revint, de tant d'hommes, qu'une poignée, et encore, souffrant dans leurs corps, honteux du traité qu'ils avaient signé et obligés par leurs serments à céder aux ennemis les biens hérités de leurs pères. On pouvait voir un spectacle plus pitoyable que toute captivité. Les habitants de cette ville, par ceux-là même dont ils attendaient des remerciements pour avoir fait office de digue comme dans un port et avoir abrité ceux qui se trouvaient à l'intérieur, et pour s'être exposés sans cesse, à leur place à tous, à tous les dangers –, par ceux-là même étaient traités en ennemis : ils étaient transférés dans une terre étrangère, abandonnaient leurs maisons et leurs champs, se voyaient arracher tous les biens de leurs ancêtres, et ces malheurs, ils ne les devaient

qui le fait mourir d'une blessure reçue sur le champ de bataille.

2. Julien fut enseveli dans un faubourg de Tarse : AMMIEN MARCELLIN, XXIII, 2, 5 ; ZOSIME, III, 34, 4 ; cf. GRÉGOIRE DE NAZ., *Discours*, V, 18 : la ville de Tarse le reçoit, «condamnée, je ne sais comment ni pourquoi, à cet outrage».

25 γονικῶν καὶ ταῦτα ὑπὸ τῶν οἰκείων ὑπομείναντες. Τοιαῦτα
τοῦ γενναίου βασιλέως ἀπολελαύκαμεν.

124. Ταῦτα δὲ οὐχ ἁπλῶς εἴρηται ἀλλ᾽ ὥστε λῦσαι τὴν
ἀπορίαν τῶν ζητούντων, τί δήποτε μὴ τὸν βασιλέα ἐκόλασεν ὁ Θεός. Ἐβουλήθη μὲν γὰρ αὐτὸν λυττῶντα πολλάκις ἀναστεῖλαι τῆς εἰς τὸ πρόσω φορᾶς καὶ τοῖς ἑτέρων
5 διορθῶσαι κακοῖς · ἐπειδὴ δὲ ἀντέτεινε παρέδωκεν αὐτὸν
τοῖς ἐσχάτοις κακοῖς τὴν μὲν ἀληθῆ τῶν αὐτοῦ τολμημάτων ἀντίδοσιν κατὰ τὴν μεγάλην ταμιευόμενος ἡμέραν[a]
καὶ διὰ τῆς παρούσης δὲ κολάσεως τοὺς ὑπτιωτέρους
διανιστὰς καὶ σωφρονεστέρους ποιῶν. Τοιαύτη γὰρ ἡ τοῦ
10 Θεοῦ μακροθυμία · τοῖς οὐκ εἰς δέον χρωμένοις αὐτῇ
πικροτέραν ἐπάγει τὴν δίκην, καὶ καθάπερ τοῖς μετανοοῦσιν
ὠφέλιμος οὕτω καὶ τοῖς ἀνενδότοις καὶ σκληροῖς μειζόνων
γίνεται κολάσεων πρόφασις.

125. Εἰ δὲ λέγοι τις, τί οὖν οὐ προῄδει τὸν τύραννον
ἀδιόρθωτον ἐσόμενον ὁ Θεός, ἐροῦμεν ὅτι προῄδει μὲν ἀλλ᾽
οὐδέποτε παύεται διὰ τὴν πρόγνωσιν τῆς ἡμετέρας κακίας
τὰ αὐτοῦ ποιῶν. Ἀλλὰ κἂν ἡμεῖς μὴ δεχώμεθα τὴν
5 νουθεσίαν αὐτὸς τὴν φιλανθρωπίαν ἐπιδείκνυται τὴν αὐτοῦ.
Εἰ δὲ εἰς μείζονα ἑαυτοὺς ὠθοῦμεν κακὰ οὐκέτι τοῦτο
παρὰ τὸν οὐ διὰ τοῦτο μακροθυμήσαντα ἵνα ἀπολώμεθα
ἀλλ᾽ ἵνα σωθῶμεν[a], ἀλλὰ παρ᾽ ἡμᾶς τοὺς ἐξυβρίσαντας εἰς
τὴν ἄφατον ἀνεξικακίαν αὐτοῦ. Καὶ οὕτω δὲ τῆς φιλανθρω-
10 πίας τὸ ἄπειρον δείκνυται. Ὅταν γὰρ μὴ θελήσωμεν αὐτοὶ

124, 2 ἐκόλασεν : ἐξ ἀρχῆς ἐκολ. F^mg V   ἐκολ. ἐξ ἀρχῆς UXO m ‖
4 φορᾶς > XM ‖ 11 πικροτέραν : πικρ. πρὸς τὸ τέλος F UX dm   πρὸς τὸ
τέλος πικρ. O

125, 4 αὐτοῦ m : αὐτοῦ codd. d ‖ 5 αὐτοῦ B X d : αὐτοῦ F U   ἑαυτοῦ
O m ‖ 7 παρὰ τὸν : παρ᾽ αὐτὸν P F^ac dm

124. a. cf. Jér. 37, 7; Mal. 3, 22; Jude 6; Apoc. 6, 17
125. a. cf. II Pierre 3, 9.15; Jn 3, 17; I Tim. 2, 4

qu'à des frères[1]. Voilà les bienfaits que nous avons retirés de ce généreux empereur.

124. Cela n'a pas été dit pour rien, mais pour mettre fin à l'embarras de ceux qui cherchent pourquoi donc Dieu n'a pas châtié l'empereur[2]. Il a voulu bien souvent retenir sa rage de se porter plus loin et le corriger par les malheurs d'autrui, mais, comme il résistait, il l'a livré aux derniers maux : il réservait pour le grand Jour[a] la véritable rétribution de ses audaces, mais aussi par le châtiment immédiat il relevait ceux qui se laissaient aller et les rendait plus sages. Telle est la longue patience de Dieu : sur quiconque n'en use pas comme il faut elle amène à la fin une justice plus amère et, autant elle est utile à ceux qui se repentent, autant, pour les irréductibles et les obstinés, elle devient la cause de châtiments plus rigoureux.

c) La Providence **125.** Si l'on demande : "Eh quoi! Dieu ne savait-il pas d'avance que le tyran serait incorrigible?" Nous dirons qu'il le savait d'avance, mais que jamais, tout en prévoyant notre méchanceté, il ne cesse d'accomplir son œuvre. Même si nous n'acceptons pas la réprimande, lui manifeste sa bonté pour les hommes. Et si nous nous précipitons dans de plus grands maux, cela ne concerne plus celui qui a montré sa patience non pour notre perte mais pour notre salut[a]; cela nous concerne nous, qui avons insulté son ineffable longanimité. Ainsi se manifeste aussi sa bonté infinie pour les

---

1. Jean Chrysostome fait allusion à l'abandon aux Perses de la ville de Nisibe, un des éléments du traité conclu avec Sapor par Jovien, le successeur de Julien. Le récit détaillé se trouve chez AMMIEN MARCELLIN, XXV, 7, 9-14; 8, 13-14; 9. ÉPHREM voit dans le sort de Nisibe la preuve de la vérité du christianisme et de la fausseté du paganisme : *Hymne* II, 16-21 *(contre Julien).*
2. Voir ci-dessus, § 114 et 118.

τῆς πολλῆς αὐτοῦ μακροθυμίας ἀπώνασθαι τότε εἰς τὸ
ἑτέρων αὐτὴν τρέπει κέρδος πανταχοῦ τό τε φιλάνθρωπον
ὁμοῦ καὶ τὸ εὐμήχανον ἐπιδεικνύς · ὅπερ καὶ τότε γέγονε.

126. Καὶ ὁ μὲν τύραννος οὕτω τὸν βίον κατέλυσε · τῆς
δὲ μανίας αὐτοῦ καὶ τῆς δυνάμεως τοῦ μακαρίου Βαβύλα
ἕστηκεν ὑπομνήματα ὅ τε νεὼς καὶ τὸ μαρτύριον ὁ μὲν
ἔρημος ὤν, τὸ δὲ τὴν αὐτὴν ἔχον ἐνέργειαν ἥνπερ καὶ
5 πρότερον. Ἡ δὲ λάρναξ οὐκέτι πάλιν ἀνάγεται τοῦ Θεοῦ
καὶ τοῦτο οἰκονομήσαντος ἵνα τρανοτέρα τοῖς ἐπιγινομένοις
γένηται τῶν τοῦ ἁγίου κατορθωμάτων ἡ γνῶσις. Ἕκαστος
γὰρ τῶν ἐξ ἀλλοτρίας ἡκόντων ἐφιστάμενος τῷ τόπῳ καὶ
τὸν μάρτυρα ζητῶν εἶτα οὐχ ὁρῶν ἐκεῖ εὐθέως ἐπὶ τὸ
10 ζητῆσαι τὴν αἰτίαν ἔρχεται · καὶ οὕτω πᾶσαν τὴν ἱστορίαν
ἀκούσας ἄπεισι πλέον κερδάνας ἢ πρότερον. Οὕτω καὶ
παραγενόμενος τῇ Δάφνῃ καὶ πάλιν αὐτὴν ἐγκαταλιπὼν τὰ
μέγιστα ὀνίνησι.

125, 11 ἀπόνασθαι F^pc UXO dm ‖ 12 ἑτέρων : pr. ὑπὲρ F^pc UXO ‖
13 δεικνύς F
126, 3 νεὼς : ναὸς O ‖ 6 τρανω- XM ‖ 6-7 ἐπιγενομένοις γίνηται U
ἐπιγιν. γίνηται X ‖ 9 τὸ : τῷ XM

hommes : lorsque nous refusons de profiter de sa très longue patience, alors il la tourne au profit d'autrui, manifestant partout sa bonté pour les hommes en même temps que son habileté. C'est ce qui arriva aussi en cette circonstance.

126. Voilà comment le tyran acheva sa vie; mais, en souvenir de sa folie et de la puissance du bienheureux Babylas, des monuments restent debout : le temple et le martyrion, l'un vide, l'autre doué de la même force active qu'auparavant[1]. On n'y a pas de nouveau monté le cercueil, Dieu ayant pris aussi cette disposition afin que les passants aient une connaissance plus claire des hauts faits du saint. Car tout étranger qui arrive en ce lieu y cherche le martyr et, comme il ne le voit pas, il se met aussitôt à en chercher la cause; il apprend alors toute l'histoire et il s'en retourne avec plus de profit qu'auparavant. Ainsi, pour être venu à Daphné, puis pour l'avoir quitté, le martyr rend-il les plus grands services.

---

1. Le tombeau de Babylas, édifié à Daphné par Gallus : voir ci-dessus, § 67 et 69.

127. Τοιαύτη ἡ τῶν μαρτύρων ἰσχὺς καὶ ζώντων καὶ
τελευτώντων καὶ τόποις ἐφισταμένων καὶ πάλιν αὐτοὺς
καταλιμπανόντων. Καὶ γὰρ ἐξ ἀρχῆς μέχρι τέλους
συνῆπται τὰ κατορθώματα συνεχῆ. Ὅρα γάρ· ἥμυνε τοῖς
5 τοῦ Θεοῦ νόμοις ὑβριζομένοις, ἔλαβεν ὑπὲρ τοῦ τετελευτηκότος δίκην ἣν ἔδει, ἔδειξεν ὅσον ἱερωσύνης καὶ βασιλείας
571 τὸ μέσον, κατέλυσε πάντα τὸν τοῦ κόσμου | τῦφον καὶ
κατεπάτησε τοῦ βίου τὴν φαντασίαν, ἐπαίδευσε τοὺς βασιλεῖς μὴ πέρα τοῦ δοθέντος αὐτοῖς παρὰ τοῦ Θεοῦ μέτρου
10 τὴν ἐξουσίαν προάγειν, ἔδειξε τοῖς ἱερωμένοις πῶς ταύτης
προΐστασθαι τῆς ἀρχῆς δεῖ. Καὶ ταῦτα μὲν καὶ τούτων
πλείονα ἡνίκα ἦν ἐν σαρκί, ἐπειδὴ δὲ μετέστη καὶ ἀπεδή-
μησε κατέλυσε τοῦ δαίμονος τὴν ἰσχύν, διήλεγξε τὴν τῶν
Ἑλλήνων ἀπάτην, ἀπεκάλυψε τῆς μαντείας τὸν λῆρον,
572 15 συνέτριψε τὸ | προσωπεῖον αὐτῆς καὶ πᾶσαν αὐτῆς τὴν
ὑπόκρισιν γυμνώσας ἐπέδειξε τὸν ἐν αὐτῇ δοκοῦντα κρατεῖν
ἐπιστομίσας καὶ καταβαλὼν μετὰ πολλῆς τῆς σφοδρό-
τητος. Καὶ νῦν ἑστᾶσιν οἱ τοῖχοι τοῦ νεὼ πᾶσι κηρύττοντες
τοῦ δαίμονος τὴν αἰσχύνην, τὸν γέλωτα, τὴν ἀσθένειαν, τοῦ
20 μάρτυρος τοὺς στεφάνους, τὴν νίκην, τὴν δύναμιν. Τοσαύτη
ἡ τῶν ἁγίων ἰσχύς, οὕτως ἄμαχος καὶ φοβερὰ καὶ βασιλεῦσι καὶ δαίμοσι καὶ αὐτῷ τῷ τῶν δαιμόνων ἀρχηγῷ.

127, 3 ἐγκαταλιμπανόντων O ‖ 4 συνῆπτε XM ‖ 6 ἔδει > B ‖ 7 καὶ B
H m   > F UXO d ‖ 9 μέτρου > F ‖ 22 ἀρχηγῷ + τοῦ γὰρ κυρίου
ἡμῶν ἰησοῦ χριστοῦ μόνου ἡ βασιλεία καὶ ἡ ἰσχὺς καὶ αὐτῷ πρέπει δόξα
(δόξα > XM   ἡ δόξα O) σὺν τῷ ἀνάρχῳ πατρὶ καὶ τῷ συνανάρχῳ
πνεύματι · νῦν καὶ ἀεὶ καὶ εἰς τοὺς ἀτελευτήτους (ἀτελ. > O) αἰῶνας τῶν
αἰώνων · ἀμήν UXO

IV. CONCLUSION

127. Tel est le pouvoir des martyrs, pendant leur vie, après leur mort, quand ils arrivent dans des lieux et quand ils les laissent de nouveau; du début jusqu'à la fin les exploits de Babylas s'enchaînent sans interruption. Vois en effet : il a défendu les lois de Dieu outragées, vengé le mort comme il le fallait, montré l'écart entre le sacerdoce et la royauté, mis fin à tout l'orgueil du monde, foulé aux pieds l'illusion de la vie, appris aux empereurs à ne pas élever leur pouvoir au-delà de la mesure que Dieu leur a fixée, montré aux hommes consacrés comment ils doivent exercer leur charge : ces œuvres-là et bien d'autres encore lorsqu'il était dans la chair; mais quand il fut parti et eut quitté la terre, il a mis fin au pouvoir du démon, confondu la fourberie des Grecs, dévoilé la sottise de l'art de la divination, lui a brisé son masque, mis à nu et exposé au grand jour toute son hypocrisie, après avoir muselé et abattu avec une grande violence celui qui semblait être son maître. Maintenant les murs du temple sont debout, proclamant à tous la honte du démon, son ridicule et sa faiblesse, les couronnes du martyr, sa victoire et sa puissance. Tel est le pouvoir des saints, si invincible et redoutable pour les rois, les démons et le chef même des démons.

HOMÉLIE

SUR

BABYLAS

INTRODUCTION

I. L'ŒUVRE

La date   L'*Homélie sur Babylas* a été prononcée devant le peuple d'Antioche : « Je félicite votre cité, déclare Jean Chrysostome, d'avoir manifesté pour ce saint un grand zèle » (10, 1-2). Elle date par conséquent de la période de prédication[1], sans doute peu après l'ordination de Jean Chrysostome (386). Elle est postérieure au *Discours* puisqu'elle mentionne des faits intervenus depuis 379 : la construction du nouveau martyrion sur l'autre rive de l'Oronte, le transfert des cendres de Babylas dans ce martyrion, la mort de Mélétios dont le corps a été déposé aux côtés du martyr (été 381).

Dans l'œuvre de Jean Chrysostome, l'*Homélie* se situe entre le IIIe et le IVe *Sermon sur Lazare,* dont les dates sont inconnues : « Nous allons vous donner aujourd'hui la fin de la parabole de Lazare ; ... nous aurions dû nous acquitter de cette dette lors de notre dernière réunion, mais nous n'avons pas cru prudent de laisser passer les belles actions du bienheureux Babylas » (*Sermons sur Lazare,* IV, 1). Ces lignes font allusion à notre homélie qui justifie dans ses

---

1. Jean Chrysostome se jugeait un homme encore jeune (ὁ νέος ἐγώ), par opposition aux « vieillards » (οἱ γεγηρακότες), qu'intéressent les événements anciens (2, 8-10).

premières lignes l'interruption de l'éloge de Lazare par la
célébration de la fête de Babylas (1)[1]. L'homélie fut
prononcée sans doute un 24 janvier, fête du saint, très
vénéré à Antioche; on a proposé le 24 janvier 388 et le
24 janvier 393, mais sans arguments déterminants[2].

Sujet et plan   Il s'agit d'une homélie, c'est-à-dire
d'une exhortation aux fidèles inspi-
rée par un événement, le martyre de Babylas. Les faits ne
sont qu'évoqués et non racontés. Ainsi les circonstances de
la mort de Babylas, qui occupaient une place importante
dans le Discours et qui comprenaient l'histoire de l'empereur meurtrier d'un enfant, l'interdiction qui lui est faite
d'entrer dans l'église, l'emprisonnement et la mort de
Babylas, sont-elles traitées dans l'homélie, au titre d'«événements les plus anciens» (ἀρχαιότερα : 2, 7), comme une
curiosité historique. Seul compte l'enseignement qu'en
peut tirer l'auditoire du moment. Or, pour l'édification des
fidèles, l'exploitation à des fins apologétiques du sacrilège
exécuté par Julien sur le corps du martyr après sa mort est
beaucoup plus efficace que l'énumération des mérites
personnels du saint, si grands soient-ils. Aussi l'éloge du
martyr s'efface-t-il devant la diatribe contre le persécuteur
des chrétiens.

Dans cette perspective, le plan de l'homélie s'organise
autour des trois protagonistes Babylas, Julien, l'évêque

---

1. Les premiers mots du *Panégyrique des S. Juventin et Maximin*
(*PG* 50, 571) : «L'autre jour le bienheureux Babylas et les trois enfants
nous ont rassemblés ici», ne semblent pas se rapporter à l'*Homélie sur
Babylas,* dans laquelle il n'est pas question des trois enfants.

2. Voir G. DOWNEY, *art. cit. (p. 19, n. 3),* p. 45. Sur la chronologie
de cette période, l'édification du martyrion et les données archéolo-
giques concernant la découverte du martyrion à Antioche, cf. *supra,*
p. 18-19.

Mélétios. Mais dans ce triptyque un très long développement est consacré à Julien, alors que les considérations qui précèdent et qui suivent sur les mérites de Babylas et de Mélétios sont assez brèves. Ce contraste souligne la véritable portée de l'homélie : rappeler l'entreprise de démolition du christianisme à laquelle se consacra Julien et qu'ont victorieusement combattue par leur courage et leur foi le saint et le pasteur, qui ont tous deux participé ainsi à l'«édification du corps du Christ» (11). La violence du ton montre à quel point, après vingt-cinq ans, restait vivace et suscitait encore l'effroi rétrospectif le souvenir de l'empereur apostat.

Trois parties donc dans cette homélie :
- 1) Hommage à Babylas (1-2);
- 2) Diatribe contre Julien; sa haine des chrétiens (3-4); Daphné et le temple d'Apollon (5-7); l'incendie du temple (8-9);
- 3) Hommage à Mélétios (10-11).

II. HISTOIRE DU TEXTE

A. LA TRADITION MANUSCRITE DE L'*HOMÉLIE*

1. Par rapport à celle du *Discours sur Babylas*.

Le discours semble avoir fait tort à l'homélie. En tout cas, tandis que plus de vingt manuscrits transmettent le discours, quatre seulement nous font connaître l'homélie, et un seul est antérieur au XIVe siècle. Ce sont :

B BERLIN, *Cod. Phill. 1442*, XIIe-XIIIe s.
X VENISE, *Mar. gr. 108*, XIVe s.
M MUNICH, *Cod. gr. 31*, XVIe s. (année 1546).
N MADRID, *B.N. 4747*, XVIe s.

A ces manuscrits, il faut ajouter l'exemplaire de Savile
(*Oxford Boldleian Library, Auctarium. E. 3. 7*, Codex G)[1].

Cet état de la tradition manuscrite peut sembler paradoxal : car si l'authenticité du *Discours sur Babylas* a été
parfois contestée[2], celle de l'homélie n'a jamais été mise en
doute. Mais le discours, par son ampleur et sa visée plus
large, a vraisemblablement contribué à reléguer l'homélie
au rang d'une œuvre mineure. Elle a pu sembler faire
double emploi avec lui ou en offrir seulement une manière
de résumé. Aussi est-ce le discours et non l'homélie qu'on a
le plus copié, et deux manuscrits seulement – le *Marc. gr.
108* et le *Monac. gr. 31* – transmettent à la fois l'*Homélie* et le
Discours sur Babylas.

2. Par rapport à la tradition des autres «éloges» de martyrs
ou de saints.

L'impression que le discours a fait tort à l'homélie se
confirme si l'on compare sa tradition manuscrite à celle des
autres *encômia* chrysostomiens. A l'exception du *De Philogonio*, transmis par 30 témoins, ou encore de l'*In Ignatium*,
pour lequel on en compte 12, la tradition manuscrite de ces
encômia est à peu près uniforme et oscille entre 7 et
9 témoins[3]. Seule l'homélie *Sur les martyrs d'Égypte* n'est
attestée que par 5 témoins. L'*Homélie sur Babylas* est donc
celui des *encômia* dont la tradition est la moins riche.

D'autre part, ces *encômia* ont tous une tradition manuscrite plus ancienne que celle de notre homélie : ainsi
dispose-t-on pour l'*In Iuuentinum et Maximinum* d'un
manuscrit du IXe s., et pour le *De Philogonio* de deux

---

1. Voir à ce sujet, M. AUBINEAU, *Codices Chrysostomi graeci*, t. 1, Paris
1968, p. XV-XVII et p. 120-122.

2. Cf. *supra*, p. 15, n. 1.

3. On en compte 9 pour l'*In Romanum hom. 1*, l'*In Barlaam*, l'*In
Meletium*; 8 pour l'*In Iuuentinum et Maximinum*, et 7 pour le *De ss. Bernice
et Prosdoce*.

manuscrits du Xe s.; en outre, toutes ces homélies sont au moins transmises par deux manuscrits du XIe s. et par plusieurs manuscrits des XIIe, XIIIe, XIVe s. Or, le plus ancien témoin de l'*Homélie sur Babylas* (B) est daté du XIIe-XIIIe s. La tradition de cette homélie est donc non seulement plus étroite que celle de toutes les autres, mais aussi, dans l'ensemble, plus tardive.

En revanche, la tradition du *Discours sur Babylas* remonte, elle aussi, au IXe s., avec plusieurs témoins pour les Xe-XIe siècles. Tout se passe donc comme si le discours, prenant la place de l'homélie, et senti à son tour comme une homélie aux proportions seulement plus vastes[1], avait été traité comme les autres *encômia*, ou plutôt comme celui d'entre eux – le *De Philogonio* – pour lequel la tradition manuscrite est la plus riche et la plus ancienne.

B. DESCRIPTION DES MANUSCRITS

B *Cod. Phill. 1442.* Berlin, XIIe-XIIIe, parch., 400 × 288 mm, 374 f^{os}, 2 col., 40 li., f°s 291^v-295^v *De s. hieromartyre Babyla*. C'est pour nous le plus ancien témoin connu de l'homélie. Le début et la fin du codex sont mutilés[2].

Le scribe de l'homélie, qui a tendance à confondre le ω et le ο, a parfois corrigé de lui-même ses fautes, mais son texte a subi par ailleurs une révision systématique. Elle consiste le plus souvent à corriger les effets de la prononciation courante, dus notamment à l'iotacisme, sur la

1. Cf. *supra*, p. 63-64 et p. 64, n. 2.
2. Comme il n'était pas possible d'obtenir une reproduction photographique de ce manuscrit, nous devons à l'obligeance du Docteur Kurt Treu de l'*Akademie der Wissenschaften der DDR* d'avoir bien voulu en faire pour nous la collation. Qu'il trouve ici l'expression de notre gratitude.

graphie : ει, αι, υ devenant respectivement ι, ε, ι; et
inversement, car on constate sur ce point une assez grande
inconséquence du scribe. Plus rarement, il s'agit de réparer
une omission, ou encore de corriger un mot, sans que l'on
puisse toujours lire ce qu'avait mis la première main (par
ex., 3, 38 : χαμαί). Dans l'ensemble les fautes matérielles
sont donc rares; deux fois pourtant, à quelques lignes
d'intervalle, nous relevons un οὐκ devant un esprit rude au
lieu de οὐχ, ou encore, un πᾶσαν pour πᾶσιν, et même une
forme aberrante ἴσωσι (8, 3) pour ἐστί (?). Enfin, de
manière systématique, B ajoute sans nécessité un ν euphonique au datif pluriel en -σι et aux finales verbales en ε et en ι.
Le réviseur l'a parfois supprimé. D'ordinaire nous ne
signalons pas dans l'apparat critique la présence de ce ν
euphonique.

X *Marcianus gr. 108 (coll. 480).* Venise, milieu du
XIVe s., parch., 300 × 200/210 mm, f°s 399, 2 col., 34 li.,
f°s 321[v]-325 *De s. hieromartyre Babyla.* Le manuscrit
contient également le *Discours sur Babylas* (f°s 335-354[v])[1]. Il
a appartenu au cardinal Bessarion avant d'être légué à la
Bibliothèque Marciana.

Dans sa description du manuscrit, E. Mioni signale que
cinq scribes ont travaillé sur le codex[2] : de ses indications il
ressort que l'homélie et le discours ont été copiés par deux
scribes différents, respectivement le scribe *c* (f°s 167-334[v])
et le scribe *d* (f°s 335-394). Pour faire nos collations de
l'homélie, nous avons disposé d'un microfilm et consulté
sur place le manuscrit.

Le titre de l'homélie est porté à l'encre rouge, et le texte
écrit avec une encre brune qui a souvent pâli, ce qui rend la
lecture parfois difficile, surtout lorsque le parchemin est

---

1. Cf. *supra*, p. 77-78.
2. *Indici e Catalogi VI, Codices graeci manuscripti bibliothecae divi Marci
Venetiarum*, t. 8, Roma 1981, p. 152-153.

lui-même gondolé (v.g. f° 323ᵛ). L'écriture en est soignée, et on ne relève aucune véritable erreur matérielle. En de rares occasions pourtant, la graphie rend la lecture incertaine, ce qui explique dans les copies de X plusieurs bévues.

M *Monacensis gr. 31.* Munich, XVIᵉ s. (1546), papier, 352 × 245 mm., ff. 357, 29/30 li., f°ˢ 230-234 *De s. hieromartyre Babyla.* Le manuscrit a été copié en 1546 par Georges Tryphon; Savile l'a utilisé pour son édition. Comme X, il contient également le *Discours sur Babylas* (f°ˢ 246-279ᵛ). Nous avons fait nos collations à partir d'un microfilm.

L'écriture est soignée et régulière, et le copiste a trois ou quatre fois réparé dans la marge un oubli, et corrigé ou complété son texte au-dessus de la ligne[1]. On relève néanmoins un certain nombre de négligences qui constituent autant de fautes caractéristiques de ce manuscrit : ταλὴν pour ταφὴν (2, 11), οὐ θέως pour εὐθέως (3, 3), ὠρόμαζεν pour ὠνόμαζεν (3, 22), ὅτι pour ἔτι (3, 38), ἄλλοι δὲ pour ἀλλ' οὐδὲ (5, 28), ὀδείας pour ἀδείας (8, 2), ἀφικνομένοις pour ἀφικνουμένοις (9, 3), ἱστοχίαν pour ἱστορίαν (9, 9), ἀγγοραί pour ἀγοραί (10, 4), ἠμέκρωσεν pour ἐνέκρωσεν (10, 34).

N *Madrilenensis, B.N. 4747.* Madrid, Bibliothèque Nationale, milieu du XVIᵉ s. (après 1546), papier, 328 × 217 mm., f°ˢ II + 520, 29 li., f°ˢ 329-332ᵛ *De s. hieromartyre Babyla.* Ce manuscrit présente en gros les mêmes caractéristiques que M dont il dépend étroitement.

---

1. De même, comme on le constate pour le *Discours,* chaque fois que le scribe interrompt sa copie, il note en bas de page, du côté droit, à la verticale, les deux ou trois premiers mots du texte par lesquels il doit reprendre son travail (voir par ex., f° 231ᵛ); à cet endroit aussi, pour éviter sans doute de terminer la page sur une coupe, il place sur une ligne supplémentaire la fin du mot et le mot suivant (πάν/τως γὰρ).

Pourtant, à la différence de M, il ne transmet pas le *Discours sur Babylas*. Non seulement il reproduit assez servilement toutes les fautes de M, mais il y ajoute encore d'autres coquilles (ἀποστράπτουσα pour ἀπαστρ. 4, 13; μίσομα pour μίασμα 6, 1; ὑγένοντο pour ἐγέ- 6, 5; παλϊ pour πάλιν 8, 14; ἐνταῦτα pour ἐνταῦθα 10, 13; μονότροπον pour ὁμό- 10, 14; ἀπαλλήλοις pour ἐπαλλ- 10, 30), et présente même une omission importante (4, 4) due à la présence d'un homoio-téleute. On ne saurait donc accorder à N qu'une confiance encore plus limitée qu'à M.

s Outre ces manuscrits, nous devons tenir compte de l'édition de Savile, t. 5, Eton 1612, p. 438-442 *De s. hiero-martyre Babyla.* Pour l'*Homélie sur Babylas,* Savile a utilisé le manuscrit M et l'édition de Fronton du Duc (Paris 1606), faite à partir de ce même manuscrit. En plusieurs endroits, il a noté les conjectures de Fronton et les siennes propres[1].

C. CLASSEMENT DES MANUSCRITS

1. Caractéristiques externes

L'organisation des recueils fournit un premier indice pour le classement des manuscrits de l'homélie.

Sous ce rapport, la constitution des recueils B et X est

---

1. Cf. Savile, t. 8, c. 733-734. Ses conjectures témoignent du reste de la sûreté de son sens critique. Ainsi, pour ne prendre qu'un exemple, est-il surpris du texte offert par M et l'édition de Fronton en 4, 30 : ταῖς Ἑλληνικαῖς ἐκπομπεύειν ἀσχημοσύναις. Car, si le sens est clair, la construction d'ἐκπομπεύιν avec le datif lui semble rude. Il propose deux solutions : ou bien corriger le datif en accusatif – c'est le parti adopté dans Migne –, ou bien lire ἐμπομπεύειν ou ἐπιπομπεύειν. Or, c'est précisément la leçon ἐμπομπεύειν que donne le ms B, et il y a tout lieu de la tenir pour la leçon originelle. Savile pourtant n'a pas eu accès à ce manuscrit.

fondamentalement différente. Dans B, les *encômia* ne sont représentés que par l'*Homélie sur Babylas* et l'homélie *In Iuuentinum et Maximinum martyres,* respectivement n° 20 et 21 ; pour le reste, divers traités dogmatiques et ascétiques, des homélies exégétiques ou liées au calendrier liturgique occupent le recueil, sans qu'on puisse y discerner une architecture véritable. L'ensemble paraît plutôt disparate et les textes, retenus en fonction des modèles offerts à la copie. Dans X, en revanche, l'organisation du recueil est beaucoup plus évidente et cohérente. On a d'abord une série de 14 traités ascétiques, puis 15 *encômia* – si l'on met au nombre des *encômia* le *Discours sur Babylas* – dont le dernier est précédé de l'homélie *Contra theatra* ; et, pour achever le manuscrit, une *sententia ascetica* (f. 399ʳ). L'originalité de X, par rapport à B, est de donner à la fois, à deux homélies d'intervalle *(In s. Romanum martyrem* et *De beato Philogonio),* l'*Homélie* et le *Discours sur Babylas.* Par ailleurs, X reproduit seulement 6 des traités que donne B[1].

En revanche, le manuscrit M reflète pour l'essentiel l'organisation de X. Seuls les traités ascétiques numérotés 10 à 14 dans X en sont absents, ainsi que la *sententia* finale. M ne constitue donc pas, à proprement parler, un recueil original par rapport à X. Pour tous les autres textes, en effet, il reproduit sans aucun changement l'ordre adopté en X. Il donne notamment comme lui l'*Homélie* et le *Discours sur Babylas,* séparés par les deux mêmes homélies *(In s. Romanum martyrem* et *De beato Philogonio).*

Par rapport à X et à M, le manuscrit de Madrid (N) est un recueil beaucoup plus composite. On y trouve d'abord une série de traités et d'homélies en relation avec le calendrier liturgique (n° 1-24). Mais aucun de ces textes ne

---

1. Ce sont : *Ad Theodorum lapsum 1-2, Ad Demetrium 1, Ad Stelechium 2, Ad Stagirium, De Sacerdotio 1-6 ;* de l'*Aduersus Iudaeos orationes 1-8* donné par B, X omet les livres 2 et 3.

figure dans X, ni dans M par voie de conséquence. Avec B, ses relations semblent tout aussi lointaines : ils ont seulement en commun le troisième des discours *Contre les Juifs*, dont B donne la série complète (1 à 8) − X de son côté omet précisément les discours 2 et 3 −, et le petit traité *Quales ducendae sint uxores* (n° 12). N présente ensuite une série d'*encômia* (n° 25-35) dont l'*Homélie sur Babylas* est le premier, mais il ne reproduit pas le Discours. Pourtant, à l'exception de ce texte et de trois autres *encômia*[1], il donne dans le même ordre que M et X les 11 *encômia* restants. Il n'est pas exclu que l'absence du *De Macchabaeis* dans N s'explique par sa place dans X et M, après le *Contra theatra*, qui a pu faire croire achevée la série des *encômia*. La suite du recueil offre diverses lettres, deux traités relatifs au mariage (*Ad uiduam iuniorem* et *De non iterando coniugio*) qui sont présents dans M, et les lettres à Olympias (1-17).

Si X et M sont deux recueils très proches par leur structure et leur contenu, et si N, au moins pour ce qui est des *encômia*, s'apparente à M et X, B est à l'évidence un recueil original, représentant une tradition différente.

2. Filiation des manuscrits.

Cette impression est confirmée par l'analyse du texte que donnent ces quatre manuscrits.

Comme N n'offre par rapport à M aucune leçon originale, qu'il en reproduit toutes les fautes auxquelles s'ajoutent les siennes propres, et qu'il s'en écarte seulement par une omission due à un saut du même au même, N est à l'évidence une copie de M, mais plus fautive. Il donne même parfois aux fautes un caractère d'évidence qu'elles n'ont pas toujours en M : ainsi écrit-il οἰκὔώσεως (3, 24) et τΐς (5, 4), en soulignant par le tréma la nature de la voyelle,

---

1. *De beato Philogonio, In Iuuentinum et Maximinum martyres, De Macchabaeis.*

ce que ne fait pas M, ou ἴσθαι (8, 3) en interprétant de façon claire les ligatures de M. D'autre part, comme il reproduit à plusieurs reprises le texte de M *ante correctionem* (1, 1 χραίος; 5, 19 αἰδεύγιμοι; 8, 6 τοῦ ξόανου), il pourrait avoir été copié sur M peu après 1546.

De manière presque aussi nette, on peut affirmer que M est, sinon la copie directe de X, du moins celle d'un manuscrit qui en est la copie conforme[1] : à une exception près (3, 13 ἀπεστρέφεις au lieu de ἀπεστρέφετο), M reproduit toutes les leçons de X. Il en respecte même le plus souvent la graphie, et quand il s'en écarte, il s'agit non pas de véritables leçons, mais de fautes caractérisées (2, 11 ταλὴν pour ταφὴν; 3, 3 οὐ θέως pour εὐθέως; 3, 22 ὠρόμαξεν pour ὠνόμαξεν, etc.), ou de lectures fautives (3, 38 ὅτι pour ἔτι; 5, 31 προσκόρεσιν pour προαίρεσιν). De ce fait, M et N n'offrent, pour l'établissement du texte, qu'un intérêt secondaire.

B et X, en revanche, représentent deux traditions manuscrites distinctes. Aucune des additions de B, aucune de ses omissions, aucune de ses inversions dans l'ordre des mots ne se retrouve dans X, non plus que les fautes propres à B. A deux reprises notamment (4, 16-19 et 5, 3), B présente par rapport à X une addition textuelle importante qu'il y a tout lieu de considérer comme la leçon originelle. Les omissions de X peuvent s'expliquer dans le premier cas par un saut du même au même (πάντα), et, dans le second, par la présence d'homoiotéleutes. Par ailleurs, les deux manuscrits présentent assez de leçons divergentes pour qu'on puisse exclure que X soit une copie de B. Mais inversement, ils sont suffisamment apparentés pour des-

---

1. Ce que fait apparaître la comparaison des deux manuscrits pour le *Discours* est encore plus net dans le cas de l'homélie. Voir aussi à ce sujet J. DUMORTIER, Introd. à JEAN CHRYSOSTOME, *Les cohabitations suspectes (CUF)*, Paris 1955, p. 33-34.

cendre d'un ancêtre commun[1]. Pour ne prendre qu'un exemple, la leçon de B ποθὲν τῷ προαστείῳ (9, 6) est aussi la leçon initiale de X qui cependant omet ποθὲν.

On peut donc proposer le stemma de la page suivante.

---

1. Dans son étude de «La tradition manuscrite des traités à Théodore» (*art. cit.* [*p. 74, n. 1*], p. 271), J. Dumortier considère en effet que les manuscrits de la famille z à laquelle appartient X auraient copié à une date plus tardive le modèle commun de la famille x et de la famille y dont fait partie le manuscrit B, tout en empruntant quelques variantes à d'autres manuscrits désormais perdus.

Stemma

XIIe — XIIIe s.

XIVe s.

XVIe s. (1546)

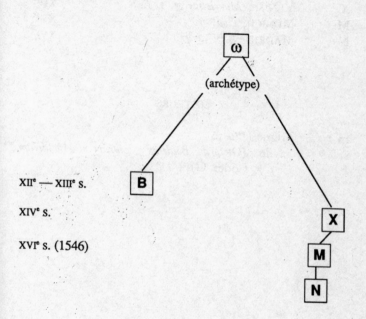

MANUSCRITS ET ÉDITIONS

MANUSCRITS

B	BERLIN, *Cod. Phill. 1442*	XIIe-XIIIe s.
X	VENISE, *Marcianus gr. 108*	XIVe s.
M	MUNICH, *Cod. gr. 31*	XVIe s.
N	MADRID, *B.N. 4747*	XVIe s.

ÉDITEURS

m	Migne (*PG 50*)
s	Savile (*Oxford Boldeian Library, Auctarium E. 3. 7*, Codex G)

TEXTE
ET
TRADUCTION

Εἰς τὸν ἅγιον ἱερομάρτυρα Βαβύλαν

I
528

529

1. Ἐγὼ μὲν ἐβουλόμην ἀποδοῦναι τὸ χρέος τήμερον, ὃ πρώην ἐνταῦθα γενόμενος ὑπεσχόμην ὑμῖν · ἀλλὰ | τί πάθω; Μεταξὺ φανεὶς ὁ μακάριος Βαβύλας, πρὸς ἑαυτὸν ἡμᾶς ἐκάλεσεν, οὐ φωνὴν ἀφιείς, ἀλλὰ τῇ | λαμπηδόνι τῆς ὄψεως 5 ἐπιστρέψας ἡμᾶς. Μὴ τοίνυν δυσχεράνητε πρὸς τὴν ὑπέρθεσιν τῆς ἀποδόσεως · πάντως ὅσῳ πλείων γίνεται ὁ χρόνος, τοσούτῳ καὶ ὁ τόκος ὑμῖν αὔξεται. Μετὰ γὰρ τόκου τὸ ἀργύριον τοῦτο καταβαλούμεθα · ἐπειδὴ καὶ ὁ παρακαταθέμενος αὐτὸ Δεσπότης οὕτως ἐκέλευσε[a]. Θαρ- 10 ροῦντες οὖν ὑπὲρ τῶν δεδανεισμένων, ὡς καὶ τοῦ κεφαλαίου καὶ τῆς ἐργασίας μενόντων ὑμῖν, τὸ παρεμπεσὸν σήμερον κέρδος μὴ παραδράμωμεν, ἀλλὰ κατατρυφήσωμεν τῶν τοῦ μακαρίου Βαβύλα κατορθωμάτων.

2. Ὅπως μὲν οὖν τῆς ἐκκλησίας προέστη τῆς παρ' ἡμῖν, καὶ τὴν ἱερὸν ταύτην διέσωσε ναῦν ἐν χειμῶνι καὶ κλύδωνι καὶ χύμασι, καὶ ὅσην πρὸς βασιλέα παρρησίαν ἐπεδείξατο, καὶ πῶς τὴν ψυχὴν ἔθηκεν ὑπὲρ τῶν προβάτων,

Titulus   τοῦ αὐτοῦ εἰς τὸν μακάριον βαβύλαν καὶ εἰς τὸν ἐμπρησμὸν τοῦ ἀπόλλωνος τοῦ ἐν δάφνῃ Β   τοῦ αὐτοῦ εἰς τὸν ἅγιον ἱερομάρτυρα βαβύλαν ΧΜ   τοῦ ἐν ἁγίοις πατρὸς ἡμῶν ἰωάννου πατριάρχου κωνσταντινουπόλεως τοῦ χρυσοστόμου εἰς τὸν ἅγιον ἱερομάρτυρα βαβύλαν Ν

1, 1 χραίος Μ[1]Ν   χρέως Β[1] ‖ 4 ἀφείς edd. ‖ 5 δυσχαιράνητε Β ‖ 7 τοσοῦτο Β ‖ ἡμῖν ΧΜΝ ‖ 9 αὐτὸ : αὐτῷ Β[1] ‖ ἐκέλευσεν ΒΧΜΝ ‖ 11 ἡμῖν ΧΜΝ ‖ παρεμπεσὸν : -πεσων Β[1]

En l'honneur de l'auguste martyr saint Babylas

1. Je voulais payer aujourd'hui la dette que je vous ai naguère, à cette place, fait la promesse d'acquitter. Mais quoi? Entre temps s'est montré le bienheureux Babylas[1], il nous a appelés à lui, sans faire entendre sa voix, mais en attirant nos regards par l'éclat de son apparition. Ne soyez donc pas fâchés si je diffère le paiement de ma dette; de toute façon, plus le temps s'allonge, plus l'intérêt de la dette augmentera pour vous. Car c'est avec un intérêt que nous vous rendrons cet argent, puisque le Maître aussi qui nous l'a confié l'a ainsi ordonné[a]. Vous voilà donc rassurés sur ce qui vous est dû, puisqu'à la fois le capital et le revenu vous restent; alors, ne négligeons pas le gain qui se présente aujourd'hui, et délectons-nous des belles actions du bienheureux Babylas.

Babylas   **2.** Comment il a été mis à la tête de notre Église et comment il a sauvé ce vaisseau sacré dans la tempête, les vagues et les flots, de quel franc-parler il fit montre à l'égard de l'empereur, comment il donna sa vie pour ses brebis et

---

2, 3 βασιλία XM   βασιλεία N

---

1. a. cf. Matth. 25, 27

---

1. Allusion sans doute à la fête de Babylas le 24 janvier.

5 καὶ τὴν μακαρίαν ἐκείνην ἐδέξατο σφαγήν · ταῦτα, καὶ τὰ
τοιαῦτα, τοῖς πρεσβυτέροις τῶν διδασκάλων καὶ τῷ κοινῷ
πατρὶ πάντων ἡμῶν ἀφήσομεν εἰπεῖν. Τὰ γὰρ ἀρχαιότερα
τῶν πραγμάτων οἱ γεγηρακότες ἡμῖν δύνανται διηγεῖσθαι
καλῶς · ὅσα δὲ νεωστὶ γέγονε καὶ ἐπὶ τῆς ἡλικίας τῆς
10 ἡμετέρας, ταῦτα ὁ νέος ἐγὼ πρὸς ὑμᾶς διηγήσομαι, τὰ
μετὰ τελευτὴν λέγω, τὰ μετὰ τὴν ταφὴν τοῦ μάρτυρος, τὰ
ἡνίκα ἐν τῷ προαστείῳ διέτριβε. Καὶ οἶδα μὲν ὅτι γελά-
σονται τὴν ὑπόσχεσιν ἡμῶν Ἕλληνες, εἰ μετὰ τελευτὴν καὶ
ταφὴν τὰ τοῦ ταφέντος καὶ διαλυθέντος εἰς κόνιν ὑπισχνού-
15 μεθα λέγειν ἀνδραγαθήματα · οὐ μὴν διὰ τοῦτο σιγήσομεν,
ἀλλὰ καὶ δι᾽ αὐτὸ τοῦτο μάλιστα ἐροῦμεν, ἵνα τὸ παράδοξον τοῦτο δείξαντες ἀληθῶς, τὸν γέλωτα εἰς τὴν ἐκείνων
περιτρέψωμεν κεφαλήν. Ἀνθρώπου μὲν γὰρ ἁπλῶς οὐκ ἂν
γένοιτο κατορθώματα μετὰ τελευτήν · μάρτυρος δὲ γένοιτ᾽
20 ἂν πολλὰ μεγάλα, οὐχ ἵνα ἐκεῖνος λαμπρότερος γένηται
(οὐδὲν γὰρ αὐτῷ δεῖ τῆς παρὰ τῶν πολλῶν δόξης), ἀλλ᾽ ἵνα
σὺ μάθῃς ὁ ἄπιστος, ὅτι θάνατος μαρτύρων οὐκ ἔστι
θάνατος, ἀλλὰ ζωῆς βελτίονος ἀρχὴ καὶ πολιτείας πνευμα-
τικωτέρας προοίμια, καὶ μετάστασις ἀπὸ τῶν ἐλαττόνων
25 πρὸς τὰ βελτίω. Μὴ γὰρ δὴ τοῦτο ἴδῃς, ὅτι γυμνὸν
τοῦ μάρτυρος τὸ σῶμα πρόκειται τῆς ψυχικῆς ἐνεργείας
ἔρημον · ἀλλ᾽ ἐκεῖνο σκόπει, ὅτι τῆς ψυχῆς αὐτῆς ἑτέρα
παρακάθηται μείζων αὐτῷ δύναμις, ἡ τοῦ ἁγίου Πνεύματος
χάρις, πᾶσιν ὑπὲρ τῆς ἀναστάσεως ἀπολογουμένη, δι᾽ ὧν
30 θαυματοποιεῖ. Εἰ γὰρ νεκροῖς σώμασι καὶ διαλυθεῖσιν
εἰς κόνιν μείζονα τῶν ζώντων ἁπάντων δύναμιν ὁ Θεὸς

2, 7 πατρὶ > XMN ‖ ἀφήσωμεν XMN ‖ 8 ὑμῖν m ‖ 11 ταλὴν MN ‖
28 ἁγίου > B[1]

─────────

1. Le terme σφαγή laisse entendre que Babylas n'est pas mort en
prison, mais qu'il a été égorgé ou décapité; sur ce point, voir
l'Introduction au *Discours*, p. 18. – Pour l'*Homélie* comme pour le
Discours (54-57; 60), l'empereur qui a fait périr Babylas est celui-là même
qui avait reçu de lui l'affront à l'église. Ce que dit aussi la *Passion de*

accepta ce bienheureux supplice[1], ces faits et d'autres
semblables, nous laisserons aux plus âgés de nos docteurs
et à notre Père commun à tous le soin de les dire. Car les
évènements les plus anciens, les vieillards peuvent nous les
raconter parfaitement; mais ce qui est arrivé récemment et
dans notre génération, cela, moi qui suis jeune, je vous le
raconterai, je veux parler de ce qui suivit la mort, ce qui
suivit la sépulture du martyr et ce qui arriva quand son
corps séjournait dans le faubourg (de Daphné)[2]. Je sais
bien que les Grecs riront de la promesse que je fais, celle de
dire, après sa mort et sa sépulture, les hauts faits d'un
homme qui a été enseveli et réduit en poussière; cependant, nous ne garderons pas pour autant le silence, au
contraire nous parlerons précisément pour cela même, afin
de montrer en toute vérité cette merveille et retourner le
rire sur la tête de ces gens-là. Un homme simplement ne
saurait accomplir de belles actions après sa mort; mais un
martyr peut accomplir de grandes actions, non pas pour
acquérir plus d'éclat — car il n'a nul besoin de la gloire
que donne la foule —, mais pour que tu apprennes,
toi l'incroyant, que la mort des martyrs n'est pas une mort,
mais le commencement d'une vie meilleure, le prélude
d'une existence plus spirituelle et le passage d'un état
inférieur à un état meilleur. Ne regarde pas seulement ce
fait que le corps du martyr gît nu, privé de la force active
de l'âme, mais considère plutôt ceci, qu'une autre puissance supérieure à celle de l'âme elle-même l'assiste, la
grâce du Saint-Esprit qui pour tous les hommes parle en
faveur de la Résurrection par les miracles qu'elle accomplit. Si en effet Dieu a gratifié des cadavres tombés en
poussière d'une puissance supérieure à celle des vivants

S. Basile (cf. *supra*, p. 56-58). — Sur l'identité de cet empereur, voir *supra*
p. 49-59.
   2. Cf. *supra*, p. 18-19.

ἐχαρίσατο, πολλῷ μᾶλλον αὐτοῖς ζωὴν χαριεῖται βελτίω
τῆς προτέρας καὶ μακαριωτέραν κατὰ τὸν τῶν στεφάνων
καιρόν. Τίνα οὖν ἐστιν αὐτοῦ τὰ κατορθώματα; Ἀλλὰ μὴ
35 θορυβηθῆτε, ἂν μικρὸν ἀνωτέρω τὸν λόγον ἀγάγωμεν. Καὶ
γὰρ οἱ τὰς εἰκόνας ἐπιδεῖξαι βουλόμενοι καλῶς, μικρὸν τοῦ
πινακίσκου τοὺς θεωμένους ἀποστήσαντες, οὕτως αὐτὰς
ἐκκαλύπτουσι, σαφεστέραν τῷ διαστήματι ποιοῦντες τὴν
ὄψιν αὐτοῖς. Ἀνάσχεσθε τοίνυν καὶ ὑμεῖς εἰς τοὐπίσω τῶν
40 λόγων ἀνελκόντων ὑμᾶς.

3. Ἐπειδὴ γὰρ ὁ πάντας ἀσεβείᾳ νικήσας Ἰουλιανὸς
ἀνέβη ἐπὶ τὸν θρόνον τὸν βασιλικὸν καὶ τῶν σκήπτρων
ἐπελάβετο τῶν δεσποτικῶν, εὐθέως καὶ κατὰ τοῦ πεποιη-
530 κότος αὐτὸν τὰς χεῖρας ἀντῆρε Θεοῦ, καὶ | τὸν εὐεργέτην
5 ἠγνόησε, καὶ κάτωθεν ἀπὸ τῆς γῆς πρὸς τὸν οὐρανὸν
βλέπων ὑλάκτει κατὰ τοὺς μαινομένους τῶν κυνῶν, οἳ καὶ
τῶν μὴ τρεφόντων καὶ τῶν τρεφόντων ὁμοίως καταβοῶσι·
μᾶλλον δὲ καὶ ἐκείνων ἀγριωτέραν ἐμάνη μανίαν. Οἱ
μὲν γὰρ καὶ τοὺς οἰκείους καὶ τοὺς ἀλλοτρίους ὁμοίως
10 ἀποστρέφονται καὶ μισοῦσιν· οὗτος δὲ τοὺς μὲν ἀλλοτρίους
τῆς αὐτοῦ σωτηρίας δαίμονας ἔσαινε, καὶ παντὶ θεραπείας
ἐκολάκευε τρόπῳ· τὸν δὲ εὐεργέτην καὶ σωτῆρα, καὶ μηδὲ
τοῦ Μονογενοῦς φεισάμενον δι’ αὐτόν, ἀπεστρέφετο καὶ
ἐμίσει, καὶ τὸν σταυρὸν διέσυρε, πρᾶγμα ὃ τὴν οἰκουμένην
15 ἐπ’ ὄψιν κειμένην ἀνέστησε, καὶ τὸ σκότος πάντοθεν
ἀπήλασε, καὶ τῶν ἀκτίνων ἡμῖν λαμπρότερον εἰσήγαγε
φῶς. Καὶ οὐδὲ ἐνταῦθα τῆς μανίας ἵστατο, ἀλλ’ ἐκ μέσης
ἀναρπάσασθαι τῆς οἰκουμένης τὸ τῶν Γαλιλαίων ἔθος
ἐπηγγέλλετο· καὶ γὰρ οὕτως ἡμᾶς εἰώθει καλεῖν. Καίτοι εἰ
20 τὸ ὄνομα τῶν Χριστιανῶν μύσος εἶναι ἐνόμιζε καὶ πολλῆς

2, 35 θορυβήσητε B ‖ 39 εἰς : ἐκ B ‖ 39-40 τὸν λόγον XMN ‖ 40 ὑμᾶς :
ἡμῶν m
3, 3 εὐθέως : οὐ θέως MN ‖ καὶ > B ‖ 5 ἠγνόησεν BN ‖ 9 καὶ¹ edd. :
κατὰ BXMN ‖ 12 ἐκολάκευσε B ἐθεράπευε XMN ‖ 13 ἀπεστρέφεις
MN -στράφη edd. ‖ 16 τὸν B ‖ εἰσείγαγε MN ‖ 18 ἀναρπάσεσθαι edd. ‖

tous ensemble, à plus forte raison les gratifiera-t-il d'une vie meilleure et plus heureuse que la première au moment des couronnes. Quelles sont donc les belles actions de Babylas? Ne protestez pas si je reprends mon discours un peu plus haut. Les peintres qui veulent montrer un tableau dans de bonnes conditions, éloignent un peu les spectateurs du tableau, puis le découvrent, en leur rendant ainsi la vue plus nette par la distance. Supportez donc vous aussi que mes paroles vous ramènent en arrière.

L'empereur Julien
a) sa haine
des chrétiens

3. Dès que cet homme qui a surpassé tous les hommes en impiété, Julien, fut monté sur le trône impérial et se fut saisi du sceptre de la tyrannie, aussitôt il leva ses mains contre Dieu qui l'avait créé, il méconnut son bienfaiteur et d'en bas levant ses regards de la terre au ciel, il aboyait, à la façon de ces chiens en folie qui poursuivent également de leurs cris ceux qui ne les nourrissent pas et ceux qui les nourrissent. Ou plutôt sa folie fut encore plus sauvage que la leur. Car ces animaux englobent dans une même aversion et une même haine leurs familiers et les étrangers, tandis que Julien, lui, pour les démons étrangers à son salut usait de cajolerie, de flatterie et de toute sorte de prévenances, mais son bienfaiteur, son Sauveur, qui n'avait même pas épargné pour lui son fils unique, il l'avait en aversion et le haïssait; et il se moquait de la croix, un objet qui a relevé le monde gisant sur sa face, qui a chassé de tous côtés les ténèbres et nous a ramené une lumière plus brillante que celle des rayons du soleil. Et sa folie ne s'arrêtait même pas là! Il proclamait qu'il extirperait du milieu de la terre la race des Galiléens, car c'est de ce nom qu'il nous désignait habituellement. Pourtant, s'il regardait le nom de chrétien comme une

19 ἐπηγγέλετο BN ‖ εἴωθε s ‖ χαλεῖ N ‖ 20 τὸν B ‖ ἐνόμιζεν B¹

τὸ πρᾶγμα γέμειν αἰσχύνης, τίνος ἕνεκεν οὐκ ἐντεῦθεν
ἡμᾶς ὠνόμαζεν, εἰ καταισχύνων ἐπεθύμει; Ἀλλὰ γὰρ
ᾔδει σαφῶς, ὅτι τὸ καλεῖσθαι ἀπὸ τῆς πρὸς τὸν Χριστὸν
οἰκειώσεως, οὐκ ἀνθρώποις μόνον, ἀλλὰ καὶ ἀγγέλοις καὶ
25 ταῖς ἀνωτέρω δυνάμεσι μέγας κόσμος ἐστί. Διὰ τοῦτο
πάντα ἐκίνει, ὥστε τοῦτον ἡμᾶς ἀποσυλῆσαι τὸν κόσμον
καὶ καταλῦσαι τὸ κήρυγμα. Ἀλλὰ τοῦτο ἀμήχανον ἦν,
ἄθλιε καὶ ταλαίπωρε, ὥσπερ ἀμήχανον ἦν κατασκάψαι τὸν
οὐρανόν, καὶ σβέσαι τὸν ἥλιον, καὶ τὰ θεμέλια τῆς γῆς
30 διασεῖσαι καὶ καταβαλεῖν. Καὶ ταῦτα προανεφώνησεν ὁ
Χριστὸς οὕτως εἰπών · « Ὁ οὐρανὸς καὶ ἡ γῆ παρελεύ-
σονται · οἱ δὲ λόγοι μου οὐ μὴ παρέλθωσιν[a].» Ἀλλ'
οὐκ ἀνέχῃ τοῦ Χριστοῦ λέγοντος · οὐκοῦν δέχου τὴν
ἀπὸ τῶν πραγμάτων φωνήν. Ἐγὼ μὲν γὰρ καταξιωθεὶς
35 εἰδέναι, τί ποτέ ἐστιν ἀπόφασις Θεοῦ, πῶς ἰσχυρὸν καὶ
ἄμαχον πρᾶγμα, καὶ τῆς φυσικῆς ἀκολουθίας καὶ τῆς
τῶν πραγμάτων πείρας πάντων ἀξιοπιστοτέραν ταύτην
εἶναι πεπίστευκα · σὺ δὲ ὁ χαμαὶ συρόμενος ἔτι, καὶ πρὸς
λογισμῶν ἐπτοημένος ἐξέτασιν ἀνθρωπίνων, δέχου τὴν ἀπὸ
40 τῶν. πραγμάτων μαρτυρίαν · οὐδὲν ἀντιλέγω, οὐδὲ φιλο-
νεικῶ.

II　　4. Τί οὖν λέγει τὰ πράγματα; Εἶπεν ὁ Χριστός, ὅτι τὸν
οὐρανὸν καὶ τὴν γῆν ἀπολέσθαι εὐκολώτερον ἢ τῶν αὐτοῦ
διαπεσεῖν τινα λόγων · ἀντεφθέγξατο τούτοις ὁ βασιλεύς,
καὶ ἠπείλησεν ἀναιρήσειν τὰ δόγματα. Ποῦ οὖν ὁ βασιλεὺς
5 ὁ ταῦτα ἀπειλήσας; Ἀπόλωλε καὶ διέφθαρται, καὶ νῦν
ἐστιν εἰς ᾅδου τὴν ἀπαραίτητον ἀναμένων κόλασιν. Ποῦ δὲ
ὁ Χριστὸς ὁ ἐκεῖνα ἀποφηνάμενος; Ἐν οὐρανοῖς, ἐν δεξιᾷ
τοῦ Πατρὸς τὸν ὑψηλότατον τῆς δόξης κατέχων θρόνον.

3, 22 ἡμᾶς + ἀλλ' ὀνόματι ξένῳ m ‖ ὠρόμαζεν MN ‖ κατασχύνειν edd.
‖ 24 οἰκυώσεως XMN ‖ 26 ἐκείνει MN ‖ 31 παρελεύσεται B ‖ 36 ἀκο-
λουθείας B¹ ‖ 38 χαμαὶ : χ et μ B² sed quid ante? ‖ ἔτι : ὅτι MN ‖
39 λογισμόν B
4, 2 τῶν : τὸν N ‖ 4 καὶ — βασιλεὺς > N ‖ 8 ὑψηλὸν B

abomination et la chose comme pleine d'ignominie, pourquoi ne pas nous appeler de ce nom, s'il désirait nous
flétrir? C'est qu'il savait bien qu'être appelé d'un nom qui
suppose une familiarité avec le Christ est un grand honneur
non seulement pour les hommes, mais pour les anges et les
puissances d'en haut. Voilà pourquoi il mettait tout en
branle pour nous dépouiller de cet honneur et ruiner notre
prédication. Mais cela était impossible, malheureux et
infortuné, tout comme il était impossible de renverser le
ciel, d'éteindre le soleil et d'ébranler les fondements de la
terre et de les jeter à bas. Et cela, le Christ l'avait prédit
dans ces paroles : «Le ciel et la terre passeront, mais mes
paroles ne passeront pas[a].» Mais tu ne supportes pas la
parole du Christ? Accepte du moins la voix des événements. Moi qui ai été jugé digne de connaître ce qu'est une
sentence divine, combien elle est chose forte et irrésistible,
je crois fermement qu'elle est plus digne de foi que
l'ordonnance de la nature et que l'expérience que donnent
tous les événements. Et toi qui rampes encore sur la terre,
qui est passionné pour une recherche fondée sur des
raisonnements humains, accepte le témoignage des événements ; je ne t'oppose rien, je ne discute pas.

4. Que disent donc les événements? Le Christ a dit qu'il
était plus facile que le ciel et la terre périssent, plutôt que se
perde une de ses paroles. C'est contre ce propos que s'est
élevé l'empereur, et il a menacé d'exterminer les dogmes!
Où est l'empereur qui a proféré ces menaces? Il est mort, il
a péri et il est maintenant dans l'enfer, où il endure un
irrémédiable supplice. Où est le Christ, qui prononçait ces
mots? dans le ciel, occupant à la droite du Père le trône de
gloire le plus élevé. Où sont les blasphèmes de l'empereur

---

3. a. Matth. 24, 35

Ποῦ τοῦ βασιλέως τὰ βλάσφημα ῥήματα καὶ ἡ ἀκόλαστος
10 γλῶττα; Τέφρα γέγονε καὶ κόνις καὶ σκωλήκων τροφή.
Ποῦ τοῦ Χριστοῦ ἡ ἀπόφασις. Ἀπ᾽ αὐτῆς τῶν πραγμάτων
λάμπει τῆς ἀληθείας, ὥσπερ ἀπὸ στήλης χρυσῆς τῆς τῶν
ἔργων ἐκβάσεως ἀπαστράπτουσα. Καίτοι οὐδὲν τότε παρέ-
λιπεν ὁ βασιλεύς, τὸν πρὸς ἡμᾶς μέλλων αἴρεσθαι πόλεμον ·
15 ἀλλὰ καὶ μάντεις ἐκάλει καὶ γόητας συνεκρότει, καὶ πάντα
τοῦ πατρὸς αὐτοῦ συνῆγεν τὰ μηχανήματα · καπνῷ μὲν τὸν
ἀέρα, αἵματι δὲ μολύνων τὴν γῆν, πάντας τοὺς δαίμονας
πάντοθεν καλῶν καὶ παρακαλῶν, τῆς πρὸς ἡμᾶς συνε-
φάπτεσθαι μάχης αὐτῷ · καὶ πάντα ἦν δαιμόνων μεστὰ καὶ
20 πνευμάτων πονηρῶν. Τίνες οὖν αἱ τῆς θεραπείας ταύτης
531 ἀμοιβαί; Πόλεων | ἀνατροπαὶ καὶ λιμὸς ἁπάντων λιμῶν ὁ
πικρότατος. Ἴστε γὰρ δήπου καὶ μέμνησθε, πῶς κενὴ μὲν
ἦν ὠνίων ἡ ἀγορά, μεστὰ δὲ θορύβων τὰ ἐργαστήρια,
ἑκάστου φιλονεικοῦντος τὸ φανὲν προαρπάσαι καὶ ἀπελθεῖν.
25 Καὶ τί λέγω λιμόν, ὅπου γε καὶ αὐταὶ τῶν ὑδάτων
ἐπιλειπόμεναι αἱ πηγαί, πηγαὶ ποταμοὺς τῇ δαψιλείᾳ τοῦ
ῥεύματος ἀποκρύπτουσαι; Ἀλλ᾽ ἐπειδὴ πηγῶν ἐμνήσθην,
δεῦρο λοιπὸν ἐπὶ τὴν Δάφνην ἀνέλθωμεν καὶ τὸν λόγον
πρὸς τὰ τοῦ μάρτυρος κατορθώματα συνελάσωμεν. Καίτοι
30 γε ἐπιθυμεῖτε ταῖς Ἑλληνικαῖς ἐμπομπεύειν ἀσχημοσύναις
ἔτι · ἀλλ᾽ ὅμως, καὶ οὕτως αὐτὸς ὤν, ἀπάγωμεν · πάντως
γάρ, ὅπου μαρτύρων μνήμη, ἐκεῖ καὶ Ἑλλήνων αἰσχύνη.

5. Οὗτος τοίνυν ὁ βασιλεὺς ἀνιὼν εἰς τὴν Δάφνην,
συνεχῶς ἠνώχλει τὸν Ἀπόλλωνα δεόμενος, ἱκετεύων, ἀντι-
βολῶν, μυρίας κατακόπτων ἀγέλας βοῶν ὥστε μαντεύ-

4, 13 ἀποστράπτουσα N ‖ παρέλειπεν B ‖ 16-19 τοῦ πατρός — καὶ
πάντα > XMN ‖ 23 μετὰ B ‖ 24 φειλονεικοῦντος XMN ‖ 26 δαψιλίᾳ B¹
‖ 30 ἐκπομπεύειν XMN edd. ‖ τὰς ἑλληνικὰς ... ἀσχημοσύνας m post
suggest. s ‖ 31 αὐτὸς ὤν M edd. : αὐτὸν B   αὐτῶν (O.s.l.)   αὐτὸς ὤν N
5, 1 δάφθνην N ‖ 2 συχνῶς m ‖ 3 μυρίας — βοῶν > XMN

et sa langue impudente? Elle est devenue cendre et poussière, la pâture des vers. Où est la sentence du Christ? Elle brille de la vérité même des événements, elle resplendit de l'issue des faits accomplis comme de l'éclat d'une colonne d'or. Et pourtant l'empereur n'avait alors rien négligé au moment de soulever la guerre contre nous : il appelait des devins, il rameutait des charlatans, il mettait en œuvre toutes les machinations de son père[1], souillant l'air de fumée, la terre de sang, appelant de toute part les démons et les incitant à entreprendre avec lui le combat contre nous; tout était plein de démons et d'esprits mauvais. Et quels furent les fruits de cet hommage? Des villes renversées et la plus cruelle de toutes les famines. Vous savez, n'est-ce pas, et vous vous souvenez de la pénurie de vivres sur la place publique, des boutiques pleines de tumulte, chacun s'efforçant d'attraper ce qu'il voyait et de s'enfuir. Et pourquoi parler de famine? Quand les sources d'eau vive tarissaient elles-mêmes, ces sources dont l'abondance des flots dépassait celle des fleuves[2]? Mais puisque j'ai parlé des sources, remontons maintenant à Daphné et ramenons notre discours vers les belles actions du martyr. Et pourtant vous désirez tirer gloire encore des turpitudes des Grecs? Mais cependant, bien que ce soit aussi mon désir, passons, car, de toute façon, partout où l'on fait mention des martyrs il y a aussi honte pour les Grecs.

b) Daphné et le temple d'Apollon

5. Cet empereur donc, montant à Daphné, ne cessait d'importuner Apollon, le priant, le suppliant, le conjurant, en massacrant d'innombrables troupeaux de bœufs, de lui révéler quelques points

---

1. C'est-à-dire le diable (cf. *Jn* 8, 44).
2. Cf. *Discours*, 118 et p. 258-259, n. 2 et 3.

σασθαί τι περὶ τῶν μελλόντων αὐτῷ. Τί οὖν ὁ μάντις, ὁ
5 μέγας τῶν Ἑλλήνων θεός; Νεκροί με κωλύουσι φθέγγεσθαι, φησίν· ἀλλὰ ἀνάρρηξον τὰς θήκας, ἀνόρυξον τὰ
ὀστᾶ, μετάστησον τοὺς νεκρούς. Τί τούτων ἀνοσιώτερον
γένοιτ' ἂν τῶν ἐπιταγμάτων; Ξένους ὁ δαίμων τυμβωρυχίας εἰσάγει νόμους, καὶ καινοὺς ξενηλασίας ἐπινοεῖ τρό-
10 πους. Τίς ἤκουσε νεκροὺς ἐλαυνομένους ποτέ; τίς εἶδε
σώματα ἄψυχα κελευόμενα μετανίστασθαι, καθάπερ οὗτος
ἐπέταττε, τοὺς κοινοὺς τῆς φύσεως ἐκ βάθρων ἀνατρέπων
νόμους; Κοινοὶ γάρ εἰσι τῆς φύσεως νόμοι παρὰ πᾶσιν
ἀνθρώποις κείμενοι, τὸν ἀπελθόντα τῇ γῇ κρύπτεσθαι καὶ
15 ταφῇ παραδίδοσθαι καὶ τοῖς κόλποις τῆς πάντων μητρὸς
περιστέλλεσθαι γῆς. Καὶ τούτους οὐχ Ἕλλην, οὐ βάρβαρος,
οὐ Σκύθης, οὐκ εἴ τις ἐκείνων ἀγριώτερος ἐκίνησε τοὺς
νόμους ποτέ, ἀλλ' αἰδοῦνται καὶ φυλάττουσιν ἅπαντες, καὶ
οὕτως εἰσὶν ἱεροὶ καὶ πᾶσιν αἰδέσιμοι. Ἀλλ' ὁ δαίμων
20 ἐπάρας τὸ προσωπεῖον, γυμνῇ τῇ κεφαλῇ πρὸς τὰ κοινὰ
τῆς φύσεως ἵσταται δόγματα· Μίασμα γάρ, φησίν, εἰσὶν οἱ
νεκροί. Οὐχ οἱ νεκροὶ μίασμα, πονηρότατε δαῖμον, ἀλλὰ
προαίρεσις πονηρὰ μύσος ἐστίν. Εἰ δὲ χρή τι καὶ θαυμαστὸν εἰπεῖν, τὰ τῶν ζώντων μᾶλλον μεστὰ κακίας ἢ τὰ
25 τῶν τετελευτηκότων ἐστὶ σώματα μιαρά· τὰ μὲν γὰρ
διακονεῖται τοῖς τῆς ψυχῆς ἐπιτάγμασι· τὰ δὲ κεῖνται
ἀκίνητα· τὸ δὲ ἀκίνητον καὶ πάσης αἰσθήσεως ἔρημον, καὶ
κατηγορίας ἂν εἴη πάσης ἐλεύθερον. Πλὴν ἀλλ' οὐδὲ τὰ
τῶν ζώντων εἴποιμι ἂν ἔγωγε σώματα εἶναι τῇ φύσει
30 μιαρά, ἀλλὰ πανταχοῦ τὴν πονηρὰν καὶ διεστραμμένην
προαίρεσιν ταῖς παρὰ πάντων κατηγορίαις εἶναι ὑπεύθυνον.

5, 4 τι[1] : τις MN ‖ μάντης B[2] ‖ 7-8 γένοιτ' ἂν ἀνοσιώτερον ∼ B ‖
9 κενοὺς BXMN ‖ 10 οἶδε XMN s[ac] ‖ 11 μετανήσασθαι MN ‖ 13 πᾶσαν
B ‖ 14 κείμενοι > XMN ‖ 16 οὐχ : οὐκ B ‖ 18 καὶ[2] > B ‖ 19 αἰδεύγιμοι
M[1]N ‖ 22 οὐκ B ‖ δαίμων B ‖ 23 μείσος MN ‖ 24 μιστὰ MN ‖ 25 εἰσι

de l'avenir. Et que répondit le devin, le puissant dieu des Grecs? "Les cadavres m'empêchent de parler, dit-il; allons, brise les tombes, exhume les ossements, transporte ailleurs les cadavres!" Quoi de plus impie que des ordres pareils? Étranges lois, celles que le démon introduit, de forcer les tombeaux! Singuliers procédés, ceux qu'il imagine, de violer l'hospitalité! Qui jamais a entendu parler de chasser des cadavres? Qui a vu ordonner de déplacer des corps sans vie, comme le commandait le démon, bouleversant ainsi de fond en comble les lois générales de la nature? Car ce sont des lois générales de la nature chez tous les hommes d'ensevelir dans la terre le disparu, de le confier à un tombeau, de l'ensevelir dans le sein de la terre, notre mère à tous. Et ces lois, ni Grec, ni Barbare, ni Scythe, ni personne de plus sauvage encore ne les ont jamais ébranlées, tous les respectent, les observent, tant elles sont saintes et vénérables pour tous. Mais le démon, levant le masque, à découvert, se dresse contre les prescriptions générales de la nature. "Ce sont des êtres impurs, dit-il, que les cadavres." Non! les cadavres ne sont pas impurs, démon mauvais entre tous, c'est l'intention mauvaise qui est abominable. S'il faut dire encore quelque chose de surprenant, les corps des vivants sont plus remplis de mal que les corps des trépassés sont remplis d'impureté; car ceux-là exécutent les ordres de l'âme, les autres gisent sans mouvement. Or tout objet privé de mouvement et dépourvu de toute sensibilité est aussi à l'abri de toute accusation. Néanmoins, je ne dirais même pas, pour ma part, que les corps des vivants sont naturellement impurs, mais que partout l'intention mauvaise et dépravée tombe sous le coup des accusations de tous les hommes.

XMN edd. || 27 ἀκίνητα : -το MN || ἀκείνητα ... ἀκείνητον B[1] || τὸ δὲ : τὰ δὲ B || 28 ἀλλ' οὐδὲ : ἄλλοι δὲ MN || 31 προσκόρεσιν MN

6. Οὐκ ἔστι σῶμα νεκρὸν μίασμα, Ἄπολλον, ἀλλὰ τὸ κόρην διώκειν σωφρονεῖν βουλομένην, καὶ σεμνότητα διορύττειν παρθένου, καὶ τῆς ἀναισχύντου πράξεως ἀποτυχόντα θρηνεῖν, τοῦτο καὶ κατηγορίας καὶ κολάσεως ἄξιον. ⁵ Πολλοὶ γοῦν παρ' ἡμῖν ἐγένοντο προφῆται θαυμαστοὶ καὶ μεγάλοι, καὶ πολλὰ περὶ τῶν μελλόντων προειπόντες, καὶ οὐδαμοῦ τοὺς ἐρωτῶντας ἐκέλευον τὰ τῶν ἀπελθόντων ἀνορύττειν ὀστᾶ· ἀλλ' ὁ μὲν Ἰεζεκιὴλ αὐτῶν τῶν ὀστῶν πλησίον ἑστώς, οὐ μόνον οὐδὲν ἐνεποδίζετο παρ' ἐκείνων, ¹⁰ ἀλλὰ καὶ σάρκας αὐτοῖς καὶ νεῦρα καὶ δέρματα περιθείς, εἰς ζωὴν ἐπανήγαγεν αὐτὰ πάλιν[a]. Ὁ δὲ μέγας Μωϋσῆς ⁵³² οὐ | πλησίον ὀστῶν εἱστήκει νεκρῶν, ἀλλ' αὐτὸν ὅλον νεκρὸν ἐπιφερόμενος τὸν Ἰωσήφ, οὕτω τὰ μέλλοντα προὔλεγε[b]· καὶ μάλα εἰκότως. Τὰ μὲν γὰρ ἐκείνων ῥήματα Πνεύματος ¹⁵ ἁγίου χάρις ἦν· τὰ δὲ τούτων ἀπάτη δαιμόνων, καὶ ψεῦδος οὐδαμόθεν συσκιασθῆναι δυνάμενον.

7. Ὅτι γὰρ σκῆψις ταῦτα καὶ πρόφασις ἦν, καὶ τὸν μακάριον ἐδεδοίκει Βαβύλαν, δῆλον ἐξ ὧν ὁ βασιλεὺς ἔπραξε· τοὺς γὰρ ἄλλους ἅπαντας νεκροὺς ἀφείς, ἐκεῖνον τὸν μάρτυρα μόνον ἐκίνει. Καίτοι γε εἰ βδελυττόμενος ⁵ αὐτόν, ἀλλὰ μὴ φοβούμενος ταῦτα ἔπραττεν, ἐχρῆν κελεῦσαι συντριβῆναι τὴν λάρνακα, καταποντισθῆναι, εἰς ἐρημίαν ἀπενεχθῆναι, ἑτέρῳ τινὶ ἀπωλείας ἀφανισθῆναι τρόπῳ. Τοῦτο γὰρ ἦν βδελυττομένου. Οὕτως ὁ Θεὸς ἐποίησεν, ὅτε περὶ τῶν βδελυγμάτων τῶν ἐθνῶν τοῖς ¹⁰ Ἑβραίοις διελέγετο· συντριβῆναι τὰς στήλας αὐτῶν ἐκέλευσεν, οὐκ ἀπὸ τῶν προαστείων ἐπὶ τὰς πόλεις ἄγειν τὰ μιάσματα.

6, 1 μίσομα N ‖ ἀπόλλων Β ‖ 5 ὑγένοντο N ‖ 6 πολλοὶ MN s ‖ 7 ἐκέλευον τὰ : -λεύοντο s ‖ 8 ἐζεκιὴλ Β ‖ 11 μωσῆς Β¹ add. -υ- supra lin. Β² ‖ 12 ἱστήκει Β¹ ‖ 15 δαιμόνων > XMN edd.

7, 2 βαβύλαν + οὐ μόνον Β ‖ 7 ἀπεχθῆναι Β   ἀπαχ- edd. ‖ ἀπωλίας Β¹ ‖ 9 βδελυγμάτων + συντριβῆναι XMN ‖ τῶν > Β¹

---

6. a. cf. Éz. 37, 1-14 ‖ b. cf. Ex. 13, 19

6. Non, un cadavre n'est pas un être impur, Apollon, mais poursuivre une jeune fille qui veut rester chaste et attenter à l'honneur d'une vierge[1], gémir sur l'insuccès d'une entreprise impudique, voilà ce qui mérite accusation et châtiment. Il y a eu, certes, chez nous beaucoup de prophètes admirables et grands; ils ont annoncé bien des choses à venir; nulle part ils n'ordonnaient à ceux qui les interrogeaient de déterrer les ossements des disparus. Au contraire Ézéchiel, debout auprès des ossements, bien loin d'y trouver un obstacle, leur redonna la chair, les nerfs, la peau et les ramena à la vie[a]. Et le grand Moïse? Il ne se tenait pas debout près d'ossements de cadavres, mais c'est en emportant le cadavre tout entier de Joseph qu'il prédisait l'avenir[b]. Et c'était tout à fait normal, car les paroles de ces prophètes étaient une grâce de l'Esprit-Saint; celles de ces gens sont fourberie et mensonge des démons qu'il est absolument impossible de dissimuler[2].

7. Que cela[3] n'ait été que vaine excuse, prétexte, et qu'il ait redouté le bienheureux Babylas, la conduite de l'empereur le montre à l'évidence. Il laissa tous les autres cadavres pour ne déplacer que ce martyr. Et pourtant, si c'était par horreur et non par crainte qu'il agissait ainsi, il fallait ordonner de briser le cercueil, de le jeter à la mer, de le transporter dans un désert, de le faire disparaître par quelque autre moyen de destruction. Cela, c'était manifester de l'horreur! Ainsi agit Dieu lorsqu'il parlait aux Hébreux des abominations des nations; il leur ordonna de briser leurs idoles, mais non de transporter les objets impurs des faubourgs dans les villes.

1. Allusion à la légende de Daphné; cf. *Discours*, 68.
2. Voir *Discours*, 85.
3. C'est-à-dire la réponse que fit Apollon.

III   8. Ὁ μὲν οὖν μάρτυς ἐκινεῖτο, ὁ δὲ δαίμων οὐδὲ οὕτως
ἀδείας ἀπέλαυεν· ἀλλ᾽ εὐθέως ἐμάνθανεν ὅτι ὀστᾶ μὲν
μάρτυρος μετακινῆσαι δυνατόν ἐστιν, χεῖρας δὲ μάρτυρος
διαφυγεῖν ἀδύνατον. Ὁμοῦ τε γὰρ ἡ λάρναξ ἐπὶ τὴν πόλιν
5 εἵλκετο, καὶ κεραυνὸς ἐκ τῶν οὐρανῶν πετάμενος ἐπὶ τὴν
κεφαλὴν ἤρχετο τοῦ ξοάνου καὶ τὰ πάντα κατέφλεγε.
Καίτοι γε, εἰ καὶ μὴ πρότερον, τότε γοῦν εἰκὸς ἦν
ὀργισθῆναι τὸν ἀσεβῆ βασιλέα, καὶ τὴν ὀργὴν ἀφεῖναι εἰς
τὸ μαρτύριον τοῦ μάρτυρος· ἀλλ᾽ οὐδὲ τότε ἐτόλμησε·
10 τοσοῦτος αὐτὸν κατεῖχε φόβος· ἀλλὰ καίτοι τὸν ἐμπρησμὸν
ὁρῶν ἀφόρητον ὄντα, καὶ τὴν αἰτίαν εἰδὼς ἀκριβῶς, ἡσύχαζε. Καὶ οὐ τοῦτο μόνον ἐστὶ τὸ θαυμαστὸν ὅτι τὸ
μαρτύριον οὐ κατέσκαψεν, ἀλλ᾽ ὅτι μηδὲ τὴν στέγην
ἐπιθεῖναι πάλιν τῷ ναῷ οὐκ ἐτόλμησεν. Ἤδει γάρ, ἤδει
15 θεήλατον οὖσαν τὴν πληγήν, καὶ ἐδεδοίκει μὴ περαιτέρω τι
διανοηθείς, ἐπὶ τὴν ἑαυτοῦ κεφαλὴν ἐκεῖνο καλέσῃ τὸ πῦρ.
Διὰ τοῦτο ἠνείχετο εἰς τοσαύτην ἐρημίαν κατενεχθέντα τὸν
ναὸν ὁρῶν. Οὐδὲ γὰρ ἄλλη τις ἦν αἰτία, δι᾽ ἣν οὐ
διώρθωσε τὸ γεγενημένον, ἀλλ᾽ ἢ φόβος μόνον δι᾽ ὃν καὶ
20 ἄκων ἡσύχαζε, καὶ ταῦτα εἰδὼς ὅσον μὲν ὄνειδος καταλείψει τῷ δαίμονι, ὅσον δὲ κόσμον τῷ μάρτυρι.

    9. Καὶ γὰρ ἑστήκασιν οἱ τοῖχοι νῦν ἀντὶ τροπαίων,
σάλπιγγος λαμπροτέραν ἀφιέντες φωνήν, τοῖς ἐν τῇ Δάφνῃ,
τοῖς ἐν τῇ πόλει, τοῖς πόρρωθεν ἀφικνουμένοις, τοῖς
συνοῦσι, τοῖς αὖθις ἐσομένοις ἀνθρώποις ἅπαντα διηγοῦνται
5 διὰ τῆς ὄψεως, τὴν πάλην, τὴν συμπλοκήν, τὴν νίκην τοῦ
μάρτυρος. Τὸν γὰρ πόρρωθεν ἀφιστάμενον τοῦ προαστείου,

8, 2 ἀδίας B¹ ‖ ἀπέλαβεν MN ‖ 3 ἐστιν edd. : ἴσωσι B ἴσθη X ἴσθαι
MN ‖ 4 ὁμοῦ : ἀκοῦ MN ‖ 5 ἤλκετο B ‖ ἐκ — πετάμενος : ἄνωθεν XMN
edd. ‖ 6 ξοάνου M¹ ξόανον N ‖ τὰ > B   supra lin. X ‖ 14 ἐπιθῆναι BX ‖
παλϊ N ‖ οὐκ > XMN s ‖ 15 ἐδεδώκει MN ‖ περετέρω B¹ ‖ 16 ἑαυτοῦ :
οἰκείαν XMN edd. ‖ κεφαλήν transp. post πῦρ XMN edd. ‖ 18 ναὸν +
τοῦ ἀπόλλωνος XMN edd. ‖ 19 καὶ > XMN edd. ‖ 20 καταλείψει :
-λίψει B¹ -λείπει m
9, 1 ἑστίκασιν MN ‖ τῖχοι uid. B¹ ‖ 3 ἀφικνομένοις MN ‖ 4 διηγοῦντες s

**c) L'incendie
du temple**

8. Le martyr était donc déplacé, mais le démon n'était pas plus en sécurité pour cela ; il ne tardait pas à apprendre qu'il est possible de changer de place des ossements de martyr, mais impossible de se dérober aux mains d'un martyr. A peine le cercueil était-il traîné dans la ville que la foudre tombant des cieux s'abattit sur la tête de la statue et livra le tout aux flammes. Et pourtant, même s'il ne l'avait pas fait auparavant, à ce moment du moins l'empereur impie aurait dû se mettre en colère, et laisser cette colère éclater contre le martyrion ; même alors il n'en eut pas l'audace, tant sa frayeur était grande. Quoiqu'il vît l'incendie intolérable et qu'il en connût exactement la cause, il se tenait tranquille. Et ce qui est surprenant, ce n'est pas seulement qu'il n'ait pas détruit le martyrion, mais qu'il n'osât même pas poser une nouvelle toiture sur le temple. Il savait, oui, il savait que le coup était d'origine divine et il redoutait, en poussant un peu plus loin ses desseins, d'attirer sur sa propre tête le feu céleste. Voilà pourquoi il se résignait à voir le temple réduit à un tel abandon. Car il n'y avait pas d'autre raison pour laquelle il ne remédia pas à cet accident, si ce n'est la frayeur seulement ; elle le faisait, bien malgré lui, se tenir tranquille, et cela, alors qu'il savait bien quelle honte allait en rejaillir sur le démon et quelle gloire sur le martyr.

9. Et en effet les murs subsistent aujourd'hui comme des trophées et font entendre une voix plus éclatante que le son des trompettes ; aux habitants de Daphné, à ceux de la ville, aux gens venus de loin, aux contemporains, aux hommes encore à venir, ils racontent tout par leur simple aspect : la lutte, le combat, la victoire du martyr. Celui qui de loin

---

|| 6 τὸν : τὸ N || πόρρωθεν + ποθὲν B || τῷ προαστείῳ BX¹ || τοῦ : τὸν MN

καὶ τὸ μὲν μαρτύριον τῆς λάρνακος ἔρημον, τὸν δὲ ναὸν
τὴν στέγην ἀφῃρημένον ὁρῶντα, εἰκὸς τὴν αἰτίαν τούτων
ἑκατέρων ζητεῖν · εἶτα πᾶσαν μαθόντα τὴν ἱστορίαν, οὕτως
10 ἀπελθεῖν ἐκεῖθεν. Τοιαῦτα τοῦ μάρτυρος τὰ κατορθώματα,
τὰ μετὰ τὴν τελευτήν.

10. Διὸ καὶ τὴν ὑμετέραν μακαρίζω πόλιν, ὅτι πολλὴν
περὶ τὸν ἅγιον τοῦτον ἐπεδείξασθε τὴν σπουδήν. Καὶ γὰρ
τότε, ἡνίκα ἀπὸ τῆς Δάφνης ἐπανῄει, πᾶσα μὲν ἡμῖν ἡ
πόλις εἰς τὴν ὁδὸν ἐξεχύθη, καὶ κεναὶ μὲν αἱ ἀγοραὶ
5 ἀνδρῶν, κεναὶ δὲ γυναικῶν ἦσαν αἱ οἰκίαι, ἔρημοι δὲ
παρθένων οἱ θάλαμοι. Οὕτω καὶ ἡλικία πᾶσα καὶ φύσις
533 ἑκατέρα | τῆς πόλεως ἐξεπήδησαν, ὥσπερ πατέρα ἀποληψό-
μενοι χρόνιον, ἐκ μακρᾶς ἐπανιόντα τῆς ἀποδημίας. Καὶ
ὑμεῖς μὲν αὐτὸν τῷ τῶν ὁμοζήλων ἀπεδώκατε χορῷ · ἡ δὲ
10 τοῦ Θεοῦ χάρις οὐκ εἴασεν ἐκεῖ διηνεκῶς μεῖναι, ἀλλὰ
πάλιν αὐτὸν τοῦ ποταμοῦ πέραν μετέστησεν, ὥστε πολλὰ
τῶν χωρίων τῆς εὐωδίας ἐμπλησθῆναι τοῦ μάρτυρος. Καὶ
οὐδὲ ἐνταῦθα ἐλθὼν μόνος ἔμελλεν ἔσεσθαι, ἀλλὰ ταχέως
γείτονα καὶ ὁμόσκηνον τὸν ὁμότροπον ἔλαβε. Καὶ γὰρ τῆς
15 ἀρχῆς ἐκοινώνησεν αὐτῷ τῆς αὐτῆς, καὶ παρρησίαν ἴσην
ἐπεδείξατο τῆς εὐσεβείας ἕνεκεν. Διὸ καὶ τὴν σκηνὴν
ἔλαχεν αὐτῷ τὴν αὐτήν, οὐ μάτην, ὡς ἔοικεν, ὁ θαυμαστὸς

9, 7 μαρτύριον + τοῦ ἁγίου XMN edd. ‖ ναὸν + τοῦ ἀπόλλωνος XMN
edd. ‖ 9 ἱστοκίαν MN
10, 2 ἐπεδείξασθαι B¹ ‖ 4 ἀγγοραί MN ‖ 5 οἰκείαι uid. B¹ ‖ 7 ἐξεπί-
δησαν B¹ ‖ 9 χρόνῳ BXMN ‖ 13 ἐνταῦτα N ‖ ἔσεσθε uid. B¹ ‖
14 μονότροπον N ‖ 15 εἴσην B¹

1. Le retour au cimetière d'Antioche. Cf. supra, p. 19.
2. Cf. supra, p. 22, n. 1 — Ὁμόσκηνον : «compagnon de cercueil»,
traduit J. LASSUS (art. cit., [p. 19, n. 3], p. 37), selon qui il s'agirait du
sarcophage découvert dans l'église cruciforme d'Antioche-Kaoussié, et
dont «les aménagements intérieurs semblent avoir été destinés à lui
permettre de recevoir deux corps». A l'intérieur de ce sarcophage «rien
n'a été retrouvé ni ossement, ni fragment d'aucune sorte», mais, selon

arrive au faubourg et qui voit le martyrion privé de
cercueil, le temple dépouillé de son toit, demande naturellement la cause de ces deux choses, et ce n'est qu'après
avoir appris toute l'histoire qu'il se retire de ce lieu. Tels
sont les exploits que le martyr accomplit après sa mort.

**Le martyrion
de Mélétios**

10. Aussi félicité-je votre cité
d'avoir manifesté pour ce saint un
grand zèle. Quand il revenait de
Daphné, en effet, toute notre ville s'était répandue sur le
chemin, les places étaient vides d'hommes, les maisons
vides de femmes, les appartements désertés par les jeunes
filles. Ainsi, tout âge, chaque sexe s'étaient précipités hors
de la ville, comme pour recevoir un père revenant après
longtemps d'un long voyage. Et vous, vous l'avez rendu
au chœur de ceux qui partagent avec lui une même
ferveur[1]; mais la grâce de Dieu n'a pas permis qu'il restât
ici constamment, elle l'a transporté sur l'autre rive du
fleuve, en sorte que plusieurs endroits ont été remplis de la
bonne odeur du martyr. Et même quand il fut arrivé là, il
ne devait pas y être seul, mais il eut bien vite pour voisin,
et dans le même habitacle[2], un homme de même caractère;
celui-ci avait effectivement rempli la même charge et
manifesté un égal franc-parler en faveur de la religion.
Aussi est-ce le même habitacle que lui qu'il obtint en

Lassus, le sarcophage a dû contenir «les deux corps placés l'un au-dessus
de l'autre» de Babylas et de Mélétios. Le terme σκηνή (tente), cependant,
ne désigne pas un cercueil (λάρναξ), mais sans doute l'habitacle, le
monument en forme de tente qui abrite le cercueil. Il faut voir dans
l'emploi de ce terme une allusion à la tente, la Demeure, qui abrite
l'arche d'alliance et qui est décrite dans l'*Exode*; ce terme σκηνή est
rendu dans la Vulgate par *tabernaculum,* tabernacle. A la fin du
Panégyrique de Mélétios (3), datant probablement de 386, Jean Chrysostome reprend l'image de notre texte, évoquant le cercueil (λάρναξ) de
Mélétios sur la terre, et l'habitacle éternel du saint (τῆς αἰωνίας αὐτοῦ
σκηνῆς) dans le Ciel.

οὗτος τοῦ μάρτυρος ζηλωτής. Τοσοῦτον γὰρ ἐπόνει
τὸν χρόνον ἐκεῖ, βασιλεῖ συνεχῶς ἐπιστέλλων, ἄρχοντας
20 ἐνοχλῶν, καὶ τὴν ἀπὸ τοῦ σώματος λειτουργίαν εἰσφέρων
τῷ μάρτυρι. Ἴστε γὰρ δήπου, καὶ μέμνησθε ὅτι μέσου
θέρους τῆς ἀκτῖνος μέσης κατεχούσης τὸν οὐρανόν, μετὰ
τῶν προσεδρευόντων αὐτῷ, καθ' ἑκάστην ἐβάδιζεν ἐκεῖ τὴν
ἡμέραν, οὐχ ὡς θεατὴς μόνον ἀλλὰ καὶ ὡς κοινωνὸς τῶν
25 γινομένων ἐσόμενος. Καὶ γὰρ λίθου συνεφήψατο πολλάκις,
534 καὶ σχοῖνον | εἵλκυσε, καὶ οἰκοδομῶν δεομένῳ τινός, πρὸ
τῶν ὑπουργούντων ὑπήκουσεν· ἤδει γάρ, ἤδει πόσοι
τούτων αὐτῷ κεῖσονται οἱ μισθοί. Καὶ διὰ τοῦτο διετέλει
θεραπεύων τοὺς μάρτυρας, οὐκ οἰκοδομαῖς μόνον λαμπραῖς,
30 οὐδὲ ἐπαλλήλοις ἑορταῖς, ἀλλὰ τῷ βελτίονι τούτων τρόπῳ.
Τίς δέ ἐστιν οὗτος; Μιμεῖται τὸν βίον αὐτῶν, ζηλοῖ τὴν
ἀνδρείαν, διὰ πάντων κατὰ δύναμιν τὴν εἰκόνα διασώζει
τῶν μαρτύρων ἐν ἑαυτῷ· ὅρα γάρ· ἐπέδωκαν ἐκεῖνοι τὰ
σώματα τῇ σφαγῇ· ἐνέκρωσεν οὗτος τὰ μέλη τῆς σαρκὸς
35 τὰ ἐπὶ τῆς γῆς· ἔστησαν ἐκεῖνοι πρὸς φλόγα πυρός,
ἔσβεσεν οὗτος τῆς ἐπιθυμίας τὴν φλόγα· ἐμαχήσαντο πρὸς
ὀδόντας θηρίων ἐκεῖνοι, ἀλλὰ καὶ οὗτος τὸ χαλεπώτατον
τῶν ἐν ἡμῖν παθῶν, τὴν ὀργὴν ἐκοίμισεν.

II. Ὑπὲρ δὴ τούτων ἁπάντων εὐχαριστήσωμεν τῷ
Θεῷ, ὅτι καὶ μάρτυρας οὕτω γενναίους ἡμῖν ἐχαρίσατο, καὶ
ποιμένας μαρτύρων ἀξίους, εἰς καταρτισμὸν τῶν ἁγίων, εἰς
οἰκοδομὴν τοῦ σώματος τοῦ Χριστοῦ, μεθ' οὗ τῷ Πατρὶ
5 δόξα, τιμή, κράτος, σὺν τῷ ἁγίῳ καὶ ζωοποιῷ Πνεύματι,
νῦν καὶ ἀεί, καὶ εἰς τοὺς αἰῶνας τῶν αἰώνων. Ἀμήν.

10, 18 γὰρ > B ‖ 21 εἴστε uid. B¹ ‖ 22 μέσον : μὲν XMN edd. ‖
23 ἐβάδισεν s ‖ 25 συνεφίψατο B¹ ‖ 26 σχῆνον MN ‖ 26 οἰκοδόμῳ s
-δομίας m ‖ 26-27 πρότων (πρώτων N) ὑπουργοῦν τῶν M N ‖ 27 πᾶσοι
MN ‖ 30 ἀπαλλήλοις N ‖ 32 ἀνδρίαν XMN ‖ 34 ἡμέκρωσεν N ‖
36 ἐμαχήσαντο m : -χέσαντο B   -χίσαντο XMN s ‖ 37-38 τῶν — παθῶν
τὸ χαλεπώτατον ~ B
   11, 5 καὶ ζωοποιῷ > B

partage, à bon droit, à ce qu'il semble, cet admirable imitateur du martyr. Pendant si longtemps, en effet, il s'est dépensé, là-bas, écrivant sans cesse à l'empereur, importunant les magistrats, apportant le concours de son corps même au martyr! Vous savez, n'est-ce pas, et vous vous souvenez comment au fort de l'été, quand les rayons du soleil occupaient le milieu du ciel, il se rendait là-bas chaque jour avec ses assesseurs, non pas en simple spectateur, mais pour prendre part lui-même à ce qu'on y faisait. Bien des fois il aida à manier une pierre, il tira un câble et, quand il était occupé à l'ouvrage, il répondit à une demande avant les ouvriers. Il savait bien, il savait bien quel serait le salaire de ces efforts. Aussi persévérait-il à honorer les martyrs, non seulement par de magnifiques édifices et des fêtes continuelles, mais d'une manière bien meilleure encore. Et quelle est cette manière? En imitant leur vie, en rivalisant avec eux de courage, en reproduisant en tout point, autant qu'il le pouvait, leur image dans sa propre personne. Voyez en effet : les martyrs ont livré leur corps au supplice, lui a mortifié les membres de sa chair terrestre; eux ont résisté à la flamme du feu, lui a étouffé la flamme de la concupiscence; ils ont lutté contre les dents des bêtes fauves, lui a apaisé la plus redoutable de nos passions, la colère.

11. Pour tous ces motifs rendons grâces à Dieu, parce qu'il nous a donné la grâce de si nobles martyrs et des pasteurs dignes de ces martyrs, pour le perfectionnement des saints, pour l'édification du corps du Christ, avec lequel gloire soit au Père, honneur, puissance, en l'unité de l'Esprit-Saint, source de vie, maintenant et toujours, dans les siècles des siècles.

INDEX

I. INDEX SCRIPTURAIRE DU *DISCOURS*

Les références au *Discours* renvoient au paragraphe. Précédées d'un astérisque, elles indiquent une allusion.

II. INDEX DES NOMS PROPRES DU *DISCOURS*

Les références au *Discours* renvoient au paragraphe et à la ligne.

III. INDEX DES MOTS GRECS DU *DISCOURS*

Cet Index répertorie environ 200 mots concernant l'apologétique, le conflit avec le paganisme, l'histoire de Babylas et le culte des martyrs, ainsi que d'autres termes présentant un intérêt particulier.

Les références au *Discours* renvoient au paragraphe et à la ligne.

IV. INDEX SCRIPTURAIRE DE L'*HOMÉLIE*

Les références à l'*Homélie* renvoient au paragraphe. Précédées d'un astérisque, elles indiquent une allusion.

V. INDEX DES NOMS PROPRES DE L'*HOMÉLIE*

Les références à l'*Homélie* renvoient au paragraphe et à la ligne.

TABLE DES MATIÈRES

HOMÉLIE SUR BABYLAS

INDEX

SOURCES CHRÉTIENNES

Fondateurs : H. de Lubac, *s.j.*
† J. Daniélou, *s.j.*
C. Mondésert, *s.j.*
Directeur : D. Bertrand, *s.j.*
Directeur-adjoint : J.N. Guinot

Dans la liste qui suit, dite « liste alphabétique », tous les ouvrages sont rangés par nom d'auteur ancien, les numéros précisant pour chacun l'ordre de parution depuis le début de la collection. Pour une information plus complète, on peut se procurer deux autres listes au secrétariat de « Sources Chrétiennes »
29, rue du Plat, 69002 Lyon (France) — Tél. : 78.37.27.08 :
  1. la « liste numérique », qui présente les volumes et leurs auteurs actuels d'après les dates de publication; elle indique les réimpressions et les ouvrages momentanément épuisés ou dont la réédition est préparée.
  2. la « liste thématique », qui présente les volumes d'après les centres d'intérêt et les genres littéraires : exégèse, dogme, histoire, correspondance, apologétique, etc.

LISTE ALPHABÉTIQUE (1-362)

SOUS PRESSE

GEOFFROY D'AUXERRE : **Entretien de Simon-Pierre avec Jésus**. H. Rochais.

TERTULLIEN : **Contre Marcion**. Tome I et II. R. Braun.

GRÉGOIRE DE NYSSE : **Lettres**. P. Maraval.

PROCHAINES PUBLICATIONS

Les Apophtegmes des Pères. Tome I. J.-C. Guy.

BASILE DE CÉSARÉE : **Homélies morales.** Tome I. E. Rouillard, M.-L. Guillaumin.

BERNARD DE CLAIRVAUX : **Vie de S. Malachie, Éloge de la Nouvelle Milice.** P.-Y. Émery.

CÉSAIRE D'ARLES : **Œuvres monastiques.** Tome II : **Œuvres pour les moines.** A. de Vogüé, J. Courreau.

EUGIPPE, **Vie de saint Séverin.** P. Regerat.

GRÉGOIRE LE GRAND : **Lettres.** Tome I. P. Minard (†).

HERMIAS : **Moquerie des philosophes païens.** R.P. C. Hanson. (†).

ORIGÈNE, **Commentaire sur le Cantique.** Tome I. L. Brésard.